দ্য প্রিন্স

ম্যাকিয়াভেলি

Bengali Translation of the International Bestseller
The Prince

Published 2025

FiNGERPRINT! BENGALI
Prakash Books

Fingerprint Publishing
@FingerprintP
@fingerprintpublishingbooks
www.fingerprintpublishing.com

ISBN: 978 93 6214 662 5

দ্য প্রিন্স

ম্যাকিয়াভেলি

Bengali Translation of the International Bestseller
The Prince

অনুবাদ: পার্থ মুখোপাধ্যায়

FINGERPRINT!

অনুবাদকের কথা

দ্য প্রিন্স একটি বিতর্কিত গ্রন্থ। ১৫৩২ খ্রিষ্টাব্দে প্রকাশিত হওয়ার পর থেকে আজ পর্যন্ত এই গ্রন্থে বর্ণিত রাষ্ট্রনীতিগুলি নিন্দিত কিংবা প্রশংসিত, সমালোচিত কিংবা অনুসৃত হয়ে এসেছে। প্রায় দু-দশকের কূটনৈতিক কর্মজীবনের অভিজ্ঞতা থেকে শাসনব্যবস্থা সম্পর্কে নিকোলো ম্যাকিয়াভেলির যে ধারণা জন্মেছিল তাই তিনি লিপিবদ্ধ করেছেন *দ্য প্রিন্স* গ্রন্থে। শাসনব্যবস্থা অর্জন ও রক্ষণের পদ্ধতি সম্পর্কে তাঁর নীতিগুলির পাশাপাশি এখানে রয়েছে শাসন ক্ষমতা হস্তচ্যুত হওয়ার সম্ভাব্য কারণগুলিও। শাসক ও শাসিতের মধ্যে থাকা চিরন্তন সমস্যাগুলি উল্লেখ করে ম্যাকিয়াভেলি সরকারের আচরণ সম্পর্কে তাঁর তত্ত্ব ব্যাখ্যা করেছেন এই রচনায়। সেই সঙ্গে বিভিন্ন ঐতিহাসিক ঘটনা ও বিখ্যাত ঐতিহাসিক চরিত্রের প্রসঙ্গ ব্যবহার করে তিনি তাঁর তত্ত্বগুলি প্রতিষ্ঠার চেষ্টা করেছেন যা পাঠকের কাছে গ্রন্থটিকে আকর্ষণীয় করে তুলেছে।

এই গ্রন্থের একের পর এক অধ্যায়ে ম্যাকিয়াভেলি একদিকে দেখিয়েছেন বংশানুক্রমিক রাজতন্ত্র ও অধিকৃত রাজতন্ত্রের পার্থক্য, নাগরিক শাসনতন্ত্রের সুবিধা ও অসুবিধা, যাজকীয় রাজত্বের মাহাত্ম্য ও দুর্বলতা আবার অন্যদিকে বর্ণনা করেছেন বিভিন্ন ধরনের সেনাবাহিনী ও তাদের কার্যকারিতা এবং দুর্গ রচনার যৌক্তিকতা ও অসারতার কথা। শাসকের চরিত্র কেমন হওয়া উচিত বা একজন নতুন শাসকের কেমন আচরণ করা উচিত তা উদাহরণ সহকারে ব্যাখ্যা করতে ম্যাকিয়াভেলি অনেকগুলি অধ্যায় ব্যয় করেছেন। তাঁর মতে শুধুমাত্র ভাগ্যের সহায়তার ওপর নির্ভর করে না থেকে যে শাসক নিজের বীরত্ব ও বিচক্ষণতার ওপর আস্থা রেখে উচ্চাভিলাষ চরিতার্থ করতে ঝুঁকি নেন তিনিই গৌরব অর্জন করেন।

তৎকালীন ইতালিতে ক্রমাগত রাজনৈতিক সংঘর্ষ ও অস্থিরতার বাতাবরণে রচিত এই গ্রন্থে ম্যাকিয়াভেলিকে একজন রাষ্ট্রবিজ্ঞানী হিসেবে যেমন দেখা যায় তেমনি ফুটে ওঠে তাঁর দেশপ্রেমিক চরিত্র। স্বদেশের মঙ্গলের জন্য তিনি যে পথ

সঠিক বলে মনে করেছেন তারই পরিচয় দিয়েছেন তাঁর তত্ত্বগুলিতে। কিন্তু সমসাময়িক পাঠক সেগুলি মেনে নিতে পারেননি। কারণ ম্যাকিয়াভেলি যে তত্ত্ব প্রতিষ্ঠা করতে চেয়েছেন তা হল, নীতিতে যা অন্যায় তা অনায়াসেই ন্যায় হতে পারে রাজনীতিতে।

এই গ্রন্থ অনুবাদ করতে গিয়ে আমার বার বার মনে হয়েছে, ম্যাকিয়াভেলির যে তত্ত্বগুলি পৃথিবী জুড়ে নিন্দিত হয়েছে পরবর্তী যুগের শাসক কিন্তু সেগুলিকেই অনুসরণ করেছেন রাজ্যপাট দখল ও কায়েম করতে। পাঠক হয়তো আজকের শাসকদের রাষ্ট্রপরিচালন পন্থাতেও সেগুলির প্রচ্ছন্ন ছায়া অনুভব করতে পারবেন। কোনো শাসকই হয়তো স্বীকার করবেন না যে তিনি ম্যাকিয়াভেলির আদর্শ অনুসরণ করেন, কিন্তু অধিকাংশ শাসকের কর্মপদ্ধতিই যেন পরিচালিত হয়ে চলেছে ম্যাকিয়াভেলির অনেকগুলি তত্ত্ব যুগোপযোগী করে ব্যবহার করে। এ অবশ্য আমার একান্ত ব্যক্তিগত অভিমত, পাঠক সহমত নাও হতে পারেন।

দ্য প্রিন্স অনুবাদ করতে গিয়ে আমি চেষ্টা করেছি মূল রচনা যথাসম্ভব যথাযথভাবে প্রকাশ করার। অনেক সময় ভাষার সাবলীলতা কিছুটা ক্ষুণ্ণ করেও আমি মূল রচনার শব্দবিন্যাস ও বাক্যগঠনশৈলী অবিকৃত রাখার চেষ্টা করেছি। আমার আশা, পাঠক সেই নিরিখেই অনুবাদটির বিচার করবেন।

এই দুরূহ কাজে এগিয়ে যেতে যেতে বার বার মনে পড়েছে আমার বাবার কথা যিনি আমার ছোটোবেলায় উঁচু ক্লাসের ইংরেজি বই থেকে আমায় দিয়ে 'ট্রান্সস্লেশন' অভ্যেস করাতেন। বুঝেছি, সেদিন যেটা শাস্তি বলে মনে হত আজ সেটাই কৃতকার্যতার পাথেয়। বার বার স্মরণ করেছি হেয়ার স্কুলে আমাদের ভাষা শিক্ষকদের অবদানের কথা। তাঁদের উৎকৃষ্ট শিক্ষাদান পদ্ধতির ফলেই আমার মতো সামান্য মানুষের পক্ষে সাহস করে এ কাজে এগোনো সম্ভব হয়েছে। আর অবশ্যই বলতে হয় বন্ধুবর শান্তনু গঙ্গোপাধ্যায়ের কথা যাঁর উদ্যোগে আর উৎসাহ প্রদানে এই গ্রন্থ অনুবাদ করা হল।

একটি তাত্ত্বিক গ্রন্থের এই বঙ্গানুবাদ পড়ে পাঠকদের যদি ভালো লাগে এবং তাঁরা বর্তমানকালেও এই গ্রন্থে বর্ণিত তত্ত্বগুলির প্রতিফলন দেখতে পান তবেই আমার প্রয়াস সার্থকতা অর্জন করবে।

পার্থ মুখোপাধ্যায়

ভূমিকা

নিকোলো ম্যাকিয়াভেলি ১৪৬৯ খ্রিষ্টাব্দের ৩ মে ইতালির ফ্লোরেন্স-এ জন্মগ্রহণ করেছিলেন। খ্যাতিমান আইনজীবী বার্নার্ডো ডি নিকোলো ম্যাকিয়াভেলি ও তাঁর স্ত্রী বার্টোলোমিয়া ডি স্টেফানো নেল্লি-র দ্বিতীয় সন্তান ছিলেন তিনি। তাঁর বাবা মা দু-জনেই ছিলেন প্রাচীন ফ্লোরেন্সীয় অভিজাত শ্রেণীভুক্ত।

তাঁর জীবন সাধারণভাবে তিনটি পর্যায়কালের অন্তর্গত যাদের প্রত্যেকটি এককভাবে ফ্লোরেন্সের ইতিহাসে স্বতন্ত্র ও গুরুত্বপূর্ণ যুগ হিসেবে গণ্য হতে পারে। মহান লরেঞ্জো দ্য মেডিসি-র তত্ত্বাবধানে ইতালীয় শক্তি হিসেবে ফ্লোরেন্সের প্রসিদ্ধির সমসাময়িক ছিল তাঁর যৌবন। ফ্লোরেন্সে মেডিসির পতন হয় ১৪৯৪ খ্রিষ্টাব্দে, যে বছর ম্যাকিয়াভেলি সরকারি কাজে যোগ দেন। তাঁর কর্মজীবনে ফ্লোরেন্স প্রজাতান্ত্রিক সরকারের শাসনাধীন একটি স্বাধীন অঞ্চল ছিল যা ১৫১২ অবধি বজায় ছিল, যখন মেডিসি ক্ষমতায় প্রত্যাবর্তন করেন, ম্যাকিয়াভেলি তাঁর চাকরি হারান। ১৫১২ থেকে ১৫২৭ পর্যন্ত মেডিসি পুনরায় ফ্লোরেন্স শাসন করেন এবং তারপর তিনি আবার অপসারিত হন। এই সময়টা ছিল ম্যাকিয়াভেলির সাহিত্যকর্ম আর ক্রমবর্ধমান প্রতিপত্তির কাল। কিন্তু মেডিসির অপসারণের কয়েক সপ্তাহের মধ্যেই ২২ জুন ১৫২৭ আটান্ন বছর বয়সে ম্যাকিয়াভেলির মৃত্যু হয় চাকরিতে পুনর্বহাল হওয়ার আগেই।

যৌবন—১-২৫ বছর বয়স—১৪৬৯-৯৪

ম্যাকিয়াভেলির প্রথম জীবনের প্রামাণ্য নথি না থাকলেও তৎকালীন ফ্লোরেন্স এতটাই সুবিদিত যে সে যুগের প্রতিনিধিস্থানীয় এই নাগরিকের জীবনের গোড়ার দিকের পারিপার্শ্বিক অবস্থা সহজেই অনুমেয়। দুই বিপরীতমুখী জীবন স্রোতের শহর হিসেবে

বর্ণিত হয়েছে ফ্লোরেন্স। একটি উগ্র ও কঠোর স্যাভোনারোলা নির্দেশিত, অন্যটি আড়ম্বরপ্রিয় লরেঞ্জো দ্বারা। তরুণ ম্যাকিয়াভেলির ওপর স্যাভোনারোলার প্রভাব নিশ্চয়ই সামান্যই ছিল, কারণ এক সময় ফ্লোরেন্সের ভাগ্য নিয়ন্ত্রণের ক্ষমতাধারী হলেও ম্যাকিয়াভেলির *দ্য প্রিন্স* গ্রন্থে তিনি একজন অবজ্ঞার পাত্র হিসেবে বর্ণিত হয়েছেন। সেখানে তাঁকে দেখানো হয়েছে আত্মরক্ষায় অসমর্থ এক পয়গম্বর হিসেবে যাঁর পরিণতি ছিল অত্যন্ত করুণ। অন্যদিকে লরেঞ্জোর জীবদ্দশায় মেডিসিয় শাসনের রাজসিকতা ম্যাকিয়াভেলিকে এত দৃঢ়ভাবে প্রভাবিত করেছিল যে তাঁর রচনায় বার বার তিনি উল্লেখ করেছেন সে কথা এবং লরেঞ্জোর পৌত্রকেই তিনি উৎসর্গ করেছিলেন *দ্য প্রিন্স* গ্রন্থটি।

ম্যাকিয়াভেলি তাঁর *হিস্ট্রি অফ ফ্লোরেন্স* রচনায় সেই তরুণদের চিত্রিত করেছেন যাঁদের সান্নিধ্যে তাঁর যৌবনকাল অতিবাহিত হয়েছিল। তিনি লিখেছেন: 'তারা পোশাক ও জীবনযাত্রায় তাদের পূর্বপুরুষদের তুলনায় অধিকতর স্বাধীন ছিল, নানা ধরনের অমিতাচারে অর্থব্যয় করত এবং অলসতা, জুয়া খেলা আর নারীসঙ্গে তাদের সময় ও অর্থ নষ্ট করত। তাদের মূল লক্ষ্য ছিল সুসজ্জিত দেখানো আর তীব্র রসিকতার সঙ্গে কথা বলা এবং যে যত চতুরভাবে অন্যদের বাক্যবিদ্ধ করতে পারত তাকে তত বুদ্ধিমান মনে করা হত।' ম্যাকিয়াভেলি তাঁর পুত্র গুইডো-কে লেখা এক চিঠিতে দেখিয়েছেন কেন যৌবনে শিক্ষার সুযোগ গ্রহণ করা উচিত আর তা থেকেই আমরা ধারণা করতে পারি যে তাঁর যুবাবস্থা সেই কাজেই নিযুক্ত ছিল। তিনি লিখেছেন: 'তোমার চিঠি পেয়েছি, যা আমাকে অত্যন্ত আনন্দ দিয়েছে, বিশেষত এই কারণে যে তুমি বলেছ তুমি স্বাস্থ্য পুনরুদ্ধার করতে পেরেছ, যার থেকে বড়ো সুখবর আমার কাছে আর কিছু হতে পারে না। কারণ যেহেতু ঈশ্বর তোমাকে এবং আমাকে জীবন দিয়েছেন, আমি আশা করব তুমি তোমার কর্তব্য পালন করে নিজেকে একজন আদর্শ মানুষ হিসেবে গড়ে তুলবে।' তারপর একজন নতুন অভিভাবক সম্পর্কে লিখতে গিয়ে তিনি জানাচ্ছেন, 'এতে তোমার ভালোই হবে, কিন্তু তোমার প্রয়োজন অধ্যয়ন করা, অসুস্থতার অজুহাত আর দিতে পারবে না, কষ্ট করে সাহিত্য ও সঙ্গীত অধ্যয়ন কর। তুমি দেখেছ, আমার যে সামান্য দক্ষতা আছে তার জন্য আমাকে কত সম্মান করা হয়। অতএব, পুত্র, যদি আমাকে খুশি করতে চাও আর নিজে সফলতা ও সম্মান পেতে চাও, দায়িত্ব পালন কর এবং অধ্যয়ন কর, কারণ যদি নিজেকে সাহায্য কর অন্যেরা তোমার সহায় হবে।'

কর্মজীবন—২৫-৪৩ বছর বয়স—১৪৯৪-১৫১২

ম্যাকিয়াভেলির জীবনের দ্বিতীয় অধ্যায় কেটেছিল ফ্লোরেন্সের স্বাধীন প্রজাতন্ত্রের কাজে, যে প্রজাতন্ত্র, যেমন আগে বলা হয়েছে, বিদ্যমান ছিল ১৪৯৪ খ্রিষ্টাব্দে মেডিসির অপসারণ থেকে ১৫১২ খ্রিষ্টাব্দে তাঁদের প্রত্যাবর্তন পর্যন্ত। চার বছর একটি সরকারি দপ্তরে চাকরি করার পর তিনি সেকেন্ড চ্যানসারি (ফ্লোরেন্সের বিশেষ আদালত) টেন অফ লিবার্টি অ্যান্ড পিস কার্যালয়ে চ্যান্সেলর (বিচারপতি) ও সেক্রেটারি (সচিব) পদে নিযুক্ত হন। ম্যাকিয়াভেলির জীবনের ঘটনাবলি পর্যালোচনা করতে গিয়ে এই পর্বে আমরা শক্ত জমিতে দাঁড়াতে পারি কারণ এই সময়ে প্রজাতন্ত্রের কাজে তিনি অগ্রণী ভূমিকা নিয়েছিলেন এবং তাঁর নিজের লেখা ছাড়াও আদেশপত্র, নথি ও সরকারি প্রতিবেদন আমাদের সাহায্য করে। শুধুমাত্র সমকালীন কিছু কুটনীতিক ও সেনা আধিকারিকদের সঙ্গে তাঁর আদান-প্রদান পর্যালোচনা করলেই তাঁর ক্রিয়াকলাপ সম্পর্কে ধারণা করা যায় এবং *দ্য প্রিন্স* গ্রন্থে বর্ণিত অভিজ্ঞতা ও চরিত্রাবলির উৎস খুঁজে পাওয়া যায়।

তাঁর প্রথম দৌত্য ছিল ১৪৯৯ খ্রিষ্টাব্দে ক্যাথরিনা স্ফোরজার কাছে যিনি *দ্য প্রিন্স* গ্রন্থের 'ফোরলির মহীয়সী নারী', যাঁর আচরণ ও পরিণতি থেকে তিনি এই সিদ্ধান্তে পৌঁছেছিলেন যে, দুর্গের ওপর নির্ভর করার চেয়ে জনগণের আস্থা অর্জন করা অনেক বেশি ফলপ্রদ। এটি ম্যাকিয়াভেলির একটি লক্ষ্যণীয় তত্ত্ব যা শাসকের পক্ষে একটি অত্যন্ত গুরুত্বপূর্ণ বিষয় বলে তিনি বিভিন্নভাবে সুপারিশ করেছেন।

১৫০০ খ্রিষ্টাব্দে তাঁকে ফ্রান্সে পাঠানো হয় পিসা-র বিরুদ্ধে যুদ্ধ চালিয়ে যাওয়ার ব্যাপারে দ্বাদশ লুই-এর সম্মতি আদায়ের জন্য। ইনি সেই রাজা যিনি ইতালিতে তাঁর শাসনকালে *দ্য প্রিন্স* গ্রন্থে বর্ণিত রাজ্য শাসনসংক্রান্ত পাঁচটি প্রধান ভুল করেছিলেন এবং ফলত বিতাড়িত হয়েছিলেন। ইনিই সেই ব্যক্তি যিনি পোপ ষষ্ঠ আলেকজান্ডারকে সমর্থনের শর্ত রেখেছিলেন তাঁর বিবাহ বিচ্ছেদকে পোপের মেনে নেওয়া। এই ঘটনা থেকেই ম্যাকিয়াভেলি শাসকের ওপর আস্থা সম্পর্কে লিখতে গিয়ে তাঁদের প্রসঙ্গ এনেছেন যাঁরা বলেন এই ধরনের শপথ পালন করা উচিত।

ম্যাকিয়াভেলির সামাজিক জীবনের অধিকাংশ জুড়ে ছিল পোপ ষষ্ঠ আলেকজান্ডার ও তাঁর পুত্র ডিউক ভ্যালেন্টিনো (অভিজাত্যের প্রতীক) সিজার বরজিয়া-র উচ্চাকাঙ্ক্ষাজাত ঘটনাবলি এবং এই দুটি চরিত্র *দ্য প্রিন্স* গ্রন্থে অনেকটা স্থান পেয়েছে। অধিকৃত রাজ্য ধরে রাখতে আগ্রহী জবরদখলকারীদের সুবিধার জন্য ডিউকের

কার্যাবলি উল্লেখ করতে ম্যাকিয়াভেলি দ্বিধাবোধ করেননি। বাস্তবিক পক্ষে সিজার বর্জিয়ার আচরণের চেয়ে ভালো কোনো অনুশাসন তাঁর কাছে ছিল না আর তাই কিছু সমালোচক সিজারকে *দ্য প্রিন্স* গ্রন্থের 'নায়ক' বলে অভিহিত করেছেন। অধিকন্তু *দ্য প্রিন্স* গ্রন্থে ডিউককে দেখানো হয়েছে সেই ধরনের মানুষ হিসেবে যে অন্যদের সৌভাগ্যে সমৃদ্ধ হয় আর তাদের পতনে ক্ষতিগ্রস্ত হয়, যে সেই সব পন্থা গ্রহণ করে যা একজন বিচক্ষণ মানুষের কাছে প্রত্যাশিত শুধু যে পন্থা তাকে রক্ষা করবে সেটি ছাড়া, যে সব সম্ভাব্য ঘটনার জন্য তৈরি থাকে শুধু যেটি বাস্তবে ঘটছে সেটি ছাড়া এবং যখন তার পূর্ণ সামর্থ্যও তাকে বাঁচাতে ব্যর্থ হয় সে চিৎকার করে বলে যে তার দোষ নেই, কোনো অস্বাভাবিক, অভাবিত, নিয়তিনির্দিষ্ট দুর্ঘটনা সেটি।

১৫০৩ খ্রিষ্টাব্দে পোপ তৃতীয় পিয়াস-এর মৃত্যুর পর তাঁর উত্তরসূরি নির্বাচন প্রক্রিয়া লক্ষ করার জন্য ম্যাকিয়াভেলিকে রোমে পাঠানো হয় এবং সেখানে তিনি দেখেন সিজার বর্জিয়া শঠতার আশ্রয় নিয়ে সংগঠনের প্রধান হতে দেন গিউলিয়ানো ডেলা রোভার (জুলিয়াস দ্বিতীয়)-কে যিনি সেই যাজকদের একজন ছিলেন যাঁদের ডিউককে ভয় করে চলার যথেষ্ট কারণ ছিল। এই নির্বাচন সম্পর্কে মন্তব্য করতে গিয়ে ম্যাকিয়াভেলি বলেছেন, যিনি ভাবেন নতুন অনুগ্রহ কোনো মহান ব্যক্তিকে পুরোনো আঘাতের কথা ভুলিয়ে দেবে তিনি নিজের সঙ্গে প্রতারণা করেন। সিজারকে ধ্বংস না করে জুলিয়াস বিরত হননি।

ম্যাকিয়াভেলিকে ১৫০৬ খ্রিষ্টাব্দে পাঠানো হয় দ্বিতীয় জুলিয়াস-এর কাছে যখন সেই পোপ বোলোনিয়াকে বশীভূত করার উদ্যোগ শুরু করেছিলেন, অন্য অনেক অভিযানের মতোই যেটিতে তিনি সফল হয়েছিলেন মূলত তাঁর চারিত্রিক সক্রিয়তার কারণে। এই পোপ জুলিয়াস প্রসঙ্গেই ম্যাকিয়াভেলি উপদেশ দিয়েছেন সমৃদ্ধি ও নারীর সাদৃশ্য বিষয়ে এবং সিদ্ধান্তে এসেছেন যে, সাবধানীর চেয়ে সাহসী পুরুষই এই দুইকে জয় করতে এবং দখলে রাখতে সক্ষম হয়।

যে ইতালীয় রাজ্যগুলি ১৫০৭ খ্রিষ্টাব্দে ফ্রান্স, স্পেন ও জার্মানির শাসনাধীন ছিল তাদের পরিবর্তমান ভাগ্য যার পরিণাম আজও বর্তমান তা এই মুহূর্তে বোঝা অসম্ভব। আমাদের আলোচ্য সেই ঘটনাগুলি, সেগুলির তিন মহান নিয়ন্ত্রক এবং শুধুমাত্র ম্যাকিয়াভেলির ব্যক্তিত্বের ওপর তাঁদের অভিঘাতটুকু। ফ্রান্সের দ্বাদশ লুই-এর সঙ্গে তাঁর একাধিকবার সাক্ষাৎ হয়েছিল এবং সেই সার্বভৌম শাসক সম্পর্কে তাঁর মূল্যায়ন আগেই উল্লেখ করা হয়েছে। অ্যারাগন-এর ফার্দিনান্দকে ম্যাকিয়াভেলি এমন

একজন মানুষ হিসেবে চিত্রিত করেছেন যিনি ধর্মের নামে অনেক সাফল্য অর্জন করেছেন কিন্তু বাস্তবে যাঁর মধ্যে দয়া, বিশ্বাস, মানবতা বা সততার লেশমাত্র ছিল না এবং যিনি নিজেকে এই গুণাবলির দ্বারা প্রভাবিত হতে দিলে ধ্বংস হয়ে যেতেন। সেই যুগের এক অত্যন্ত আকর্ষণীয় ব্যক্তি ছিলেন সম্রাট ম্যাক্সমিলিয়ন যাঁর চরিত্র অনেকের দ্বারাই বর্ণিত হয়েছে, কিন্তু ম্যাকিয়াভেলি, যিনি তাঁর সভায় ১৫০৭-০৮ খ্রিষ্টাব্দে দূত হিসেবে ছিলেন, তাঁর অনেক অসাফল্যের রহস্য উদ্‌ঘাটন করেছেন। তাঁর বর্ণনায় সম্রাট ছিলেন একজন গোপনীয়তাপ্রিয় মানুষ, যাঁর চারিত্রিক দৃঢ়তা ছিল না, নিজের পরিকল্পনা বাস্তবায়িত করার জন্য প্রয়োজনীয় কর্তৃত্ব যিনি দেখাতে পারতেন না এবং যিনি নিজের ইচ্ছাপূরণের জন্য কখনো জোর খাটাতেন না।

ম্যাকিয়াভেলির কর্মজীবনের বাকি অংশ জুড়ে ছিল ক্যামব্রাই জোটের কারণে উদ্ভুত ঘটনাবলি। ভেনিসীয় প্রজাতন্ত্রকে ধ্বংস করার লক্ষ্যে ১৫০৮ খ্রিষ্টাব্দে এই জোট গঠিত হয়েছিল পূর্বোল্লিখিত তিন মহান ইউরোপীয় শক্তি এবং পোপকে নিয়ে। এই ধ্বংসক্রিয়া সম্পন্ন হয়েছিল ভায়লা-র যুদ্ধে যখন ভেনিস আটশো বছরে অর্জিত সম্পদ হারিয়েছিল মাত্র একটি দিনে। পোপ এবং ফরাসিদের মধ্যে থাকা গোষ্ঠীদ্বন্দ্বের কারণে এই যুদ্ধে ফ্লোরেন্সের ভূমিকা ছিল বেশ কঠিন কারণ ফ্রান্সের সঙ্গে বন্ধুত্বের দ্বারাই সেই প্রজাতন্ত্রের যাবতীয় নীতি নির্ধারিত হত। ১৫১১ খ্রিষ্টাব্দে যখন দ্বিতীয় জুলিয়াস অবশেষে ফ্রান্সের বিরুদ্ধে হোলি লিগ (পবিত্র জোট) গঠন করলেন এবং সুইসদের সহায়তায় ইতালি থেকে ফরাসিদের বিতাড়িত করলেন, ফ্লোরেন্স পোপের আয়ত্বে চলে গেল এবং তাঁর শর্তাবলি মেনে নিতে বাধ্য হল যার একটি ছিল মেডিসিকে পুনর্বহাল করা। ১৫১২ খ্রিষ্টাব্দের ১ সেপ্টেম্বর মেডিসির ফ্লোরেন্সে প্রত্যাবর্তন এবং ফলত প্রজাতন্ত্রের অবসান ম্যাকিয়াভেলি ও তাঁর বন্ধুদের অপসারণের সংকেত ছিল এবং এইভাবেই তাঁর কর্মজীবনের পরিসমাপ্তি ঘটল কারণ, আমরা জানি, মৃত্যু পর্যন্ত তিনি আর কোনো পদে বহাল হননি।

সাহিত্যকর্ম ও মৃত্যু—৪৩-৫৮ বছর বয়স—১৫১২-২৭

মেডিসির প্রত্যাবর্তনের পর কয়েক সপ্তাহ ফ্লোরেন্সের নতুন প্রভুদের অধীনে কাজে বহাল থাকার বৃথা আশায় কাটিয়ে ম্যাকিয়াভেলি ১৫১২ খ্রিষ্টাব্দের ৭ই নভেম্বরের ফরমান বলে কর্মচ্যুত হলেন। এর কিছুদিনের মধ্যেই মেডিসির বিরুদ্ধে এক ব্যর্থ ষড়যন্ত্রে লিপ্ত থাকার অপরাধে তিনি অভিযুক্ত ও কারারুদ্ধ হন এবং

অত্যাচারের দ্বারা তাঁকে স্বীকারোক্তি করতে বাধ্য করা হয়। নতুন মেডিসীয় পোপ লিও দশম-এর প্রচেষ্টায় তিনি মুক্তি লাভ করেন এবং ফ্লোরেন্সের কাছেই স্যান ক্যাসিয়ানোতে তাঁর ছোট্ট আবাসে অবসর জীবন কাটাতে থাকেন। সেখানে তিনি নিজেকে সাহিত্যকর্মে নিয়োজিত করেন। ১৩ ডিসেম্বর, ১৫১৩ ফ্রান্সেসকো ভেত্তোরিকে লেখা এক চিঠিতে তিনি তাঁর তৎকালীন জীবনের এক আকর্ষণীয় বর্ণনা দিয়েছেন যা থেকে *দ্য প্রিন্স* লেখার উদ্দেশ্য ও প্রেরণা সম্পর্কে জানা যায়। তাঁর পরিবার ও প্রতিবেশীদের সঙ্গে তাঁর দৈনন্দিন কাজের বর্ণনা দেওয়ার পর তিনি লিখছেন, 'সন্ধে হলে আমি বাড়ি ফিরি আর পড়ার ঘরে চলে যাই; ঘরের দরজার কাছে আমি ছেড়ে ফেলি ধূলিধূসরিত কৃষক-বস্ত্র আর পরিধান করি আমার অভিজাত আদালত পোশাক এবং এইভাবে নব সাজে সজ্জিত হয়ে আমি ঢুকে পড়ি প্রাচীন আদালতে পুরোনো দিনের মানুষদের মধ্যে যেখানে তাঁদের সাদর অভ্যর্থনা পেয়ে আমি আমারই জন্য রাখা খাদ্য পাই, যেখানে কথা বলতে, তাঁদের কর্মকাণ্ডের কারণ সম্পর্কে প্রশ্ন করতে আমি সংকোচ করি না এবং তাঁরাও সহৃদয়ে আমার প্রশ্নের উত্তর দেন আর চার ঘণ্টা ধরে আমি কোনো ক্লান্তি অনুভব করি না, আমি সব কষ্ট ভুলে যাই, দারিদ্র্য আমাকে হতাশ করে না, মৃত্যু আমাকে আতঙ্কগ্রস্ত করে না, আমি সেই মহান ব্যক্তিদের দ্বারা আবিষ্ট হয়ে থাকি। যেহেতু দান্তে বলেছেন:

'সযত্নে রক্ষিত শিক্ষা থেকেই জ্ঞান আসে,
অন্যথায় নিষ্ফলে যায়,

তাঁদের সঙ্গে আলোচনা থেকে যে জ্ঞান অর্জন করেছি তা আমি লিখে রেখেছি আর ''শাসন ব্যবস্থা'' সম্পর্কে একটি ছোটো বই রচনা করেছি যাতে আমি ধ্যান করার মতো নিজেকে সম্পূর্ণ নিমগ্ন করেছি, আলোচনা করেছি শাসন ব্যবস্থা কাকে বলে, কত প্রকারের হয়, কীভাবে তাদের অর্জন করা যায়, কীভাবে রক্ষণ করা যায়, কেন তারা হাতছাড়া হয় এবং যদি কখনো আমার কোনো কল্পনা তোমার পছন্দ হয়ে থাকে, এটিও তোমাকে অখুশি করবে না এবং কোনো শাসক বিশেষত নতুন শাসক এটিকে স্বাগত জানাবে আর তাই আমি এটি উৎসর্গ করছি মহামান্য গিউলিয়ানোকে। ফিলিপ্পো ক্যাসাভেসিও এটি দেখেছেন, তিনিই তোমাকে বলতে পারবেন এতে কী

আছে, তাঁর সঙ্গে আমার কী আলোচনা হয়েছে, তবু আমি এখনো এটির উন্নত সাধন করছি, পরিমার্জনা করছি।'

সেই 'ছোটো বই' যে চেহারায় আমাদের কাছে পৌঁছেছে সেই রূপ পাওয়ার আগে অনেকভাবে পরিবর্তিত হয়েছে। এটি রচনার সময় বিভিন্ন মানসিক প্রভাব কাজ করেছে, এর শিরোনাম আর পৃষ্ঠপোষক বদল হয়েছে এবং কোনো অজ্ঞাত কারণে এটি শেষপর্যন্ত লরেঞ্জো ডি মেডিসিকে উৎসর্গ করা হয়েছে। যদিও বইটি পৃষ্ঠপোষককে পাঠানো হবে না ব্যক্তিগতভাবে তাঁকে উপহার দেওয়া হবে সেই বিষয়ে ম্যাকিয়াভেলি ক্যাসাভেসিওর সঙ্গে আলোচনা করেছিলেন, লরেঞ্জো সেটি পেয়েছিলেন বা কখনো পড়েছিলেন কিনা তার কোনো প্রমাণ নেই। তবে এটা নিশ্চিত যে তিনি কখনো ম্যাকিয়াভেলিকে কোনো পদে নিয়োগ করেননি। যদিও ম্যাকিয়াভেলির জীবদ্দশাতেই রচনাটি চুরি হয়েছিল, তিনি কখনো *দ্য প্রিন্স* বই আকারে প্রকাশ করেননি এবং এটির মূলপাঠ আজও বিতর্কিত।

ভেত্তোরিকে লেখা চিঠি ম্যাকিয়াভেলি শেষ করেছিলেন এইভাবে: 'আর এই ছোটো কাজটি (তাঁর বই) সম্পর্কে বলা যায়। এটি পড়ার সময় বোঝা যাবে যে রাষ্ট্রশাসন কার্যের অধ্যয়নে যে পনেরো বছর আমি ব্যয় করেছি তাতে আমি কখনো ঘুমিয়ে পড়িনি বা নিষ্ক্রিয় থাকিনি। এতে বোঝা যাবে যে, মানুষ সর্বদা তাঁর দ্বারাই নিয়ন্ত্রিত হতে চেয়েছে যিনি অন্যের ক্ষতির বিনিময়ে অভিজ্ঞতা সঞ্চয় করেছেন। আমার বিশ্বস্ততা নিয়ে কারও সন্দেহ ছিল না কারণ সর্বদা বিশ্বস্ত থেকে আমি এখন শিখেছি কীভাবে বিশ্বাস ভঙ্গ করা যায়। যে বিশ্বস্ত ও সৎ থেকেছে, যেমন আমি, কখনো তার স্বভাব বদলাতে পারে না আর আমার দারিদ্র্যই আমার সততার সাক্ষী।'

দ্য প্রিন্স শেষ করার আগেই ম্যাকিয়াভেলি তাঁর *ডিসকোর্স অন দি ফার্স্ট ডিকেড অফ টাইটাস লিভিয়াস* রচনার কাজ শুরু করেন, যা *দ্য প্রিন্স*-এর সঙ্গেই পড়া উচিত। এই দু-টি এবং আরও কিছু ছোটোখাটো কাজ ১৫১৮ পর্যন্ত তাঁকে ব্যস্ত রেখেছিল এবং তারপর তিনি জেনোয়া-তে কোনো ফ্লোরেন্সীয় ব্যবসায়ীর কাজকর্ম দেখাশোনার ভার নেন। ১৫১৯ সালে ফ্লোরেন্সের মেডিসীয় শাসক নাগরিকদের জন্য কিছু রাজনৈতিক সুবিধা প্রদান করে এবং গ্রেট কাউন্সিল (মহান পরিষদ) পুনঃস্থাপনের জন্য একটি নতুন সংবিধান রচনার কাজে অন্যান্যদের সঙ্গে ম্যাকিয়াভেলিরও পরামর্শ নেওয়া হয়, কিন্তু কোনো না কোনো অজুহাতে এটি শেষপর্যন্ত জারি করা হয়নি।

১৫২০ সালে ফ্লোরেন্সীয় ব্যবসায়ীরা লুকা শহরের সঙ্গে তাঁদের সমস্যার সমাধানের জন্য আবার ম্যাকিয়াভেলির শরণাপন্ন হন। কিন্তু এই বছরটি প্রধানত উল্লেখযোগ্য প্রথমত ফ্লোরেন্সের সাহিত্য সমাজে তাঁর পুনপ্রবেশের কারণে, যেখানে তিনি অপরিহার্য হয়ে পড়েন এবং দ্বিতীয়ত তাঁর *আর্ট অফ ওয়ার* বইটির প্রকাশের কারণে। সেই একই বছরে কার্ডিনাল দ্য' মেডিসি-র অনুরোধে তাঁকে *হিস্ট্রি অফ ফ্লোরেন্স* (ফ্লোরেন্সের ইতিহাস) রচনার ভার দেওয়া হয়, যে কাজে তিনি ১৫২৫ পর্যন্ত, নিযুক্ত ছিলেন। তাঁর জনপ্রিয় হয়ে ওঠার কারণেই সম্ভবত মেডিসি তাঁকে এই কাজে বহাল করেছিলেন কারণ এক প্রাচীন লেখক বলেছেন, 'একজন কর্মহীন যোগ্য কূটনৈতিক ব্যক্তি একটি বিশাল তিমির মতো যে খেলার জন্য খালি পিপে না পেলে জাহাজ উল্টে দেওয়ার চেষ্টা করতে পারে।'

হিস্ট্রি অফ ফ্লোরেন্স সম্পূর্ণ করার পর ম্যাকিয়াভেলি সেটি নিয়ে রোম শহরে গেলেন তাঁর নিয়োগকর্তা গিলিয়ানো দ্য' মেডিসিকে দেওয়ার জন্য যিনি ততদিনে সপ্তম ক্লিমেন্ট উপাধি নিয়ে পোপ হয়ে বসেছেন। এটি উল্লেখযোগ্য কারণ, ১৫১৩ সালে মেডিসি ফ্লোরেন্সে ক্ষমতা পুনরুদ্ধারের পর তাঁর নির্দেশে ম্যাকিয়াভেলি *দ্য প্রিন্স* রচনা করেন আর ১৫২৫ সালে তিনি *হিস্ট্রি অফ ফ্লোরেন্স* উৎসর্গ করেন সেই রাষ্ট্রনায়ককে যখন তাঁর পতন ঘনিয়ে এসেছে। সেই বছরেই পাভিয়া-র যুদ্ধে ইতালিতে ফরাসি শাসনের অবসান হয় এবং প্রথম ফ্রান্সিস তাঁর প্রধান প্রতিপক্ষ পঞ্চম চার্লস-এর হাতে বন্দী হন। এর পরেই রোমের আধিপত্য শেষ হয় আর সেই সংবাদ পেয়ে ফ্লোরেন্সের পপুলার পার্টি মেডিসি-র দাসত্ব অস্বীকার করে এবং তিনি আবার নির্বাসিত হন।

সেই সময়ে ম্যাকিয়াভেলি ফ্লোরেন্সে ছিলেন না কিন্তু 'টেন অফ লিবার্টি অ্যান্ড পিস'-এর সচিবের দপ্তরে তাঁর পূর্বতন পদ ফিরে পাওয়ার আশায় তিনি তড়িঘড়ি ফিরে আসেন। দুর্ভাগ্যবশত, ফ্লোরেন্সে পৌঁছানোর পরেই তিনি অসুস্থ হয়ে পড়েন এবং সেখানেই ২২ জুন ১৫২৭ তাঁর মৃত্যু হয়।

ব্যক্তি এবং তাঁর রচনা

ম্যাকিয়াভেলিকে কোথায় সমাধিস্থ করা হয় তা কেউ বলতে পারে না, কিন্তু আধুনিক ফ্লোরেন্স সান্টা ক্রোস গির্জায় তার মহান সন্তানদের পাশে ম্যাকিয়াভেলির স্মরণে একটি মর্যাদাপূর্ণ স্মৃতিস্তম্ভ তৈরি করেছে এই কথা স্বীকার করে যে, অন্য দেশ তাঁর

রচনা সম্পর্কে যাই ভাবুক ইতালি তাঁর রচনায় পেয়েছে একতার ধারণা ও নবজাগরণের বীজ। তাঁর বিশ্বজোড়া বদনামের প্রতিবাদ করা অর্থহীন হলেও এটুকু বলা যেতে পারে যে, তাঁর মতবাদের যে রূঢ় ব্যাখ্যার কারণে তাঁর এই দুর্নাম তা তাঁর সমকালেও অপরিচিত ছিল এবং আধুনিক কালের গবেষণা তাঁকে যুক্তি সঙ্গতরূপে অনুধাবন করতে সাহায্য করছে। এইসব অনুসন্ধানের কারণেই মানব মানসে থাকা তাঁর 'অশুভ জাদুকর' ছবি ম্লান হতে শুরু করেছে।

ম্যাকিয়াভেলি নিঃসন্দেহে একজন পর্যবেক্ষণশীল, তীক্ষ্ণ ধীশক্তি সম্পন্ন ও অধ্যবসায়ী মানুষ ছিলেন। সমকালীন ঘটনাবলি তিনি সহমর্মিতার সঙ্গে লক্ষ করেছেন এবং তাঁর অনন্য সাহিত্যপ্রতিভা দিয়ে অবসর জীবনে তা লিপিবদ্ধ করেছেন। একজন সফল কূটনীতিক ও লেখক হিসেবে তাঁর মধ্যে থাকা গুণাবলির সমাহার তিনি নিজে তুলে ধরেননি বা তাঁর সমসাময়িক কেউ বর্ণনা করেননি কারণ বিভিন্ন দৌত্যকর্মে ও রাজনৈতিক কর্মকাণ্ডে তিনি কেবল মাঝারি মাপের উন্নতি করেছিলেন। ক্যাথরিনা স্ফোরজা তাঁকে বিপথে চালিত করেছিলেন, সপ্তম লুই তাঁকে উপেক্ষা করেছিলেন, সিজার বর্জিয়া তাঁকে ভয় দেখিয়ে বাগে এনেছিলেন; তাঁর অনেকগুলি দৌত্যই নিষ্ফল হয়েছিল, তাঁর ফ্লোরেন্সকে শক্তিশালী করার চেষ্টা ব্যর্থ হয়েছিল এবং যে সৈনিকসুলভ মনোভাব তিনি প্রকাশ করেছিলেন তাতে অন্যরা কাপুরুষতার কারণে বিস্মিত হয়েছিলেন। ব্যক্তিগত আচরণে তিনি লাজুক প্রকৃতির ছিলেন এবং অন্যের মন জুগিয়ে চলতেন; যে সোডারিনি-র কাছে তিনি নানাভাবে ঋণী ছিলেন তাঁর পাশে দাঁড়াতেও তিনি সাহস করেননি নিজের সম্মানহানির ভয়ে; মেডিসির সঙ্গে তাঁর সম্পর্ক সন্দেহের ঊর্ধ্বে ছিল না এবং সম্ভবত গিউলিয়ানোই তাঁর প্রকৃত দক্ষতা বুঝে রাষ্ট্রকর্মে তাঁকে নিয়োগ করার বদলে তাঁকে *হিস্ট্রি অফ ফ্লোরেন্স* লেখার দায়িত্ব দিয়েছিলেন। তাঁর চরিত্রের সাহিত্যগত দিকে এবং একমাত্র সেই দিকেই কোনো দুর্বলতা বা ব্যর্থতা দেখা যায় না।

যদিও চার শতক ধরে *দ্য প্রিন্স* আলোকপথে রয়েছে, এটিতে উল্লেখিত সমস্যাগুলি এখনও বিতর্কিত ও আকর্ষণীয় কারণ সেগুলি শাসিত ও শাসকের মধ্যে থাকা চিরন্তন সমস্যা। সেই কারণেই এই গ্রন্থে বর্ণিত নীতিগুলি ম্যাকিয়াভেলির সমকালীন হলেও যতদিন ইউরোপের সরকারগুলি নৈতিক শক্তির বদলে পার্থিব শক্তির ওপর নির্ভরশীল থাকবে ততদিন তাদের সেকেলে বলা যাবে না। এটির ঐতিহাসিক ঘটনাবলি ও চরিত্রসমূহ আকর্ষণীয় হয়ে উঠেছে

কারণ ম্যাকিয়াভেলি সরকার ও আচরণ সম্পর্কে তাঁর তত্ত্ব ব্যাখ্যা করতে তাদের ব্যবহার করেছেন।

কিছু ইউরোপীয় ও প্রাচ্য কূটনীতিকের কর্মনীতি আজও রাষ্ট্র শাসনের যে নীতিবাক্যগুলি দ্বারা চালিত হয় সেগুলি উপেক্ষা করলে এ কথা বলাই যায় যে, *দ্য প্রিন্স* গ্রন্থে এমন অনেক সত্য ছড়িয়ে আছে যা যে কোনো ক্ষেত্রে প্রমাণ করা যেতে পারে। মানুষ আজও তার সরলতা ও লোভ দ্বারা তেমনই প্রতারিত হয় যেমন ষষ্ঠ আলেকজান্ডার সময় হত। ধর্মের আবরণ আজও কলঙ্ক লুকিয়ে রাখে যা অ্যারাগন-এর ফার্দিনান্দ-এর চরিত্রচিত্রণে ম্যাকিয়াভেলি উন্মুক্ত করে দিয়েছিলেন। মানুষ কোনো জিনিসকে তার বাস্তব চেহারায় দেখে না, দেখে সেইভাবে যেমন তাকে সে দেখতে চায় এবং সর্বনাশের মুখে পড়ে। রাজনীতিতে সম্পূর্ণ নিরাপদ কোনো পথ নেই, বিচক্ষণতা হল সবচেয়ে কম বিপজ্জনক পথগুলি বেছে নেওয়া। তারপর—উচ্চতলে পৌঁছতে গেলে—ম্যাকিয়াভেলি বার বার বলেছেন, অপরাধ দ্বারা সাম্রাজ্য জয় করা যেতে পারে, গৌরব নয়। প্রয়োজনীয় যুদ্ধ যুক্তিসঙ্গত এবং দেশের অস্ত্র তখনই ব্যবহার্য যখন যুদ্ধ করা ছাড়া অন্য কোনো উপায় থাকে না।

ম্যাকিয়াভেলির সময়কালের অনেক পরে আওয়াজ তোলা হয়েছে যে, সরকারকে একটি জীবন্ত নৈতিক শক্তিতে উন্নত করা উচিত যা মানুষকে মৌলিক সমাজনীতি যথাযথভাবে পালনে উৎসাহিত করবে, কিন্তু এই 'গুরুত্বপূর্ণ যুক্তি' সম্পর্কে *দ্য প্রিন্স* প্রায় নীরব। ম্যাকিয়াভেলি মানুষ ও সরকারকে যেমন দেখেছেন তেমন ছাড়া কিছুই লিখতে চাননি কিন্তু যা লিখেছেন তা এতই দক্ষতা আর অন্তর্দৃষ্টি দিয়ে লিখেছেন যে তাঁর রচনা প্রণিধানযোগ্য হয়ে উঠেছে। কিন্তু যা *দ্য প্রিন্স* গ্রন্থকে শৈল্পিক ও ঐতিহাসিক গুণের অধিক মর্যাদায় বিভূষিত করেছে তা হল এতে বর্ণিত মহান নীতিগুলির সেই অনস্বীকার্য সত্য যা আজও কোনো জাতি ও তার শাসককে তাদের পারস্পরিক সম্পর্ক এবং প্রতিবেশীদের সঙ্গে তাদের সম্পর্ক বিষয়ে দিকনির্দেশ করে।

দ্য প্রিন্স অনুবাদ করার সময় আমার লক্ষ থেকেছে রচনারীতি ও অভিব্যক্তির আধুনিক পদ্ধতিতে একটি সাবলীল শব্দান্তরণ না করে যে কোনো উপায়ে মূল রচনার আক্ষরিক প্রতিরূপ তুলে ধরা। ম্যাকিয়াভেলি শুধু ভাসা ভাসা অর্থে কিছু শব্দগুচ্ছ ব্যবহার করেননি; যে অবস্থায় তিনি লিখেছেন তা তাঁকে বাধ্য করেছে প্রতিটি শব্দ ওজন করে নিতে; তাঁর রচনার বিষয়বস্তু ছিল মহৎ, বক্তব্য ছিল

গাম্ভীর্যপূর্ণ, শৈলী সরল ও আন্তরিক। *দ্য প্রিন্স* গ্রন্থে, সঠিকভাবেই বলা যেতে পারে, প্রতিটি শব্দই শুধু নয়, প্রতিটি শব্দের অবস্থানও যুক্তিসঙ্গত। শেক্সপিয়ারের সমকালীন কোনো ইংরেজ ব্যক্তির কাছে এই ধরনের গ্রন্থের অনুবাদ করা কিছুটা সহজতর ছিল, কারণ তখন ইংরেজি ভাষায় দক্ষ ব্যক্তিরা ইতালীয় ভাষাতেও পারদর্শী হতেন; কিন্তু আজকের কোনো ইংরেজের কাছে এটা তত সহজ নয়। একটি মাত্র উদাহরণ নেওয়া যাক: গ্রিসের দুর্বলতর রাষ্ট্রগুলির প্রতি রোমান সেনেটের গৃহীত নীতি বোঝাতে গিয়ে ম্যাকিয়াভেলি 'ইন্ট্রাটেনিয়ার' শব্দটি ব্যবহার করেছেন যা একজন এলিজাবেথীয় ব্যক্তি সহজেই প্রকাশ করতে পারবেন 'এন্টারটেন' বা আপ্যায়ন শব্দটির দ্বারা এবং প্রত্যেক সমকালীন পাঠক বুঝবেন 'রোম অ্যাটলিয়ান ও অ্যাচিয়ানদের আপ্যায়ন করত তাদের শক্তি বৃদ্ধি না করেই' বলতে কী বোঝানো হয়েছে। কিন্তু আজ এমন একটি শব্দবন্ধ অর্থহীন না হলেও অচল আর অস্পষ্ট বলে মনে হবে। আমরা বলতে বাধ্য যে, 'রোম অ্যাটলিয়ানদের সঙ্গে বন্ধুত্বপূর্ণ সম্পর্ক বজায় রাখত' ইত্যাদি যেখানে অর্থ বোঝাতে একটির বদলে চারটি শব্দ ব্যবহৃত। আমি চেষ্টা করেছি ভাবের প্রতি বিশ্বস্ত থেকে ইতালীয় ভাষার বলিষ্ঠ সংক্ষিপ্ততা যতটা সম্ভব বজায় রাখতে। তাতে যদি মাঝে মাঝে রুক্ষতা দেখা যায় তবে আমি কেবল আশা করতে পারি যে, রচয়িতার কথার তাৎপর্য অনুধাবনের আগ্রহে পাঠক লক্ষ্যে পৌঁছোনোর পথের বন্ধুরতা অগ্রাহ্য করবেন।

ম্যাকিয়াভেলির রচনাসম্ভারের তালিকা নিম্নরূপ:

প্রধান রচনা—*ডিসকোর্সো সোপরা লা কস দি পিসা*, ১৪৯৯; *দেল মোদো দি ট্র্যাটেয়ার ই পোপোলি দেলা ভালদিচিয়ানা রিবেলতি*, ১৫০২; *দেল মোদো তেনুতো দাল দুকা ভ্যালেন্টিনো নেল' অ্যামজেয়ার ভিত্তেলেজ্জো ভিতেল্লি, অলিভারোতো দা ফার্মো*, ইত্যাদি, ১৫০২; *ডিসকোর্সো সোপরা লা প্রভিসিয়ন দেল দানারো*, ১৫০২; *ডিসেনেল প্রাইমো* (তের্জা রিমা ছন্দে কবিতা), ১৫০৬; *রিত্রাত্তি দেল কোস দেল' অ্যালেম্যাগনা*, ১৫০৮-১২; *ডিসেনেল সেকোন্দো*, ১৫০৯; *রিত্রাত্তি দেল কোস দি ফ্রান্সিয়া*, ১৫১০; *ডিসকোর্সি সোপরা লা প্রাইমা ডেকা ডি টি. লিভিও*, ৩ খণ্ড, ১৫১২-১৭; *ইল প্রিন্সিপি*, ১৫১৩; *অন্দ্রিয়া*, টেরেন্স রচিত কমেডির অনুবাদ, ১৫১৩ (?); *ম্যান্দ্রাগোলা*, পঞ্চাঙ্ক গদ্যনাট্য যার প্রস্তাবনা কাব্যছন্দে রচিত, ১৫১৩; *দেলা লিঙ্গুয়া* (সংলাপ), ১৫১৪; *ক্লিজিয়া*, মিলনান্ত গদ্যনাটক, ১৫১৫ (?); *বেল ফাগর আর্সিদিয়া ভোলো* (উপন্যাস), ১৫১৫; *আসিনো দি' ওরো* (তের্জা রিমা ছন্দে

কবিতা), ১৫১৭; *দেল' আর্ট দেলা গুয়েরা*, ১৫১৯-২০; *ডিসকার্সো সোপরা ইল রিফর্মেয়ার লো স্ট্যাটো দি ফিরেঞ্জে*, ১৫২০; *সোমারিও দেল কোস দেলা সিত্তা ভি লুকা*, ১৫২০; *ভিতা দি ক্যাসট্রুসিও ক্যাস্ট্রাসানি দা লুকা*, ১৫২০; *ইস্তোরি ফিওরেনতাইন*, ৮টি বই, ১৫২১-৫; *ফ্র্যামেন্তি স্তোরিসি*, ১৫২৫।

অন্য কবিতার মধ্যে রয়েছে সোনোত্তি, ক্যানজোনি, ওত্তাভে ও কান্তি কার্নাসিয়ালেস্সি।

সম্পাদনা—আল্দো, ভেনিস, ১৫৪৬; দেলা টার্টিনা, ১৫৫০; ক্যামবিয়াগি, ফ্লোরেন্স, ৬ খণ্ড, ১৭৮২-৫; দেই ক্লাসিকি, মিলান, ১০ খণ্ড, ১৮১৩; সিলভেস্ত্রি, ৯ খণ্ড, ১৮২০-২; প্যাসারিনি, ফ্যানফানি, মিলানেসি, ৬ খণ্ড প্রকাশিত, ১৮৭৩-৭।

অপ্রধান রচনা—এড. এফ. এল. পলিডোরি, ১৮৫২; লেটার ফ্যামিলিয়ারি, ই. আলভিসি সম্পাদিত, ১৮৮৩, ২ সংস্করণ, একটি সংক্ষেপিত; ক্রেডিটেড রাইটিংস, জি ক্যানেস্ত্রিনি সম্পাদিত, ১৮৫৭; লেটারস টু এফ ভেত্তোরি, এ. রিডলফি, পেনসিয়ারি ইনটরনো অ্যালো স্কোপো ডি এন ম্যাকিয়াভেলি নেল লিব্রোনা ইল প্রিন্সিপি, ইত্যাদি; ডি ফেরারা, দ্য প্রাইভেট করেসপনডেন্স অফ নিকোলো ম্যাকিয়াভেলি, ১৯২৯।

রাজকীয় লোরেঞ্জো দি পিয়েরো দে' মেডিসি-র প্রতি

যাঁরা কোনো রাজপুরুষের করুণা পেতে আগ্রহী থাকেন তাঁরা তাঁকে সেই সব বস্তু উপহার দেন যা অত্যন্ত মূল্যবান বা যা তাঁর পছন্দের। এইভাবেই মহত্ত্ব অনুসারে অশ্ব, অস্ত্র, স্বর্ণখচিত পোশাক, মূল্যবান রত্ন ও অলঙ্কারে রাজাদের ভাণ্ডার ভরে ওঠে।

তাই আপনার রাজকীয়তার প্রতি আমার আনুগত্যের নিদর্শন হিসেবে আপনাকে কিছু অর্পণ করতে গিয়ে সমকালীন বিষয়ে আমার দীর্ঘ অভিজ্ঞতা ও অতীতের অবিরাম অধ্যয়নলব্ধ মহান ব্যক্তিদের কর্মধারা সম্পর্কে আমার জ্ঞান ছাড়া প্রিয়তর ও অধিক মূল্যবান সঞ্চয় কিছুই পেলাম না, যা দীর্ঘদিনের কঠোর পরিশ্রমে একটি গ্রন্থে গ্রথিত করে এক্ষণে আপনার সমীপে উপস্থিত করলাম।

যদিও আমি জানি এই কাজ আপনার অনুগ্রহ লাভের যোগ্য নয়, তবু আপনার আনুকুল্যের প্রতি আস্থায় আমার ধারণা এটি গ্রহণযোগ্য হবে এই কথা ভেবে যে, এত বছর ধরে নানা সমস্যা ও বিপদের মধ্যে আমার অর্জিত জ্ঞান স্বল্পতম সময়ে বোঝানোর এই সুযোগ ছাড়া আরও ভালো কোনো উপহার দেওয়া আমার পক্ষে সম্ভব নয়; যে রচনা আমি জমকালো শব্দ দিয়ে সজ্জিত করিনি, যাতে বিশাল সময়কালকে উপস্থিত করিনি, যা বাহ্যিক আকর্ষণ বা অলঙ্করণ দিয়ে ভারাক্রান্ত করিনি, যেমন অনেকেই তাঁদের রচনায় করে থাকেন; কারণ আমি চেয়েছি এটি সমাদৃত না হোক এটির উপাদানগত সত্য এবং বিষয়বস্তুর গুরুত্বের কারণে এটি গ্রহণযোগ্য হোক।

যাঁরা মনে করেন একজন সাধারণ গুরুত্বহীন মানুষের পক্ষে রাজপুরুষদের বিষয়ে আলোচনা করা বা সিদ্ধান্তে আসা শুধুমাত্র অনুমানভিত্তিক তাঁদের সঙ্গে আমি একমত নই; কারণ যাঁরা নিসর্গদৃশ্য চিত্রিত করেন তাঁরা যেমন পাহাড়ের বা উচ্চস্থানের প্রকৃতি অবলোকনের জন্য নিচে সমতলভূমিতে অবস্থান করেন এবং সমতলের চরিত্র অনুধাবনের জন্য পাহাড়ের ওপর থেকে দেখেন তেমনই সাধারণ মানুষের চরিত্র বোঝার জন্য রাজপুরুষ হওয়া প্রয়োজন এবং রাজপুরুষদের প্রকৃতি বুঝতে গেলে সাধারণ মানুষের একজন হতে হয়।

হে মহামহিম, সেই মর্মে এই ক্ষুদ্র উপহার গ্রহণ করুন যে কারণে আমি এটি পাঠাচ্ছি। যদি এটি অধ্যবসায় সহকারে আপনি পড়েন এবং ভেবে দেখেন, আপনি বুঝতে পারবেন যে ভাগ্য ও আপনার অন্যান্য গুণাবলি আপনাকে যে মহত্ত্বে উপনীত করতে প্রতিজ্ঞাবদ্ধ সেখানে আপনাকে পৌঁছতে দেখাই আমার একান্ত কামনা। আর যদি মহামহিম তাঁর মহত্ত্বের উচ্চতা থেকে একবার এই নিম্নতলবর্তী স্থানের দিকে চেয়ে ফেরান তবে দেখবেন ভাগ্যের কী নিদারুণ অপমান আমি বিনা কারণে ক্রমাগত সয়ে চলেছি।

সূচি

১

রাজতন্ত্র কত প্রকারের হয় ও কী কী উপায়ে সেগুলি অর্জন করা যায়

সকল রাষ্ট্র, সব শাসন যা বজায় থেকেছে এবং মানুষের ওপর কর্তৃত্ব করেছে তা হয় প্রজাতন্ত্র অথবা রাজতন্ত্র।

রাজতন্ত্র পুরুষানুক্রমিক হতে পারে, যেখানে পরিবারটি দীর্ঘদিন ধরে প্রতিষ্ঠিত, অথবা নতুন হতে পারে।

নতুনরা ফ্রান্সেস্কো স্ফোরজা-র মিলান-এর মত সম্পূর্ণ নতুন হতে পারে অথবা কোনো পুরুষানুক্রমিক রাষ্ট্রের শাসক দ্বারা অধিকৃত ও সংযুক্ত অঞ্চল হতে পারে যেমন স্পেনের রাজার কাছে নেপল্‌স।

এইভাবে অধিকৃত রাজ্যগুলি হয় কোনো শাসকের অধীনে থাকতে অভ্যস্ত অথবা স্বাধীন থাকতে এবং সেগুলি অধিকার করা হয় শাসকের নিজের বা অন্য কারও সৈন্যবল দ্বারা নতুবা ভাগ্য বা ক্ষমতা দ্বারা।

২

বংশানুক্রমিক রাজতন্ত্র বিষয়ে

প্রজাতন্ত্র সম্পর্কে অন্যত্র বিস্তারিত লিখেছি বলে এখানে সেটি আলোচনার বাইরে রাখব এবং শুধু রাজতন্ত্র সম্পর্কেই বলব। আমি পূর্বে উল্লেখিত অনুক্রম মেনে আলোচনা করব কীভাবে এই রাজত্বগুলি শাসন ও রক্ষা করা উচিত।

সেই সঙ্গে এ কথাও বলব যে, নতুন রাজতন্ত্রের চেয়ে দীর্ঘদিন ধরে একই শাসক পরিবারের অধীনে থাকতে অভ্যস্ত পুরুষানুক্রমিক রাজতন্ত্র রক্ষা করা সহজতর; কারণ মাঝারি ক্ষমতাসম্পন্ন কোনো শাসকও শুধু পূর্বপুরুষদের রীতিনীতি লঙ্ঘন না করে আর যে কোনো উদ্ভুত পরিস্থিতি বিচক্ষণতার সঙ্গে সামাল দিয়েই তাঁর রাজত্ব কায়েম রাখতে পারেন, যদি না অসাধারণ ও অত্যধিক কোনো শক্তি তা ছিনিয়ে নেয়; এবং ছিনিয়ে নিলেও দখলকারীর সঙ্গে দুর্ভাগ্যজনক কিছু ঘটলে তিনি রাজত্ব পুনরুদ্ধার করতে পারেন।

উদাহরণ স্বরূপ, ফেরারা-র ডিউক দীর্ঘদিন ধরে তাঁর রাজ্যে অধিষ্ঠিত না থাকলে ৮৪ সালে ভেনিসীয়দের বা ১০ সালে পোপ জুলিয়াস-এর আক্রমণ প্রতিহত করতে পারতেন না। যেহেতু বংশানুক্রমিক শাসকের অন্যায় করার কারণ ও প্রয়োজন কমই থাকে, তাই তিনি অধিক প্রিয় হয়ে থাকেন; আর যদি না অস্বাভাবিক অনৈতিকতার কারণে তিনি ঘৃণিত হন তবে আশা করা যায় যে প্রজারা স্বাভাবিকভাবেই তাঁর প্রতি প্রসন্ন থাকবে; আর তাঁর শাসনের প্রাচীনতা ও স্থায়িত্বকালের সঙ্গেই পরিবর্তনের স্মৃতি আর উদ্দেশ্যগুলি হারিয়ে যাবে, কারণ একটি পরিবর্তন আর একটির জন্য ব্যবস্থা করে রাখে।

৩

মিশ্র রাজতন্ত্র বিষয়ে

কিন্তু সমস্যা দেখা দেয় নতুন রাজত্বের ক্ষেত্রে। প্রথমত এটি যদি সম্পূর্ণ নতুন না হয়ে একটি রাষ্ট্রের অংশ হয়, যাকে সামগ্রিকভাবে সংযুক্ত রাজ্য বলা যেতে পারে, তবে সব নতুন রাজত্বের মতো এটিতেও একটি অন্তর্নিহিত সমস্যার ফলে পরিবর্তন আসে কারণ মানুষ শাসক বদলায় আরও ভালো কিছুর আশায় আর সেই আশা তাকে বাধ্য করে বর্তমান শাসকের বিরুদ্ধে অস্ত্র তুলে নিতে এবং যখন তারা বঞ্চিত হয় তখন দেখে যে তারা মন্দ থেকে মন্দতর অবস্থায় পৌঁছেছে। এর অপরিহার্য পরিণতি হিসেবে নতুন শাসক আক্রমণ ও দুঃখকষ্টের বোঝা নামিয়ে আনে বিহিত রাজ্যের ওপরে।

এইভাবে আপনি রাজ্য দখলের কারণে ক্ষতিগ্রস্ত মানুষকে আপনার শত্রু করে তোলেন এবং বন্ধুরাও প্রত্যাশা পূরণ না হওয়ায় আপানার পাশ থেকে সরে যায়। আপনি বাধ্যবাধকতার জন্য তাদের বিরুদ্ধে কোনো কঠোর পদক্ষেপ নিতে পারেন না। কারণ আপনার সৈন্যবাহিনী যত শক্তিশালীই হোক অন্য রাজ্যে প্রবেশ করতে গেলে তার অধিবাসীদের শুভেচ্ছা আপনার প্রয়োজন।

এই কারণেই ফ্রান্সের রাজা দ্বাদশ লুই যত তাড়াতাড়ি মিলান দখল করেছিলেন তত শীঘ্রই তা হারিয়েছিলেন, আর লোদোভিকো শুধু নিজস্ব বাহিনীর সাহায্যেই তাঁকে প্রথমবার বিতাড়িত করতে পেরেছিলেন; কারণ যারা ভবিষ্যৎ লাভের কথা ভেবে তাঁকে প্রবেশ করতে সাহায্য করেছিল তারা নতুন শাসকের বঞ্চনা, দুর্ব্যবহার সহ্য করতে পারেনি। এটা খুবই সত্যি যে, কোনো বিদ্রোহী রাজ্য দ্বিতীয়বার জয় করলে, পরে তা সহজে হারাতে হয় না, কারণ শাসক বিদ্রোহের সুযোগ নিয়ে সাগ্রহে অপরাধীদের শাস্তি দেয় যাতে সন্দেহভাজনদের দূর করা যায় আর নিজের দুর্বল

জায়গাগুলির শক্তিবৃদ্ধি করা যায়। তাই প্রথমবার ফ্রান্সের হাত থেকে মিলান উদ্ধার করতে ডিউক লোদোভিকো[১]-র কাছে সীমান্তে বিদ্রোহ জাগিয়ে তোলাই যথেষ্ট ছিল, কিন্তু দ্বিতীয়বার তাঁর থেকে মিলান দখল করতে গেলে প্রচুর শক্তি নিয়ে তাঁর সৈন্যবাহিনীকে পরাজিত করে ইতালি থেকে দূর করে দিতে হত, যা ঘটেছিল পূর্বে বর্ণিত কারণে।

তবু, ফ্রান্সের কাছ থেকে দু-বারই মিলান পুনরুদ্ধার করা হয়েছিল। প্রথমবারের ক্ষেত্রে কারণগুলি আলোচনা করা হয়েছে, এখন দ্বিতীয়বারের ক্ষেত্রে কারণগুলি বলতে হবে এবং দেখতে হবে ফ্রান্সের রাজার কী শক্তি ছিল আর অধিকৃত স্থান ধরে রাখতে তাঁর জায়গায় থাকা একজন কী করতে পারতেন যা তিনি করেননি।

কোনো প্রাচীন রাষ্ট্র দ্বারা অধিকৃত নতুন রাজ্য একই দেশের ও একই ভাষাভাষী হতে পারে বা নাও হতে পারে। যদি হয়, তবে তাদের ধরে রাখা সহজতর হয়, বিশেষত যদি তাদের স্বশাসনের অভ্যাস না থাকে। তাদের ওপর নিরাপদ অধিকার বজায় রাখতে শাসক পরিবারকে ধ্বংস করাই যথেষ্ট, কারণ দু-টি অঞ্চলের মানুষ একই পরিবেশ, একই প্রথায় অভ্যস্ত হওয়ার দরুণ শান্তভাবে একসঙ্গে বসবাস করতে পারে যেমন দেখা গেছে ব্রিটানি, বারগান্ডি, গ্যাসকোনি আর নরম্যান্ডি-র ক্ষেত্রে যারা বহুদিন ধরে ফ্রান্সের সঙ্গে আবদ্ধ ছিল এবং যদিও ভাষার কিছু পার্থক্য থাকে কিন্তু প্রথা একই হওয়ায় তারা একে অপরের সঙ্গে মানিয়ে চলতে পারে। বিজয়ী শাসককে অধিপত্য কায়েম রাখতে দু-টি বিষয়ে শুধু গুরুত্ব দিতে হবে। প্রথমত, পূর্ববর্তী শাসকের পরিবারকে শেষ করতে হবে এবং দ্বিতীয়ত, তাদের আইন ও কর ব্যবস্থা অপরিবর্তিত রাখতে হবে যাতে অল্প সময়েই তারা প্রাচীন রাজত্বের সঙ্গে একীভূত হয়ে যেতে পারে।

কিন্তু যখন অধিকৃত রাজ্যে প্রচলিত ভাষা, প্রথা ও আইন ভিন্ন হয় তখন কিছু অসুবিধা দেখা দেয় এবং আধিপত্য বজায় রাখতে সৌভাগ্য ও প্রবল সক্রিয়তার প্রয়োজন হয়। সর্বাধিক ও সবচেয়ে বাস্তব সুবিধা হয় যদি বিজয়ী শাসক সেখানে গিয়ে বসবাস করেন। এতে তাঁর অবস্থান অধিক সুরক্ষিত ও দীর্ঘস্থায়ী হয় যেমন হয়েছে তুরস্কের শাসকের ক্ষেত্রে গ্রিসে। অন্য যত ব্যবস্থাই তিনি করুন, তিনি

---

[১] ফ্রান্সেসকো স্ফোরজার এক পুত্র ডিউক লোদোভিকো ছিলেন লোদোভিকো মোরো, যিনি বিয়াত্রিস ডি'এসটি-কে বিবাহ করেন। তিনি ১৪৯৪ থেকে ১৫০০ পর্যন্ত মিলান শাসন করেন এবং ১৫১০ সালে তাঁর মৃত্যু হয়।

আধিপত্য বজায় রাখতে পারতেন না যদি না তিনি সেখানে বাস করতেন। কারণ ঘটনাস্থলে থাকলে যে কোনো বিশৃঙ্খলা শুরুতেই নজরে আসে এবং শীঘ্র প্রতিবিধান করা যায় কিন্তু যদি কেউ কাছে না থাকেন তবে বিশৃঙ্খলা বড়ো আকার নিলে তবে তা তাঁর কানে আসে এবং তখন তাঁর প্রতিকার করার উপায় থাকে না। তাছাড়া, আপনার আমলারা নতুন জায়গায় লুটপাট চালাতে পারে না আর প্রজারা দ্রুত রাজার কাছে আশ্রয় পেয়ে সন্তুষ্ট থাকে। ফলত প্রজারা ভালো থাকতে চাইলে রাজাকে ভালোবাসবে আর অন্যরকম চাইলে তাঁকে ভয় করবে। যে বাইরে থেকে সেই রাজ্য আক্রমণ করবে তাকেও সাবধান হতে হবে, কারণ শাসক সেখানে বাস করলে তাঁর কাছ থেকেই অতি কষ্টে রাজ্য ছিনিয়ে নিতে হবে।

অন্য ও শ্রেষ্ঠতর উপায় হল সেই রাজ্যের একাধিক গুরুত্বপূর্ণ জায়গায় বসতি স্থাপন করা, অন্যথায় বিপুল সংখ্যক অশ্বারোহী ও পদাতিক বাহিনী মোতায়েন করতে হবে। নতুন উপনিবেশের জন্য শাসককে বেশি খরচ করতে হয় না, অল্প বা বিনা খরচেই তিনি তা করতে পারেন আর নাগরিকদের একটি ক্ষুদ্র অংশই এতে ক্ষতিগ্রস্ত হয় যাদের থেকে নতুন আবাসিকদের জন্য জমি ও বাড়ি নেওয়া হয় এবং যারা ক্ষুণ্ণ হয় তারা দরিদ্র ও বিক্ষিপ্ত হওয়ার কারণে শাসকের কোনো ক্ষতিসাধন করতে পারে না। অন্যদিকে যাদের কোনো ক্ষতি হয় না তাদের সহজেই শান্ত রাখা যায় এবং একই সঙ্গে তারা উদ্বিগ্ন থাকে যে কোনো ভুলে তাদেরও অবস্থা ওই জমিবাড়ি হারানো মানুষের মতো না হয়। সবশেষে, আমি বলতে চাই যে এই উপনিবেশ স্থাপন ব্যয়বহুল নয়, আরও বিশ্বস্ত, এতে অল্প মানুষের ক্ষতি হয় এবং ক্ষতিগ্রস্তরাও দরিদ্র ও বিক্ষিপ্ত হওয়ার দরুণ প্রত্যাঘাত করতে পারে না। তদুপরি, একথা বলতে হয় যে, হয় মানুষকে ভালো রাখা উচিত নতুবা ধ্বংস করা উচিত কারণ তারা অল্প আঘাতের প্রতিশোধ নিতে পারে, গুরুতর আঘাতের পারে না। সুতরাং কোনো মানুষকে তেমনভাবেই আঘাত করা উচিত যাতে তার থেকে প্রতিশোধের আশঙ্কা না থাকে।

কিন্তু উপনিবেশের বদলে সৈন্যবাহিনী মোতায়েন করার খরচ অনেক বেশি, সেই রাজ্য থেকে সংগৃহীত উপার্জন সৈন্য পালন করতেই ব্যয় হয়ে যায় যাতে রাজ্যদখল ক্ষতিতে পর্যবসিত হয় এবং অনেকেই ক্ষুব্ধ হয় কারণ সৈন্যবাহিনীর আসা যাওয়াতে তারা সমস্যায় পড়ে। তারা বিদ্রোহী হয়ে ওঠে এবং নিজের ভূমিতে আহত শত্রু সর্বদাই প্রত্যাঘাত করতে সমর্থ। তাই সবদিক দিয়েই এই ধরনের প্রহরা ততটাই অনর্থক যতটা উপনিবেশ স্থাপন কার্যকর।

আবার, ভিন্ন ধরনের রাজ্য অধিকারী শাসককে কম শক্তিশালী প্রতিবেশীদের বিরুদ্ধে প্রতিরোধ গড়ে তুলতে হবে, তাদের মধ্যে যারা বেশি ক্ষমতাসম্পন্ন তাদের দুর্বল করতে হবে এবং লক্ষ রাখতে হবে যাতে তাঁর সমক্ষমতাসম্পন্ন কোনো বিদেশি শক্তি সেখানে পা রাখতে না পারে কারণ দেখা গেছে অসন্তুষ্ট প্রজারা অত্যাধিক উচ্চাশায় বা ভয়ে সর্বদাই এই ধরনের শক্তিকে আবাহন করে থাকে। অ্যাটলিয়ানরা রোমানদের গ্রিসে এনেছিল এবং অন্যত্রও যেখানে তারা পা রাখতে পেরেছে দেখা গেছে সেখানকার অধিবাসীরাই তাদের এনেছে। সাধারণভাবে দেখা যায়, যেই কোনো পরাক্রমী বিদেশি শক্তি একটি দেশে প্রবেশ করে সেখানকার প্রজারাষ্ট্রগুলি তাদের শাসকের প্রতি ঘৃণায় সেই শক্তির প্রতি আকৃষ্ট হয়। তাই সেই প্রজারাষ্ট্রগুলিকে বশ করতে কোনো বেগ পেতে হয় না কারণ তারা নিজেরাই অধিকৃত রাজ্যে এসে উপস্থিত হয়। শুধু লক্ষ রাখতে হয় যাতে তারা বেশি ক্ষমতা, বেশি কর্তৃত্ব না অর্জন করতে পারে এবং তারপর নিজের সৈন্যবাহিনীর সাহায্যে শাসক তাদের মধ্যে অধিক শক্তিশালীদের সহজেই বশীভূত করে গোটা দেশে প্রভুত্ব করতে পারেন। যিনি এই কাজ সঠিকভাবে সম্পন্ন না করতে পারেন তাঁকে শীঘ্রই অধিকার হারাতে হয় বা অধিকার বজায় রাখতে পারলেও অশেষ ভোগান্তি আর সমস্যায় পড়তে হয়।

রোমানরা তাদের সংযুক্ত রাজ্যগুলিতে এই উপায় যতটা সম্ভব অবলম্বন করেছিল; তারা উপনিবেশ স্থাপন করেছিল আর ক্ষুদ্রতর শক্তিকে বলবৃদ্ধি করতে না দিয়ে তাদের সঙ্গে বন্ধুত্বপূর্ণ সম্পর্ক রেখেছিল[২]। তারা বৃহত্তর শক্তিকে অবদমিত রেখেছিল এবং কোনো পরাক্রমী বিদেশি শক্তিকে কর্তৃত্ব অর্জন করতে দেয়নি। আমার মনে হয় গ্রিস উদাহরণ হিসেবে যথেষ্ট। অ্যাচিয়ান আর অ্যাটলিয়ানদের সঙ্গে তারা বন্ধুত্ব বজায় রেখেছিল, ম্যাসিডনিয়াকে হারিয়ে দিয়েছিল, অ্যান্টিওকাসকে বিতাড়িত করেছিল; তবু যোগ্যতা থাকা সত্ত্বেও অ্যাচিয়ান আর অ্যাটলিয়ানরা শক্তিবৃদ্ধির জন্য সম্মতি পায়নি। ফিলিপ শত চেষ্টা করলেও তাঁকে পরাস্ত না করে যেমন রোমানরা বন্ধুত্বের হাত বাড়ায়নি তেমনই অ্যান্টিওকাসের প্রভাব থাকা সত্ত্বেও তাঁকে দেশের ওপর কর্তৃত্ব করতে দেয়নি। রোমানরা এক্ষেত্রে যা করেছিল সকল বিচক্ষণ শাসক যাঁরা শুধু বর্তমান সমস্যা নয় ভবিষ্যৎ বিপদের কথা মাথায় রাখবেন তাঁদেরও তাই করা উচিত। সমস্ত শক্তি নিয়ে তাঁদের ভবিষ্যতের জন্য তৈরি থাকা

---

[২] ভূমিকাতে 'ইন্ট্রাটেনিয়ার' শব্দের ব্যাখ্যা দ্রষ্টব্য।

উচিত কারণ আগে থেকে উপায় ভাবা থাকলে সমস্যার সমাধান সহজতর হয়। কিন্তু যদি আপনি তাদের আগমন অবধি অপেক্ষা করেন তবে সময়োচিত ওষুধ প্রয়োগ করা যাবে না কারণ ব্যাধি ততদিনে আর নিরাময় যোগ্য নেই। যেমন চিকিৎসকেরা বলেন, অস্বাভাবিক জ্বরের ক্ষেত্রে এমন ঘটে যে প্রাথমিক অবস্থায় রোগ সহজে সারানো গেলেও তা শনাক্ত করা কঠিন হয় কিন্তু প্রথমেই শনাক্ত করে চিকিৎসা না করলে পরবর্তী সময়ে তার শনাক্তকরণ সহজ হলেও নিরাময় কঠিন হয়ে পড়ে। রাষ্ট্রের ক্ষেত্রেও এমন ঘটে যে ক্ষতিকর ঘটনা আগে থেকে আন্দাজ করতে পারলে (যা কেবল একজন জ্ঞানী ব্যক্তিই করতে পারেন) দ্রুত তার প্রতিবিধান করা যায় কিন্তু দূরদৃষ্টির অভাবে তা যদি এতটাই বেড়ে যায় যখন সবাই তা দেখতে পায় তবে তখন আর কোনো প্রতিকার থাকে না। তাই রোমানরা সমস্যার পূর্বাভাস পেয়েই তৎক্ষণাৎ ব্যবস্থা গ্রহণ করেছিল এবং যুদ্ধ এড়িয়ে যেতে সমস্যাকে তীব্র হতে দেয়নি কারণ তারা জানত যুদ্ধ সম্পূর্ণ এড়িয়ে যেতে না পারলেও অন্যদের সুবিধাজনক অবস্থা থেকে দূরে রাখা যায়। অধিকন্তু তারা ফিলিপ ও অ্যান্টিওকাস-এর সঙ্গে গ্রীসেই যুদ্ধ করতে চেয়েছিল যাতে ইতালিতে না করতে হয়। তারা দু-জনকেই এড়িয়ে যেতে পারত কিন্তু তা তারা করতে চায়নি; এই কারণে নয় যে, জ্ঞানী ব্যক্তিদের কথা মেনে তারা সেই সময়ের সুবিধা নিতে চেয়েছিল বরং এই কারণে যে, তারা নিজেদের বীরত্ব আর বিচক্ষণতার সুবিধা নিতে চেয়েছিল, কারণ সময় সবকিছুকে তাড়া করে এগিয়ে নিয়ে যায় যার ফলে ভালো ও মন্দ দুই ঘটতে পারে।

আমরা বরং ফ্রান্সের দিকে তাকাই এবং খোঁজ করি যা উল্লেখ করা হল তার কোনোটা সেখানে ঘটেছিল কিনা। আমি লুই[৩] সম্পর্কে বলব (চার্লস[৪] সম্পর্কে নয়) যাঁর আচরণ লক্ষ করা শ্রেয় কারণ তিনি সর্বাধিক কাল ইতালিকে নিজের অধিকারে রেখেছিলেন। আপনারা দেখবেন, বিভিন্ন উপাদানে গঠিত একটি রাজ্যকে দখলে রাখতে যা যা করা উচিত তিনি তার উল্টোটা করেছিলেন।

ভেনিসীয়রা তাদের উচ্চাভিলাষের কারণে লুইকে ইতালিতে এনেছিল এবং তিনি লম্বার্ডি রাজ্যের অর্ধেক দখল করতে চেয়েছিলেন। আমি রাজার কর্মধারাকে দোষ দেব না কারণ যেখানে তাঁর কোনো বন্ধু নেই, যেখানে চার্লস-এর আচরণের দরুণ সব দরজাই তাঁর জন্য বন্ধ সেই ইতালিতে দখল কায়েম করতে যে বন্ধুত্ব তিনি

---

[৩] দ্বাদশ লুই, ফ্রান্সের রাজা, 'জাতির পিতা', জন্ম ১৪৬২, মৃত্যু ১৫১৫।

[৪] অষ্টম চার্লস, ফ্রান্সের রাজা, জন্ম ১৪৭০, মৃত্যু ১৪৯৮।

পেয়েছিলেন তাই গ্রহণ করতে তিনি বাধ্য ছিলেন এবং তাঁর পরিকল্পনা মাফিক চলে তিনি দ্রুত সাফল্য পেতেন যদি না অন্য কয়েকটি বিষয়ে তিনি ভুল করে ফেলতেন। রাজা লম্বার্ডি দখল করে সেই কর্তৃত্ব পুনরুদ্ধার করলেন যা চার্লস হারিয়েছিলেন; জেনোয়া আত্মসমর্পন করল, ফ্লোরেন্সিয়রা তাঁর বন্ধু হল, মান্তুয়া-র মার্কুয়েস, ফেরারা-র ডিউক, কেন্টিভোগলি গোষ্ঠী, ফোর্লি-র রানি এবং ফ্যান্জা, পেসারো, রিমিনি, ক্যামেরিনো, পিওম্বিনো, লুচিজ, পিসান্স আর সিয়েনিজ-এর সামন্ত প্রভুরা সকলেই তাঁর বন্ধু হতে এগিয়ে এল। তখন ভেনিসীয়রা তাদের হঠকারিতার প্রভাব উপলব্ধি করল, বুঝল যে লম্বার্ডির দুটি শহরকে আয়ত্বে আনতে গিয়ে তারা লুই-কে ইতালির দুই তৃতীয়াংশের প্রভু বানিয়ে দিয়েছে।

এখন যে কেউ বুঝবেন যে পূর্বে বর্ণিত নীতিগুলি অনুসরণ করলে কত সহজেই রাজা ইতালিতে তাঁর প্রাপ্ত স্থান রক্ষা করতে পারতেন এবং তাঁর বন্ধুদের নিরাপদ ও সুরক্ষিত রাখতে পারতেন কারণ তাঁরা সংখ্যায় অনেক হলেও দুর্বল ও ভীরু প্রকৃতির ছিলেন; কেউ গির্জা সম্পর্কে ভীত ছিলেন, কেউ ভেনিসীয়দের ভয়ে ভীত ছিলেন; আর তাই তাঁরা রাজার পাশে দাঁড়াতে বাধ্য ছিলেন এবং তিনিও তাঁদের শক্তি অবলম্বন করে অবশিষ্ট ক্ষমতাশালীদের থেকে নিরাপদে থাকতে পারতেন। কিন্তু মিলান শহরে পৌঁছেই তিনি বিপরীত পথে গিয়ে পোপ আলেকজান্ডার-কে রোমাগ্না দখলে সাহায্য করলেন। এটা তিনি ভাবলেন না যে, এই কাজের ফলে তাঁর বন্ধু ও যাঁরা তাঁর আশ্রয়ে এসেছে তাঁদের থেকে নিজেকে বঞ্চিত করে নিজেকে দুর্বলই করছেন আর আধ্যাত্মিক শক্তিকে পার্থিব ক্ষমতা দিয়ে গির্জাকে বড়ো করতে গিয়ে তাকে অধিকতর কর্তৃত্ব দিয়ে ফেলছেন। এই মৌলিক ভুলটি করার পর আবশ্যিক কর্তব্য হিসেবে আলেকজান্ডার-এর উচ্চাকাঙ্ক্ষা দমন করতে ও তাঁকে তাসক্যানি-র প্রভু হওয়া থেকে বিরত করতে তিনি নিজেই ইতালিতে আসতে বাধ্য হলেন।

গির্জাকে বড়ো করা আর বন্ধুদের হারানোই যেন যথেষ্ট ছিল না, তিনি নেপল্‌স অধিকার করতে গিয়ে তা স্পেনের রাজার সঙ্গে ভাগ করে নিলেন; যেখানে তিনিই ইতালির প্রধান নিয়ন্তা ছিলেন সেখানে তিনি একজন সহযোগী নিয়ে এলেন যার ফলে সেই দেশের উচ্চাভিলাষীরা আর তাঁর প্রতি অসন্তুষ্টরা কোথাও আশ্রয় নিতে পারল এবং যেখানে সেই রাজ্যে তাঁর কোনো বার্ধক্যভাতা প্রাপ্ত ব্যক্তিকে রাজা করতে পারতেন সেখানে এমন একজনকে রাখলেন যিনি ভবিষ্যতে তাঁকেই উৎখাত করতে পারেন।

বাস্তবিক অর্থে রাজ্যজয়ের ইচ্ছা অত্যন্ত স্বাভাবিক ও বহুলক্ষিত, সামর্থ্য থাকলে মানুষ তা করতেই পারে এবং সেজন্য তাকে দোষ না দিয়ে তার প্রশংসাই করা হয় কিন্তু যখন তার ক্ষমতা নেই কিন্তু তা করতে চায় তখন সেটা দোষণীয় মূর্খতা। তাই ফ্রান্স যদি নিজের শক্তিতে নেপল্‌স আক্রমণ করতে পারত তবে তার তাই করা উচিত ছিল, না পারলে এই ভাগ করা তার উচিত ছিল না। লম্বার্ডিতে ভেনিসীয়দের সঙ্গে অঞ্চল ভাগ করে নেওয়া এই কারণে যুক্তিসংগত ছিল যে ফ্রান্স তার ফলে ইতালিতে পায়ের নিচে জমি পেয়েছিল কিন্তু অন্য বিভাজনটির ক্ষেত্রে সেই প্রয়োজন ছিল না বলে সেটি দোষণীয়।

অতএব লুই এই পাঁচটি ভুল করেছিলেন: তিনি ক্ষুদ্রতর শক্তিগুলিকে ধ্বংস করেছিলেন, ইতালির একটি অধিকতর পরাক্রমী শক্তির বলবৃদ্ধি করেছিলেন, একটি বিদেশি শক্তিকে ঢুকতে দিয়েছিলেন, তিনি সেই দেশে বাস করেননি, সেখানে কোনো উপনিবেশ স্থাপন করেননি। এই ভুলগুলি তাঁর জীবৎকালে তাঁর কোনো ক্ষতি করতে পারত না যদি না ভেনিসীয়দের থেকে তাদের ভূখণ্ড কেড়ে নিয়ে তিনি ষষ্ঠ ভুলটি করতেন কারণ যদি না তিনি গির্জার প্রভাব বৃদ্ধি করতেন, যদি না স্পেনকে ইতালিতে আনতেন তবে তাদের পরাজিত করা যুক্তিযুক্ত ও প্রয়োজনীয় হত, কিন্তু প্রথমে এই পদক্ষেপগুলি গ্রহণের পর তাদের ধ্বংস করা কখনোই উচিত ছিল না যেহেতু শক্তিশালী হওয়ার দরুণ তারা সকলকেই লম্বার্ডি থেকে দূরে রাখত, নিজেরা ছাড়া কাউকেই সেখানে প্রভুত্ব করতে দিত না এবং অন্যরাও ভেনিসীয়দের ফিরিয়ে দেওয়ার জন্য ফ্রান্সের থেকে লম্বার্ডি উদ্ধার করতে চাইত না আর দু-পক্ষেরই বিরুদ্ধে যাওয়ার সাহস করত না।

যদি কেউ বলেন, 'রাজা লুই যুদ্ধ এড়াতে আলেকজান্ডারকে রোমাগ্‌না আর স্পেনকে রাজ্য সমর্পণ করেছিলেন,' তবে আমি বলব পূর্বপ্রদত্ত যুক্তি অনুযায়ী যুদ্ধ এড়াতে একটি মারাত্মক ভুল করা উচিত ছিল না কারণ যুদ্ধ এড়ানো যায় না, শুধু নিজের অসুবিধার কারণে বিলম্বিত করা যায়। আর যদি অন্য কেউ যুক্তি দেখান যে রাজা তাঁর বিবাহবিচ্ছেদ[৫] সমর্থন ও রুআঁ-কে অভিষিক্ত করার[৬] বদলে পোপকে

[৫] দ্বাদশ লুই তাঁর স্ত্রী, একাদশ লুই-এর কন্যা জেনির সঙ্গে বিবাহবিচ্ছেদের পর ১৪৯৯ খ্রিষ্টাব্দে অষ্টম চার্লস-এর বিধবা অ্যানি অফ ব্রিটানিকে বিবাহ করেন যাতে তিনি ব্রিটানির ডাচি (জমিদারি)-র ওপর কর্তৃত্ব বজায় রাখতে পারেন।

[৬] রুআঁ-র আর্চ বিশপ। তিনি ছিলেন জর্জেস ডি অ্যামবয়েস যাঁকে ষষ্ঠ আলেকজান্ডার যাজক করেছিলেন। জন্ম ১৪৬০, মৃত্যু ১৫১০।

সাহায্য করতে অঙ্গীকারবদ্ধ ছিলেন তবে তার উত্তর আমি পরে লিখব রাজাদের আস্থাস্থাপন ও তা রক্ষার বিষয় সংক্রান্ত পরিচ্ছেদে।

যাঁরা রাজ্য দখল করেন ও সেটি রক্ষা করতে চান তাঁরা যে সব শর্ত পালন করেন তার কোনটাই না মেনে রাজা লুই লম্বার্ডি হারিয়েছিলেন। এর মধ্যে কোনো অলৌকিক কাণ্ড নেই, যা আছে তা যুক্তিগ্রাহ্য ও স্বাভাবিক ঘটনা। যখন পোপ আলেকজান্ডার-এর পুত্র সিজার বর্জিয়া যিনি ভ্যালেন্টিনো নামে পরিচিত ছিলেন, রোমাগ্না দখল করেন এবং কার্ডিনাল রুআঁ আমায় বলেন যে ইতালীয়রা যুদ্ধ বোঝে না, আমি উত্তরে বলেছিলাম যে ফরাসিরা রাষ্ট্রশাসন পদ্ধতি বোঝে না, নতুবা তারা গির্জাকে এত মহৎ উচ্চতায় উঠতে দিত না। বাস্তবিক অর্থে ইতালিতে গির্জা আর স্পেনের আধিপত্য সম্ভব হয়েছে ফ্রান্সেরই কারণে এবং ফ্রান্সের পতনের কারণও এটিই। এর থেকে এই একটি সাধারণ নিয়ম প্রত্যাবর্তন করা যেতে পারে যা কখনো ব্যর্থ হয় না বা কদাচিৎ ব্যর্থ হয়: যে অন্যকে শক্তিশালী করে তার পতন হয়, কারণ চতুরতা করে বা জোর করে সেই আধিপত্য সম্ভব করা হয়েছে আর যে ক্ষমতায় আসে সে দু-টি সম্পর্কেই সন্দিহান থাকে।

৪

আলেকজান্ডারের মৃত্যুর পর তাঁর অধিকৃত রাজা দারিয়াসের রাজ্য কেন তাঁর উত্তরাধিকারীদের বিরুদ্ধে বিদ্রোহ করেনি

কোনো নব অধিকৃত রাজ্য দখলে রাখতে যে সব সমস্যা হয় তা বিবেচনা করে কেউ এই ভেবে বিস্মিত হতে পারেন যে, মহান আলেকজান্ডার কয়েক বছরের মধ্যে এশিয়া জয় করে তা সম্পূর্ণ স্থিতিশীল করার আগেই যখন মারা যান (যখন গোটা সাম্রাজ্যে বিদ্রোহ ছড়িয়ে পড়া যুক্তিসংগত ছিল) তখন কীভাবে তাঁর উত্তরাধিকারীরা নিজেদের রক্ষা করেছিলেন এবং তাঁদের নিজস্ব উচ্চাকাঙ্ক্ষাজনিত সমস্যা ছাড়া আর কোনো অসুবিধা দেখা দেয়নি।

আমার উত্তর, যে সব রাজতন্ত্র সম্পর্কে নথি পাওয়া যায়, দেখা যায় তারা দু-ভাবে শাসিত হত; হয় একজন রাজা ও তাঁর অনুচর যাঁরা তাঁর দয়া ও সম্মতিতে মন্ত্রী হিসেবে রাজ্য দেখাশোনা করতেন তাঁদের দ্বারা অথবা একজন রাজা ও কিছু ভূস্বামীদের দ্বারা যাঁরা রাজার অনুগ্রহে নয় নিজেদের বংশগত ঐতিহ্যের কারণে সেই মর্যাদা পেতেন। সেই ভূস্বামীদের নিজস্ব রাজ্য ও প্রজা থাকত যারা তাঁকে প্রভু বলে মান্যতা দিত এবং তিনি স্বাভাবিক স্নেহবশে তাদের রক্ষা করতেন। রাজা ও তাঁর অনুচরকুল দ্বারা শাসিত রাজ্যে রাজাকে অধিক মর্যাদা দেওয়া হত কারণ গোটা দেশে তাঁর ঊর্ধ্বতন কেউ ছিলেন না এবং যদি প্রজারা অন্য কারও প্রতি আনুগত্য দেখাত তবে সেটা তাঁর মন্ত্রী বা আধিকারিক হওয়ার কারণে, তাঁর সম্পর্কে বিশেষ কোনো আবেগের কারণে নয়।

আমাদের সময়ে এই দুই ধরনের শাসনব্যবস্থার উদাহরণ তুর্কি এবং ফ্রান্সের রাজা। গোটা তুর্কি সাম্রাজ্য একজন রাজার দ্বারা শাসিত হয়, তিনি সর্বত্র বিভিন্ন

প্রশাসক পাঠান এবং নিজের পছন্দ অনুসারে তাদের স্থানান্তর বা পরিবর্তন করেন। কিন্তু ফ্রান্সের রাজা প্রাচীন প্রভুদের মধ্যে থাকেন, যাঁদের মান্যতা দেয় ও ভালোবাসে তাঁদের নিজেদের প্রজাকুল; তাঁদের নিজস্ব বিশেষ অধিকার থাকে যা রাজা বিপদে না পড়লে হরণ করতে পারেন না। তাই এই দুই ধরনের রাষ্ট্রব্যবস্থা বিবেচনা করলে দেখা যাবে তুর্কি সাম্রাজ্য দখল করা কঠিন কিন্তু একবার অধিকার প্রতিষ্ঠিত হলে তা রক্ষা করা অত্যন্ত সহজ। তুর্কি সাম্রাজ্য দখল করার ক্ষেত্রে অসুবিধা হল যে, কোনো রাজবংশীয় পুরুষ হানাদারকে আমন্ত্রণ করবেন না বা শাসকের চারপাশে থাকা কর্মাধ্যক্ষরা আক্রমণকারীকে সাহায্য করবেন না। পূর্ববর্ণিত কারণে এইরকম ঘটে, যেহেতু মন্ত্রীরা দাসত্ববন্ধনে বদ্ধ তাই তাদের কব্জা করা কঠিন এবং করতে পারলেও তাদের থেকে বিশেষ সুবিধা পাওয়ার আশা থাকে না কারণ জনগণ তাদের দ্বারা প্রভাবিত হয় না। তাই যিনি তুর্কি সাম্রাজ্য আক্রমণ করবেন তাঁকে মনে রাখতে হবে যে তিনি একা এবং তাঁকে নিজের ক্ষমতার ওপর নির্ভর করতে হবে, অন্যদের বিদ্রোহের ওপর নয়। কিন্তু একবার তুর্কি রাজ্য জয় করলে আর সেখানে নিজের সৈন্যদের ঘাটি স্থাপন করলে শাসকের পরিবার ছাড়া কাউকে ভয় পাওয়ার থাকে না এবং সেটিকেও নিকেশ করে দিলে অন্যদের প্রতি জনগণের আস্থা না থাকায় কেউ বিপজ্জনক হয়ে উঠতে পারে না বা কারো সাহায্য না নিয়েই জয় হাসিল করার কারণে পরেও কাউকে ভয় পেতে হয় না।

বিপরীত ঘটে সেই সব রাজ্যে যারা ফ্রান্সের ধরনে শাসিত হয় কারণ রাজ্যের কিছু ভূস্বামীকে বশ করে সহজেই কেউ সেখানে প্রবেশ করতে পারে আর কিছু মানুষ তো সর্বদাই অসন্তুষ্ট থাকে এবং পরিবর্তন চায়। সেই কারণেই এই জাতীয় মানুষ রাজ্যে প্রবেশ করতে দিয়ে জয় সহজ করে তোলে কিন্তু যদি আপনি সেখানে কর্তৃত্ব বজায় রাখতে চান তবে অগণিত সমস্যার সম্মুখীন হতে হবে, যারা আপনাকে সাহায্য করেছে এবং যাদের আপনি ধ্বংস করেছেন উভয়ের থেকেই। শাসকের পরিবারকে শেষ করে দেওয়াই সেখানে যথেষ্ট নয় কারণ অবশিষ্ট ভূস্বামীরা আপনার বিরুদ্ধে নতুন করে আন্দোলন গড়ে তুলতে পারেন এবং যেহেতু আপনি তাঁদের সকলকে সন্তুষ্ট করতে বা সম্পূর্ণ ধ্বংস করতে পারবেন না, তাই সুযোগ উপস্থিত হলেই আপনাকে সেই রাজ্য হারাতে হবে।

এখন দারিয়াসের শাসনব্যবস্থার প্রকৃতি বিবেচনা করলে দেখবেন সেটি তুর্কি সাম্রাজ্যের অনুরূপ আর তাই আলেকজান্ডারের প্রয়োজন ছিল শুধু তাঁকে সিংহাসন

থেকে সরানো এবং রাজ্য দখল করা। এই বিজয়ের পর, পূর্ববর্ণিত কারণে, দারিয়াস নিহত হলে আলেকডান্ডারের নতুন রাজ্য নিষ্কণ্টক হয়। তাঁর উত্তরাধিকারীরা একতাবদ্ধ থাকলে অনায়াসেই রাজ্য রক্ষা করতে পারতেন কারণ তাঁদের দ্বারা সৃষ্ট বিশৃঙ্খলা ছাড়া রাজ্যে আর কোনো গণ্ডগোল দেখা দেয়নি।

কিন্তু ফ্রান্সের মতো যে রাষ্ট্রের গঠন তার ওপর এমন শান্তিতে শাসন কায়েম রাখা অসম্ভব। সেই জন্যই স্পেন, ফ্রান্স আর গ্রিসে অনেক রাজতন্ত্র থাকায় সেখানে রোমানদের বিরুদ্ধে বার বার বিদ্রোহ দেখা দিয়েছে। যতদিন তাদের পূর্বস্মৃতি বজায় ছিল ততদিন রোমানরা নিরাপদে রাজ্য দখলে রাখতে পারেননি কিন্তু ক্ষমতা থাকায় আর দীর্ঘদিন একটানা রাজ্য দখলে রাখায় স্মৃতি সরে যায় এবং রোমানদের রাজত্ব সুরক্ষিত হয়। পরবর্তী কালে নিজেদের মধ্যে যুদ্ধের সময় রাজ্যের বিভিন্ন অঞ্চলে তাঁরা নিজেদের অধিকার বলে অর্জিত অংশ দখলে রাখতে সমর্থ হন এবং পূর্ববর্তী শাসকের পরিবার নিশ্চিহ্ন হয়ে যাওয়ায় রোমানরা ছাড়া স্বীকৃতি পাওয়ার মতো আর কেউ থাকে না।

এই ঘটনাগুলির কথা মনে রাখলে আলেকজান্ডারের সহজে এশিয়া সাম্রাজ্য ধরে রাখার বিষয়ে বা পাইরাস ও অন্যান্য অনেকের বিজিত রাজ্য কব্জায় রাখার ক্ষেত্রে অসুবিধার বিষয়ে কেউ বিস্মিত হবেন না। বিজেতার সামর্থ্যের অভাব বা অল্পতার কারণে এমনটা ঘটেনি, ঘটেছে বিজিত রাজ্যে সাযুজ্যের অভাবে।

৫

সংযুক্ত হওয়ার আগে যে সব নগর বা রাজ্য নিজস্ব আইন দ্বারা শাসিত হত তাদের নিয়ন্ত্রণ করার পদ্ধতি বিষয়ে

যে সকল রাজ্য নিজস্ব আইন অনুযায়ী স্বাধীনভাবে থাকতে অভ্যস্ত তাদের অধিকার করার পর আয়ত্ত্বে রাখতে গেলে নতুন শাসকের সামনে তিনটি পথ থাকে: এক, তাদের ধ্বংস করা, দুই, ব্যক্তিগতভাবে সেখানে বসবাস করা আর তিন, কিছু রাজস্ব নিয়ে তাদের নিজেদের আইন অনুসারে থাকতে দেওয়া এবং স্বল্পসংখ্যক ব্যক্তির দ্বারা পরিচালিত একটি শাসনব্যবস্থা সেখানে প্রতিষ্ঠা করা যাতে সেখানকার অধিবাসীরা বন্ধুভাবাপন্ন থাকে। কারণ শাসকের তৈরি এই ধরনের একটি সরকার জানে যে তাঁর বন্ধুত্ব ও আগ্রহ না থাকলে তারা নিজেদের রক্ষা করতে পারবে না। তারা সর্বতোভাবে তাঁকে সহায়তা করে আর তাই স্বাধীনতায় অভ্যস্ত একটি নগরকে তারই অধিবাসীদের সাহায্যে বশে রাখা অন্য যে কোনো উপায়ের চেয়ে সহজতর।

উদাহরণ হিসেবে বলা যেতে পারে স্পার্টাবাসী ও রোমানদের কথা। স্পার্টানরা এথেন্স ও থিবেস অধিকার করে, সেখানে স্বল্পসংখ্যক ব্যক্তির শাসনতন্ত্র প্রতিষ্ঠা করে, তবুও কর্তৃত্ব হারায়। আর রোমানরা কাপুয়া, কার্থেজ ও নিউম্যানসিয়া দখলে রাখতে তাদের ধ্বংস করে এবং কর্তৃত্ব বজায় রাখে। তারাও স্পার্টানদের মতো স্বাধীনতা দিয়ে, নিজস্ব আইনব্যবস্থা চালু রাখার অনুমতি দিয়ে গ্রিসকে দখলে রাখতে চেয়েছিল কিন্তু সফল হতে পারেনি। তাই অধিকার বজায় রাখতে দেশের বহু শহরকে চূর্ণ করতে তারা বাধ্য হয়েছিল, কারণ প্রকৃতপক্ষে, কাউকে ধ্বংস না করে তাকে ধরে রাখার আর কোনো নিরাপদ উপায় নেই। যিনি স্বাধীনতার অভ্যস্ত নগরের অধিকারী হন এবং সেটিকে ধ্বংস করেন না তিনি সেই নগরের দ্বারাই ধ্বংসপ্রাপ্ত হওয়ার আশা করতে পারেন, কারণ বিদ্রোহের মধ্যেই থাকে মুক্তির সংকেতবাক্য

আর চিরাচরিত অধিকার পুনরুদ্ধারের মন্ত্র যা সময়ের সঙ্গে সঙ্গে বা সুবিধাপ্রাপ্তিতে বিস্মরণ হয় না। আপনি তাদের জন্য যতই করুন বা যত সুযোগই দিন তারা তাদের খ্যাতি আর অধিকারের কথা ভোলে না যদি না তারা বিচ্ছিন্ন হয় বা হারিয়ে যায়। কিন্তু সুযোগ পেলেই তারা তৎক্ষণাৎ সংহত হয় যেমন একশো বছর ফ্লোরেন্সীয়দের দাসত্ব করার পর পিসা করেছিল।

কিন্তু যখন কোনো নগর বা দেশ একজন রাজার অধীনতায় অভ্যস্ত থাকে, সেই রাজার পরিবার নিশ্চিহ্ন হয়ে গেলে তারা একদিকে আজ্ঞানুবর্তিতার অভ্যাস অন্যদিকে প্রাক্তন রাজার অনুপস্থিতির ফলে নিজেদের মধ্য থেকে কাউকে সর্বসম্মতভাবে নির্বাচিত করতে পারে না আর বোঝেও না কীভাবে নিজেদের পরিচালনা করবে। এই কারণে তারা অস্ত্র তুলে নিতে বিলম্ব করে আর নতুন রাজা সহজেই তাদের নিজের অধীনে নিয়ে এসে বশে রাখতে পারে। কিন্তু প্রজাতন্ত্রে অনেক বেশি জীবনীশক্তি, বেশি ঘৃণা, অধিক প্রতিশোধ স্পৃহা থাকে যা জনগণকে পূর্ববর্তী স্বাধীনতার কথা ভুলতে দেয় না; তাই সবচেয়ে নির্ভরযোগ্য উপায় হল তাদের ধ্বংস করা বা সেখানে গিয়ে বসবাস করা।

৬

কারো নিজস্ব অস্ত্রবল ও ক্ষমতায় বিজিত নতুন রাজ্যের বিষয়ে

সম্পূর্ণ নতুন রাজত্বের কথা বলতে গিয়ে যদি আমি শাসক ও রাষ্ট্রের শ্রেষ্ঠতম উদাহরণ উল্লেখ করি তবে কেউ বিস্মিত হবেন না কারণ সর্বদাই অন্যের পথে চলতে আর কাজকর্মে অন্যের নকল করতে অভ্যস্ত মানুষ কখনোই অন্যের পদ্ধতিতে দৃঢ়ভাবে নিবদ্ধ থাকতে বা যাদের তারা নকল করেছে তাদের তুল্য ক্ষমতা অর্জন করতে পারে না। জ্ঞানী মানুষের উচিত মহান ব্যক্তিদের পথ অনুসরণ করা, শ্রেষ্ঠতমদের অনুকরণ করা যাতে তাঁর যোগ্যতা তাঁদের সামর্থ্যের সমতুল না হলেও সমজাতীয় হয়। তাঁর উচিত সেই চতুর তীরন্দাজদের মতো আচরণ করা যারা বহু দূরবর্তী নিশানা ভেদ করতে গিয়ে নিজেদের ধনুকের ক্ষমতার সীমাবদ্ধতা মাথায় রেখে নিশানার চেয়ে বহু উচ্চতর লক্ষ স্থির করে যাতে নিজেদের ক্ষমতা বা তীরের দ্বারা তত উচ্চ লক্ষ ভেদ করতে না পারলেও অভীষ্ট নিশানা ভেদ করতে পারে।

তাই বলছি, সম্পূর্ণ নতুন রাজত্বের ক্ষেত্রে যেখানে নতুন এক শাসক এসেছেন, সেখানে তাঁর যোগ্যতা বেশি বা কম হওয়ার ওপর বেশি বা কম সমস্যার উদয় হওয়া নির্ভর করে। যেহেতু ব্যক্তিগত স্তর থেকে উঠে আসা রাজা আগে থেকেই তাঁর দক্ষতা বা ভাগ্যের ওপর নির্ভর করেন তাই স্পষ্টত এই দুইয়ের মধ্যে কোনো একটি তাঁর সমস্যাদি কিছুটা লাঘব করবে। যিনি ভাগ্যের ওপর কম নির্ভরশীল হবেন তিনিই বলিষ্ঠতম হিসেবে প্রতিষ্ঠা পাবেন। উপরন্তু শাসকের অন্য কোনো রাজ্য না থাকায় তিনি সেখানেই ব্যক্তিগতভাবে বাস করতে বাধ্য হবেন যা পরিস্থিতি সহজতর করবে।

কিন্তু যাঁরা ভাগ্যবলে নয় নিজেদের দক্ষতায় রাজা হিসেবে উদিত হয়েছেন সেই মোজেস, সাইরাস, রোমিউলাস, থেসিয়াস এবং এই রকম আরও অনেকে হলেন প্রকৃষ্ট উদাহরণ। যদি কেউ মোজেসকে বাদ দিতে চান তিনি শুধুমাত্র ঈশ্বরের ইচ্ছা বাস্তবায়িত করেছেন বলে তবু তিনি প্রশংসনীয় কেবল সেই যোগ্যতার জন্য যা তাঁকে ঈশ্বরের সঙ্গে কথা বলার সামর্থ্য দিয়েছে। কিন্তু সাইরাস বা অন্য যাঁরা একাধিক রাজ্য অধিকার করেছেন বা প্রতিষ্ঠা করেছেন তাঁদের কথা বিবেচনা করলে প্রশংসা করতেই হবে এবং তাঁরাও মহান ধর্মোপদেশক মোজেসের চেয়ে কম যোগ্য বলে প্রতীয়মান হবেন না। তাঁদের কর্ম ও জীবন পরীক্ষা করলে কেউ দেখবেন না যে তাঁরা সুযোগ ছাড়া অন্য কোনো বিষয়ে ভাগ্যের প্রতি ঋণী ছিলেন যা কোনো উপাদানকে তাঁদের বিবেচনায় সর্বোত্তম আকার দিতে তাঁদের সাহায্য করেছে। সেই সুযোগ না পেলে তাঁদের মানসিক শক্তি নির্বাপিত হত এবং সেই শক্তি তাঁদের না থাকলে সেই সুযোগ বিফলে যেত।

তাই মোজেসের কাছে জরুরি ছিল মিশরে মিশরীয়দের দ্বারা ক্রীতদাসকৃত ও নিপীড়িত ইজরায়েলিদের খুঁজে বার করা যাতে তাদের দাসত্ব থেকে মুক্ত করে তাঁর হাতে হস্তান্তর করা হয়। জরুরি ছিল রোমিউলাস-এর আলবা-তে না থাকা, জন্মের পরেই পরিত্যক্ত হওয়া যাতে তিনি রোমের সম্রাট হয়ে পিতৃভূমির প্রতিষ্ঠাতা হতে পারেন। মেডিস সরকারের শাসনে পারসিকদের অসন্তুষ্ট থাকা এবং দীর্ঘকালীন শান্তির কারণে মেডিসদের নরম ও দুর্বল অবস্থায় পাওয়া সাইরাস-এর জন্য জরুরি ছিল। এথেনিয়ানরা ছত্রভঙ্গ না হয়ে পড়লে থেসিয়াস তাঁর সামর্থ্য দেখাতে পারতেন না। অতয়েব, এই সুযোগগুলি সেই মানুষদের সৌভাগ্য এনে দিয়েছে এবং তাঁদের সক্ষম করেছে যার ফলে তাঁদের দেশ মহান ও বিখ্যাত হয়েছে।

এঁদের মতো যাঁরা বীরত্বের মাধ্যমে রাজা হয়েছেন তাঁদের শাসনতন্ত্র কায়েম করা দুরূহ হলেও বজায় রাখা সহজ হয়েছে। তাঁদের সরকার প্রতিষ্ঠা করতে ও তাকে সুরক্ষিত করতে যে নতুন নিয়ম ও পদ্ধতি প্রবর্তন করতে তাঁরা বাধ্য হয়েছেন তা সহজে করা যায়নি। মনে রাখতে হবে, নতুন কর্মধারা প্রচলনে নেতৃত্ব দেওয়ার চেয়ে বেশি দুঃসাধ্য, বিপজ্জনক ও অনিশ্চয়তাময় কাজ আর কিছু নেই, কারণ পুরোনো ধারায় যারা উন্নতি করছিল তারা সংস্কারকের শত্রু হয়ে যাবে আর যারা নতুন পদ্ধতিতে উন্নতি করবে তাদের থেকে মৃদু সাড়া পাওয়া যাবে। এই শীতলতা আসে আংশিকভাবে সেই প্রতিপক্ষদের ভয়ে আইন যাদের সহায় এবং আংশিকভাবে সেই

জনগণের অবিশ্বাস থেকে যারা অভিজ্ঞতার নিরিখে বিচার না করে কোনো কিছুই সহজে মেনে নিতে পারে না। ফলত শত্রুভাবাপন্নরা সুযোগ পেলেই গেরিলাবাহিনীর মতো আক্রমণ করে আর অন্যরা মৃদু প্রতিরোধ করে যার ফলে তাদের সঙ্গে সঙ্গে শাসকও বিপদে পড়েন।

এই বিষয়টি পুঙ্খানুপুঙ্খভাবে বিশ্লেষণ করতে গেলে দেখা দরকার এই প্রবর্তকগণ কি নিজেদের ওপর ভরসা রাখতে পারেন নাকি তাঁদের অন্যদের ওপর নির্ভর করতে হয়; অর্থাৎ তাঁদের উদ্যোগ সফল করতে তাঁরা কি আবেদন করবেন না বলপ্রয়োগ করবেন। প্রথম ক্ষেত্রে তাঁরা সর্বদাই ব্যর্থ হন এবং কিছুই সম্পাদন করতে পারেন না কিন্তু যখন তাঁরা আত্মনির্ভরতার সঙ্গে বলপ্রয়োগ করেন তখন বিপদের সম্ভাবনা প্রায় থাকেই না। সেই কারণেই দেখা যায় যে সশস্ত্র প্রবর্তকগণ জয়ী হয়েছেন আর নিরস্ত্ররা বিনাশ লাভ করেছেন। তাছাড়া, মানুষের প্রকৃতি পরিবর্তনশীল, তাদের বিশ্বাস করানো সহজ হলেও সেই বিশ্বাসে আবদ্ধ রাখা কঠিন। তাই এমন ব্যবস্থা গ্রহণ করা উচিত যাতে যখন তাদের বিশ্বাস হারিয়ে যাবে তখন যেন বলপ্রয়োগ করে তাদের বিশ্বাস করানো যায়।

মোজেস, সাইরাস, থেসিয়াস আর রোমিউলাস যদি নিরস্ত্র হতেন তবে তাঁদের শাসনতন্ত্র বেশিদিন প্রয়োগ করতে পারতেন না যেমন ঘটেছে আমাদের সময়ে ফ্রা জিরোলামো স্যাভোনারোলা-র ক্ষেত্রে যিনি অধিকাংশের বিশ্বাস হারিয়ে, বিশ্বাসীদের অবিচল রাখতে না পেরে এবং অবিশ্বাসীদের বিশ্বাস করাতে না পেরে তাঁর নতুন নির্দেশাবলি সমেত বিনাশিত হয়েছেন। অতএব, এঁরা বহু বাধা অতিক্রম করে তাঁদের উদ্যোগ সফল করেছেন, আরোহণে বিপদের সম্মুখীন হয়েছেন এবং তাঁদের সামর্থ্য দিয়ে তা জয় করেছেন, কিন্তু যখন জয় করায়ত্ব হয়েছে আর ঈর্ষান্বিতরা নির্মূল হয়েছে, তাঁরা শ্রদ্ধা অর্জন করেছেন এবং পরবর্তীকালে শক্তিশালী, সুরক্ষিত, সম্মানিত ও সুখী হয়েছেন।

এই মহান দৃষ্টান্তসমূহের সঙ্গে আমি গৌণ একটি নাম যোগ করতে চাই যাঁর কিছু সাদৃশ্য ছিল এঁদের সঙ্গে এবং সেই কারণে আমি তাঁকে এঁদের সমগোত্রীয় বলতে চাই: তিনি সিরাকিউস-এর হিয়েরো[৭]। তিনি একজন সামান্য ব্যক্তি থেকে সিরাকিউসের শাসক হয়েছিলেন যার জন্য তিনি ভাগ্য নয় সুযোগের কাছে ঋণী কারণ অবদমিত সিরাকিউসীয়রা তাঁকে নেতা বানিয়েছিল এবং পরবর্তীকালে তাদের

[৭] দ্বিতীয় হিয়েরো, জন্ম আনুমানিক ৩০৭ খ্রি.পূ., মৃত্যু ২১৬ খ্রি.পূ.

রাজা নির্বাচিত করে পুরস্কৃত করেছিল। একজন সাধারণ নাগরিক হিসেবেও তাঁর দক্ষতা এতটাই ছিল যে তাঁর সম্পর্কে লিখতে গিয়ে একজন বলেছেন, আর কিছু নয় তিনি শুধু একটি রাজ্য চাইতেন যেখানে তিনি রাজা হবেন। তিনি পুরোনো সৈন্যবাহিনী বাতিল করে নতুন বাহিনী গড়ে তুলেছিলেন, পুরোনো মিত্রতা পরিত্যাগ করে নতুন মিত্র করেছিলেন এবং যেহেতু তাঁর নিজস্ব সৈন্যবাহিনী এবং মিত্রশক্তি ছিল তিনি সেই ভিত্তির ওপর যে কোনো সংগঠন নির্মাণ করতে পারতেন। তাই অর্জন করতে তাঁকে কষ্ট সহ্য করতে হলেও রক্ষা করতে বেগ পেতে হয়নি।

৭

অন্যের অস্ত্রবলে বা সৌভাগ্যবশত বিজিত নতুন রাজ্যের বিষয়ে

সাধারণ নাগরিক থেকে যাঁরা শুধুমাত্র সুপ্রসন্ন ভাগ্যের অনুকম্পায় রাজত্ব লাভ করেন তাঁদের উত্থানে বিশেষ অসুবিধা হয় না কিন্তু উত্থিত অবস্থা বজায় রাখতে অসুবিধা হয়; আরোহণের সময় তাঁদের কোনো বাধার সম্মুখীন হতে হয় না কারণ তাঁরা উড়ে উড়ে যান কিন্তু শিখরে পৌঁছে তাঁরা সমস্যায় পড়েন। এই রাজারা হয় অর্থের বিনিময়ে রাজত্ব পান বা কোনো দাতার অনুগ্রহে রাজ্যলাভ করেন যেমন ঘটেছে গ্রিসে, আয়োনিয়াতে আর হেলেসপন্ট-এ যেখানে দারিয়ুস তাঁর সুরক্ষা ও যশের খাতিরে নগররাষ্ট্রগুলিতে অনেককে শাসক নিযুক্ত করেছিলেন অথবা যেখানে সৈন্যবাহিনীর অসাধুতার কারণে কেউ সাধারণ নাগরিক থেকে সম্রাট হয়েছেন। এই অবস্থান সম্পূর্ণত নির্ভর করে যিনি উন্নীত করেছেন তাঁর সদিচ্ছা ও দয়ার ওপর—যে দুটিই অস্থির ও পরিবর্তনশীল। সেই পদের জন্য প্রয়োজনীয় জ্ঞান তাঁদের থাকে না কারণ বিশেষ যোগ্যতা ও সামর্থ্যসম্পন্ন না হলে সাধারণ জীবনযাপন করা কোনো নাগরিকের কাছে কর্তৃত্ব আশা করা যুক্তিযুক্ত নয়। তাছাড়া বন্ধুত্বপূর্ণ ও বিশ্বস্ত সৈন্যবল না থাকায় তাঁরা সেই পদ ধরেও রাখতে পারেন না।

হঠাৎ জন্মানো আর দ্রুত বৃদ্ধিপ্রাপ্ত যে কোনো প্রাকৃতিক বস্তুর মতোই অপ্রত্যাশিতভাবে জন্ম নেওয়া রাষ্ট্র তার ভিত্তি ও মূল[৮]কে এমন দৃঢ়বদ্ধ রাখতে পারে না যাতে প্রথম ঝড়েই তা উপড়ে না যায় যদি না, যেমন বলা হয়েছে, অপ্রত্যাশিত শাসক এমন দক্ষতাসম্পন্ন হন যাতে তিনি বুঝতে পারেন ভাগ্য তাঁকে যা দান করেছে

[৮] ষোড়শ ও সপ্তদশ শতাব্দীতে 'করেস্পন্ডেন্সি' শব্দটি মূল বা ভিত এবং অন্য রাজ্যের সঙ্গে সম্পর্ক দুই অর্থেই ব্যবহৃত হত।

তাকে ধরে রাখতে হবে এবং তাঁর শাসক হওয়ার *আগে* অন্যেরা তাঁর জন্য যে বুনিয়াদ স্থাপন করেছেন তাঁকেও *পরবর্তীতে* তা স্থাপন করতে হবে।

দক্ষতা অথবা সৌভাগ্যের জোরে রাজা হওয়ার দুই পদ্ধতি প্রসঙ্গে আমি আমাদের স্মৃতি থেকে দুটি দৃষ্টান্তের উল্লেখ করতে চাই এবং তাঁরা হলেন ফ্রান্সেসকো স্ফোরজা[৯] ও সিজার বর্জিয়া। ফ্রান্সেসকো প্রকৃত উপায়ে ও অশেষ ক্ষমতাবলে একজন সাধারণ নাগরিক থেকে মিলান-এর ডিউক পদে পৌঁছেছিলেন এবং হাজার উদ্বেগ নিয়ে যা অর্জন করেছিলেন অনায়াসে তা রক্ষা করেছিলেন। অন্যদিকে ডিউক ভ্যালেন্‌টিনো নামে পরিচিত সিজার বর্জিয়া তাঁর পিতার প্রতিপত্তির সময় রাজ্যলাভ করেছিলেন এবং তাঁর পতনে রাজ্য হারিয়েছিলেন যদিও অন্যের অস্ত্রবল ও দাক্ষিণ্যে প্রাপ্ত রাজ্যে তাঁর মূল দৃঢ়বদ্ধ করতে তিনি সেই সমস্ত পদ্ধতি গ্রহণ করেছিলেন যা একজন জ্ঞানী ও যোগ্য ব্যক্তির করা উচিত।

যেমন আগে বলা হয়েছে, যিনি প্রথমে ভিত্তি স্থাপন করবেন না তিনি পরবর্তীকালে অসীম ক্ষমতার জোরে তা স্থাপন করতে পারেন কিন্তু তাতে স্থাপত্য বিঘ্নিত হবে আর সৌধটি বিপদের সম্মুখীন হবে। অতএব যদি ডিউকের দ্বারা গৃহীত সব পদক্ষেপ বিবেচনা করা হয়, দেখা যাবে ভবিষ্যতের জন্য তিনি সুদৃঢ় ভিত স্থাপন করেছিলেন এবং আমি সেগুলির আলোচনা অনাবশ্যক মনে করি না কারণ আমি জানি না তাঁর কাজের দৃষ্টান্ত ছাড়া একজন নতুন শাসককে আরও ভালো কী কর্মবিধির উদাহরণ দেওয়া যায় এবং যদি তাঁর বিধান কার্যোপযোগী না হয় তবে তা তাঁর দোষ নয় বরং ভাগ্যের অস্বাভাবিক ও চরম প্রতিকূলতা।

পুত্রের প্রতিপত্তি বৃদ্ধি করতে গিয়ে ষষ্ঠ আলেকজান্ডারকে অনেক তাৎক্ষণিক ও সম্ভাব্য বাধার সম্মুখীন হতে হয়েছিল। প্রথমত, তিনি ভেবে দেখেননি যে পুত্রকে সেই রাজ্যে অভিষিক্ত করছেন যা গির্জার অধীনে ছিল না আর যদি তিনি গির্জাকে বঞ্চিত করতে চেয়ে থাকেন তিনি জানতেন মিলানের ডিউক এবং ভেনিসীয়রা সম্মতি দেবে না কারণ ফ্যাঞ্জা আর রিমিনি আগে থেকেই ভেনিসীয়দের সুরক্ষায়

[৯] ফ্রান্সেসকো স্ফোরজা, জন্ম ১৪০১, মৃত্যু ১৪৬৬। তিনি বিবাহ করেন বিয়াঙ্কা মারিয়া ভিসকন্তি-কে যার পিতা মিলান-এর ডিউক ফিলিপ্পো ভিসকন্তির মৃত্যুর পর তিনি জমিদারি গ্রহণ করেন। ম্যাকিয়াভেলি ফ্লোরেন্সীয় প্রজাতন্ত্রের স্বীকৃত প্রতিনিধি রূপে গিয়েছিলেন সিজার বর্জিয়ার (১৪৭৮-১৫০৭) কাছে যে সময় সিনিগেলিয়াতে ওরসিনি ও ভিতেলিকে হত্যার পরিকল্পনা করা হয় এবং ফ্লোরেন্স-এ তাঁর প্রধানদের কাছে লেখা চিঠিগুলি ছাড়াও ডিউকের কার্যধারার একটি লিখিত বিবরণ তিনি রেখে যান যা *দ্য প্রিন্স* রচনার দশ বছর আগে রচিত। সেটির একটি অনুবাদ বর্তমান গ্রন্থের শেষে সংযোজিত হল।

ছিল। এছাড়াও, তিনি জানতেন ইতালির যে অস্ত্রবল তাঁকে সহায়তা করতে পারত তা অরসিনি, কলোনেসি এবং তাঁদের অনুগামীদের হাতে ছিল যারা পোপের প্রতিপত্তি বৃদ্ধিতে ভীত হতে পারত। তাই তাঁর উচিত ছিল এই রাষ্ট্রীয় ব্যবস্থায় বিশৃঙ্খলা ঘটিয়ে শক্তিগুলির মধ্যে বিবাদ লাগিয়ে দেওয়া যাতে তাঁদের রাজ্যের কিছু অংশ তাঁর করায়ত্ব হয়। এটি তাঁর পক্ষে সহজ ছিল কারণ তিনি দেখেছিলেন বিভিন্ন কারণে উত্তেজিত ভেনিসীয়রা ফরাসিদের ইতালিতে আনতে উৎসুক ছিল এবং তিনি এতে বাধা তো দেনই নি বরং রাজা লুই-এর পূর্ববর্তী বিবাহ ভেঙে দিয়ে কাজটি সহজ করে দিয়েছিলেন। অতএব রাজা ইতালিতে এলেন ভেনিসীয়দের সহায়তায় আর আলেকজান্ডারের সম্মতিক্রমে। তিনি মিলানে পৌঁছনো মাত্র পোপ তাঁর থেকে সৈন্য নিলেন রোমাগ্না আক্রমণের জন্য যারা রাজার খ্যাতির কারণে তাঁর কাছে আত্মসমর্পণ করল। ডিউক রোমাগ্না অধিকার করে আর কলোনেসি-কে পরাভূত করে যখন আরো এগোতে চাইলেন তখন দুটি বাধা এল: এক, তাঁর সৈন্যদলকে তাঁর প্রতি বিশ্বস্ত মনে হল না; দুই, ফ্রান্সের সুনাম। তিনি ভয় পেলেন যে অরসিনি-র সৈন্য, যা তিনি তখন ব্যবহার করছিলেন, তাঁর পাশে থাকবে না যার ফলে তারা শুধু তাঁর বিজয়পথে বাধার সৃষ্টিই করবে না, যা তিনি জয় করেছেন তাও দখল করে নেবে এবং হয়তো রাজাও তেমন করবেন। অরসিনি সম্পর্কে তিনি সতর্কবার্তা পেয়েছিলেন যখন ফ্যাঞ্জা অধিকারের পর বোলোগ্না আক্রমণের সময় তিনি দেখলেন তারা অনিচ্ছার সঙ্গে সেই আক্রমণে গেল। আর রাজার মন তিনি বুঝতে পারলেন যখন উরবিনোর জমিদারি গ্রহণের পর তাসক্যানি আক্রমণের সময় রাজা তাঁকে সেই অধিগ্রহণ থেকে নিবৃত্ত করলেন। ডিউক অন্যের অস্ত্রবল ও ভাগ্যের ওপর আর নির্ভর করতে চাইলেন না।

প্রথম কাজ হিসেবে তিনি রোমে অরসিনি আর কলোনেসির দলকে দুর্বল করলেন। তাদের অনুগামীদের মধ্যে বিশিষ্ট জনেদের তাঁর পক্ষে নিয়ে এলেন, তাঁদের ভালো বেতন দিলেন এবং তাঁদের পদমর্যাদা অনুযায়ী দপ্তর ও অধিকার দিলেন আর এর ফলে কয়েক মাসের মধ্যে সেই অংশটি পুরোনো সম্পর্ক নষ্ট করে সম্পূর্ণভাবে ডিউকের পক্ষে চলে এল। কলোনা সম্প্রদায়ের অনুগামীদের ছত্রভঙ্গ করে দেওয়ার পর তিনি অরসিনি ধ্বংসের সুযোগের অপেক্ষায় থাকলেন। শীঘ্রই তা এল এবং তিনি তার সদ্ব্যবহার করলেন। ডিউক আর গির্জার বাড়বাড়ন্তই তাদের ধ্বংসের কারণ এই উপলব্ধি থেকে অরসিনি-র দল পেরুগিয়া-তে ম্যাজিওন-এর

একটি সভা ডাকল। এর থেকেই উরবিনোতে বিদ্রোহ মাথা চাড়া দিল, রোমাগ্না-তে বিশৃঙ্খলা দেখা গেল এবং ডিউকের সামনে অশেষ বিপদে ঘনিয়ে এল যার সবই তিনি জয় করলেন ফরাসিদের সাহায্যে। নিজের কর্তৃত্ব পুনরুদ্ধারের পর ফরাসি বা অন্য বহিরাগত শক্তির ওপর আস্থা রেখে তিনি আর ঝুঁকি নিতে চাননি। কূটবুদ্ধির আশ্রয় নিয়ে এবং নিজের অভিসন্ধি গোপন রেখে তিনি সিগনর পাগোলো-কে অর্থ, পোশাক ও অশ্ব দিয়ে বশীভূত করে তাঁর মাধ্যমে অরসিনি-র সঙ্গে সম্পর্ক পুনস্থাপন করলেন আর তারা সরলতার বশে সিনিগালিয়া[১০]-তে তাঁর পক্ষে যোগ দিল। নেতাদের খতম করে আর কট্টর অনুগামীদের সঙ্গে বন্ধুত্ব পাতিয়ে ডিউক নিজের শক্তির মজবুত ভিত স্থাপন করলেন। গোটা রোমাগ্না এবং উরবিনোর জমিদারি তাঁর বশে এল এবং মানুষে তাদের উন্নতির প্রশংসা করতে শুরু করায় তিনি তাদের সম্পূর্ণ সমর্থন লাভ করলেন। এই বিষয়টি যেহেতু লক্ষ্যণীয় এবং অন্যদের জন্য অনুকরণীয় তাই আমি এটি এড়িয়ে যেতে চাইছি না।

ডিউক যখন রোমাগ্না অধিকার করলেন, তিনি দেখলেন সেখানকার দুর্বল শাসক প্রজাদের সুশাসন দেওয়ার বদলে তাদের লুণ্ঠন করে চলেছেন যার ফলে তাদের সংঘবদ্ধ হওয়ার বদলে বিচ্ছিন্ন হওয়ার যথেষ্ট কারণ আছে আর তাই দেশ ডাকাতি, অশান্তি ও সব ধরনের হিংসায় ভরে গেছে। তিনি উপলব্ধি করলেন যে, সেখানে শান্তি এবং শাসকের প্রতি আনুগত্য ফিরিয়ে আনার জন্য একজন ভালো প্রশাসকের প্রয়োজন। অবিলম্বে তিনি মেসার (মিস্টার) র‍্যামিরো ডি' অরকো[১১] নামে এক চটপটে ও নির্মম ব্যক্তিকে উন্নীত করে তাঁকে পূর্ণ ক্ষমতা দিলেন। তিনি অল্প সময়ের মধ্যেই পরম সাফল্যের সঙ্গে শান্তি ও সংহতি পুনপ্রতিষ্ঠা করলেন। পরবর্তী সময়ে ডিউক বিবেচনা করলেন যে এতটা কর্তৃত্ব অর্পণ করা যুক্তিযুক্ত নয় কারণ তাতে তিনি নিঃসন্দেহে ঘৃণার পাত্র হয়ে যাবেন। তাই তিনি দেশে একজন উত্তম মানের সভাপতির অধীনে একটি বিচারসভা গঠন করলেন যেখানে প্রত্যেক শহরের নিজস্ব প্রতিনিধি থাকল। যেহেতু তিনি জানতেন যে অতীতের নির্দয়তার ফলে তাঁর নিজের প্রতি মানুষের ঘৃণা জন্ম নিয়েছে তাই মানুষের কাছে নিজেকে স্বচ্ছ প্রতিপন্ন করতে এবং তাদের সম্পূর্ণ আস্থা অর্জন করতে তিনি দেখাতে চাইলেন, যদি কোনো নিষ্ঠুরতা ঘটে থাকে তবে তার জন্য তিনি দায়ী নন তাঁর প্রতিনিধির স্বভাবজাত

---

[১০] সিনিগালিয়া, ৩১ ডিসেম্বর ১৫০২।

[১১] র‍্যামিরো ডি'অরকো। র‍্যামিরো দ্য লোরকা।

কঠোরতাই দায়ী। এই অজুহাতে তিনি র‍্যামিরোর মৃত্যুদণ্ড দিলেন এবং তাঁকে সেসেনা পৌরসভার এক চত্বরে পাশে হাড়িকাঠ ও একটি রক্তমাখা ছুরি সহ ফেলে রাখলেন। সেই দৃশ্যের নৃশংসতা মানুষকে যুগপৎ সন্তুষ্ট ও আতঙ্কিত করল।

যেখান থেকে শুরু করেছিলাম সেখানেই ফিরে যাওয়া যাক। নিজের বলে বলীয়ান হয়ে এবং তাঁর জয়যাত্রার পথে বিঘ্ন সৃষ্টিকারীদের অনেককে বিনাশ করে ডিউক নিজেকে যথেষ্ট শক্তিশালী এবং তাৎক্ষণিক বিপদ থেকে কিছুটা সুরক্ষিত প্রতিপন্ন করলেন। তাঁর পরবর্তী বিচার্য ছিল ফ্রান্স কারণ তিনি জানতেন যে রাজা যখন পরে তাঁর ভুল বুঝবেন তখন ডিউককে সমর্থন করবেন না। সেই সময় থেকে তিনি নতুন মিত্র খুঁজতে শুরু করলেন এবং স্পেনীয়রা গ্যায়টা অবরোধ করে রাখার কারণে যখন ফ্রান্স তাদের বিরুদ্ধে নেপল্‌স রাজ্যের দিকে অভিযান করল তখন তিনি কালহরণ করতে লাগলেন। তিনি চেয়েছিলেন ফরাসিদের বিরুদ্ধে নিজেকে সুরক্ষিত করতে এবং তা দ্রুত সম্পন্ন হত যদি আলেকজান্ডার বেঁচে থাকতেন।

বর্তমানের পরিপ্রেক্ষিতে তাঁর কর্মধারা ছিল এইরূপ। কিন্তু ভবিষ্যৎ নিয়ে তাঁর ভয় ছিল। গির্জার নতুন উত্তরাধিকারী তাঁর প্রতি বন্ধুভাবাপন্ন নাও হতে পারেন এবং আলেকজান্ডার তাঁকে যা দিয়েছিলেন তা কেড়ে নিতে চাইতে পারেন আর তাই চারভাবে তিনি কাজ শুরু করলেন। প্রথমত, পোপ যাতে কোনো ছুতো না পান তাই যে সব সামন্তকে তিনি বঞ্চিত করেছিলেন তাদের পরিবারসমূহ উন্মূল করলেন। দ্বিতীয়ত, যেমন আগে বলা হয়েছে, রোমের সব বিশিষ্ট জনকে নিজের দিকে নিয়ে এলেন যাতে পোপ তাঁদের সাহায্য না পান। তৃতীয়ত, যাজকদের সংগঠনকে আরও নিজের অনুগত করে তুললেন। চতুর্থত, পোপের মৃত্যুর আগেই নিজে প্রভূত ক্ষমতার অধিকারী হলেন যাতে প্রাথমিক ধাক্কা তিনি নিজের বলেই সামলাতে পারেন। এই চারটি বিষয়ের মধ্যে তিনটি তিনি আলেকজান্ডারের মৃত্যুর আগে সম্পন্ন করেছিলেন। বঞ্চিত সামন্তদের মধ্যে যত জনকে তিনি আক্রমণ করতে পেরেছিলেন তাদের নিহত করেছিলেন, কয়েকজন পালিয়ে গিয়েছিল; রোমের বিশিষ্ট জনেদের নিজের দিকে নিয়ে এসেছিলেন এবং যাজকদের সংগঠন কলেজে অধিকাংশকে স্বপক্ষে পেয়েছিলেন, নতুন অধিগ্রহণের কথা বলতে গেলে তিনি তাসক্যানির প্রভু হতে চেয়েছিলেন কারণ পেরুগিয়া আর পিয়ম্‌বিনো আগেই তাঁর দখলে এসেছিল এবং পিসা তাঁর রক্ষণাবেক্ষণে ছিল। যেহেতু ফ্রান্সের দিকে তাঁর নজর রাখার আর প্রয়োজন ছিল না (কারণ ফরাসিরা নেপল্‌স রাজ্য থেকে

স্পেনীয়দের দ্বারা বিতাড়িত হয়েছিল আর তাই দু-পক্ষই তাঁর সমর্থন অর্জন করতে বাধ্য ছিল) তিনি পিসার ওপর ঝাঁপিয়ে পড়লেন। এরপর লুকা ও সিয়েনা এক সঙ্গে আত্মসমর্পণ করল, কিছুটা বিরাগজনিত কারণে কিছুটা ফ্লোরেন্সীয়দের ভয়ে এবং ফ্লোরেন্সীয়দের কাছেও আলেকজান্ডারের মৃত্যুর বছরে ডিউকের উন্নতিতে বাধা দেওয়ার কোনো উপায় ছিল না কারণ তিনি এত ক্ষমতা ও খ্যাতি অর্জন করেছিলেন যে নিজেই নিজের পাশে দাঁড়াতে পারতেন এবং নিজের ক্ষমতা ও যোগ্যতা ছাড়া তাঁকে আর অন্যের ভাগ্য ও সৈন্যবলের ওপর নির্ভর করতে হয়নি।

ডিউকের প্রথম যুদ্ধের পাঁচ বছর পর আলেকজান্ডারের মৃত্যু হয়। তাঁর মৃত্যুকালে ডিউকের হাতে সংহত রাজ্য বলতে ছিল শুধু রোমাগ্না, বাকি সব ছিল অনিশ্চিত আর ছিল দু-পাশে দুই চরম ক্ষমতাশালী বিরোধী সৈন্যবাহিনী এবং আমৃত্যু অসুস্থতা। তবু, ডিউকের এত বলিষ্ঠতা ও সামর্থ্য ছিল, তিনি এত ভালো করে জানতেন কীভাবে মানুষকে জয় করা যায় বা কী করলে মানুষ দূরে সরে যায় এবং এত অল্প সময়ে তিনি এত মজবুত ভিত প্রতিষ্ঠা করেছিলেন যে, যদি তাঁর ঘাড়ের ওপর ওই দুই সৈন্যদল না থাকত এবং তিনি শারীরিকভাবে সুস্থ থাকতে পারতেন তবে তিনি সব বাধা অতিক্রম করতেন। দেখা গেছে যে তাঁর ভিত মজবুত ছিল, কারণ রোমাগ্না মাসাধিক কাল তাঁর জন্য অপেক্ষা করেছে। রোমে অর্ধেক মাত্র বেঁচে থাকলেও তিনি সুরক্ষিত ছিলেন এবং ব্যাগলিওননি, ভিতেল্লি আর অরসিনি রোমে এলেও তাঁর বিরুদ্ধে কিছু করা সম্ভব হত না। তিনি তাঁর পছন্দসই পোপ নির্বাচিত করতে না পারলেও তাঁর অপছন্দের ব্যক্তি পোপ নির্বাচিত হতে পারতেন না। কিন্তু যদি আলেকজান্ডার[১২]-এর মৃত্যুর সময় তাঁর স্বাস্থ্য ভালো থাকত তবে সব কিছুই অন্য রকম হত। যেদিন দ্বিতীয় জুলিয়াস[১৩] নির্বাচিত হন তিনি আমাকে বলেছিলেন যে, তাঁর পিতার মৃত্যুর ফলে যা যা ঘটতে পারে তার সবই তিনি ভেবেছিলেন এবং তাঁর প্রতিকারের ব্যবস্থা করেছিলেন শুধু অনুমান করতে পারেননি যে সত্যি যখন তাঁর পিতার মৃত্যু ঘটবে তখন তিনি নিজে মৃত্যুর মুখে দাঁড়িয়ে থাকবেন।

ডিউকের কার্যাবলি স্মরণ করলে তাঁকে আমি দোষ দিতে পারি না বরং মনে হয়, যেমন আগে বলেছি, আমার উচিত তাঁদের তাঁকে অনুকরণ করতে বলা যাঁরা অন্যের

---

১২ ষষ্ঠ আলেকজান্ডারের মৃত্যু হয় জ্বরের কারণে, ১৮ আগস্ট, ১৫০৩।

১৩ দ্বিতীয় জুলিয়াস ছিলেন গিউলিয়ানো ডেলা রোভিয়ার, স্যানিপিয়েত্রো অ্যাড ভিন্‌কুলা-র যাজক। জন্ম ১৪৪৩, মৃত্যু ১৫১৩।

দাক্ষিণ্যে ও অস্ত্রবলে সরকার গড়বেন। কারণ অত্যুচ্চ কর্মশক্তি ও সুদূরপ্রসারী লক্ষ্য সম্পন্ন এই ব্যক্তি অন্য কোনোভাবে তাঁর আচরণ নিয়ন্ত্রণ করতে পারতেন না এবং শুধুমাত্র আলেকজান্ডারের স্বল্পায়ু আর তাঁর নিজের অসুস্থতা তাঁর পরিকল্পনা সফল হতে দেয়নি। অতএব যিনি নিজেকে নতুন রাজত্বে সুরক্ষিত করতে চাইবেন, বন্ধুলাভ করতে চাইবেন, শক্তি বা শঠতার দ্বারা জয় করায়ত্ব করতে চাইবেন, মানুষের ভক্তি ও ভয় পেতে চাইবেন, সৈন্যদের দ্বারা অনুসৃত ও পূজিত হতে চাইবেন, তাঁকে আঘাত করার শক্তি ও যুক্তিসম্পন্ন ব্যক্তিদের বিনাশ করতে চাইবেন, পুরোনো অনুশাসন বদলে নতুন আনতে চাইবেন, যুগপৎ কঠোর ও দয়ালু হতে চাইবেন, মহানুভব ও উদার হতে চাইবেন, অবিশ্বস্ত সৈন্যবাহিনী ভেঙে নতুন করে সাজাতে চাইবেন, রাজা ও শাসকদের সঙ্গে এমনভাবে বন্ধুত্ব বজায় রাখতে চাইবেন যাতে তাঁরা সাগ্রহে তাঁকে সাহায্য করেন আর তাঁকে কুপিত করা থেকে সাবধান থাকেন তবে এই মানুষটির কার্যাবলির চেয়ে বেশি প্রাণবন্ত উদাহরণ তিনি পাবেন না।

তাঁকে কেবল দোষারোপ করা যেতে পারে দ্বিতীয় জুলিয়াসের নির্বাচনের ব্যাপারে যেটি সঠিক মনোনয়ন ছিল না কারণ, যেমন বলা হয়েছে, নিজের পছন্দের পোপ নির্বাচন করতে না পারলেও তিনি যে কোনো ব্যক্তির পোপ হওয়ার পথে বাধা সৃষ্টি করতে পারতেন আর যাঁকে তিনি আহত করেছেন বা যাঁর থেকে তাঁর ভয় ছিল এমন কোনো যাজকের পোপ হওয়াতে সম্মতি জানানো তাঁর কখনোই উচিত ছিল না। কারণ মানুষ ভয় বা ঘৃণা থেকে অন্যকে আঘাত করে। যাঁদের তিনি আহত করেছিলেন তাঁদের মধ্যে ছিলেন স্যান পিয়েত্রো অ্যাড ভিন্‌কুলা, কোলোনা, স্যান জিওরজিও ও অ্যাসকানিও[১৪]। রুঅঁ বা স্পেনের কোনো ব্যক্তি পোপ হলে তাঁকে ভয় পেতেন না। স্পেনীয়রা তাদের সম্পর্ক ও বাধ্যবাধকতার জন্য এবং ফ্রান্সের সঙ্গে তাঁর সুসম্পর্ক থাকায় তাঁর প্রভাবের জন্য রুঅঁ শহরের কেউ কেউ তাঁকে সমীহ করতেন। অতএব, সর্বোপরি ডিউকের উচিত ছিল কোনো স্পেনীয় পোপ নির্বাচন করা অন্যথায় রুঅঁ থেকে কাউকে পোপ নির্বাচিত করা কিন্তু স্যান পিয়েত্রো অ্যাড ভিন্‌কুলাকে নয়। যিনি ভাবেন নতুন সুযোগে উচ্চপদ পেয়ে কেউ পুরোনো ক্ষত ভুলে যাবে তিনি ভুল করেন। ডিউক তাঁর পছন্দের ক্ষেত্রে ভুল করেছিলেন এবং সেটিই তাঁর চূড়ান্ত পতনের কারণ।

---

[১৪] স্যান জিওরজিও হলেন র‍্যাফয়েল্লো রিয়ারিও। অ্যাসকানিও হলেন অ্যাসকানিও স্ফোরজা।

৮

অসৎ পথে রাজ্যলাভকারীদের বিষয়ে

যদিও একজন শাসক সাধারণ নাগরিক জীবন থেকে দু-ভাবে উঠে আসতে পারেন যার কোনোটিই সম্পূর্ণ ভাগ্য বা প্রতিভার দ্বারা নাও হতে পারে তবু এ বিষয়ে আমার নীরব থাকা উচিত নয় বরং প্রজাতন্ত্র বিষয়ে আলোচনার সময় একটি পদ্ধতির পর্যাপ্ত চর্চার প্রয়োজন। এই দুই পদ্ধতি হল দুষ্ট ও অসাধু উপায়ে শাসনতন্ত্র দখল করা এবং সহনাগরিকদের দাক্ষিণ্যে ব্যক্তিজীবন থেকে দেশের শাসক হওয়া। প্রথম পদ্ধতিটি দুটি উদাহরণের মাধ্যমে ব্যাখ্যা করা হবে—একটি প্রাচীন, একটি আধুনিক—এবং আমার মনে হয় বিষয়টির গভীরে না ঢুকেও শুধুমাত্র এই দুটি দৃষ্টান্তই তাঁদের জন্য যথেষ্ট হবে যাঁরা এই পদ্ধতি অনুসরণ করতে বাধ্য হবেন।

সিসিলীয় অ্যাগাথোক্লেস[১৫] হীন ও দুর্দশাগ্রস্ত অবস্থা থেকে শুধুমাত্র একক প্রচেষ্টায় সিরাকিউস-এর রাজা হয়েছিলেন। একজন কুম্ভকারের পুত্র এই ব্যক্তি ভাগ্যের শত পরিবর্তনেও বরাবর এক অখ্যাত জীবনযাপন করেছেন। যদিও সব কলঙ্ক সত্ত্বেও শরীর ও মনের জোরে সৈনিকের পেশায় নিজেকে নিয়োজিত করে তিনি পদোন্নতি করে সিরাকিউস-এর প্রেটর (ম্যাজিস্ট্রেট) হয়েছিলেন। সেই পদে নিজেকে অধিষ্ঠিত করে রাজা হওয়ার সংকল্পে এবং তাঁর উত্থানের পথে সহায়কদের তোয়াক্কা না করে হিংসার মাধ্যমে রাজ্য দখল করতে তিনি কার্থেজীয় অ্যামিলকার, যিনি তখন তাঁর সৈন্যবাহিনী নিয়ে সিসিলিতে যুদ্ধ করছিলেন, তাঁর সঙ্গে একটি বোঝাপড়া করলেন। এক সকালে তিনি সিসিলির জনগণ ও সেনেটের সদস্যদের এক জমায়েত করলেন যেন প্রজাতন্ত্রের বিষয়ে তাঁদের সঙ্গে আলোচনা করবেন

[১৫] সিসিলির অ্যাগাথোক্লেস, জন্ম ৩৬১ খ্রি.পূ., মৃত্যু ২৮৯ খ্রি.পূ.

এবং তাঁর সঙ্কেতে সৈন্যরা সেনেটের সকল সদস্য ও ধনী ব্যক্তিকে হত্যা করল। তাঁদের মৃত্যুতে তিনি কোনো অসামরিক আন্দোলনের মুখে না পড়েই সেই শহরের শাসনভার দখল করলেন। যদিও তিনি দু-বার কার্থেজীয়দের দ্বারা পর্যুদস্ত হয়েছিলেন এবং শেষপর্যন্ত অবরুদ্ধ হয়েছিলেন কিন্তু তাঁর অর্ধেক লোকবলকে শহরের সুরক্ষায় রেখে বাকি অর্ধেক নিয়ে তিনি আফ্রিকা আক্রমণ করেছিলেন এবং অল্পদিনের মধ্যে সিরাকিউসকে অবরোধমুক্ত করেছিলেন। কার্থেজীয়রা চরম অভাবে পড়ে অ্যাগাথোক্লেসের শর্ত মানতে বাধ্য হয়েছিল এবং সিসিলি তাঁর হাতে সমর্পণ করে আফ্রিকার দখল নিয়ে সন্তুষ্ট থেকেছিল।

অতএব, এই ব্যক্তির প্রতিভা ও কার্যাবলি বিবেচনা করলে দেখা যাবে যে কারো দয়ায় নয়, যেমন দেখানো হয়েছে, সামরিক পেশায় ধীরে উন্নতি করে তিনি প্রাধান্য অর্জন করেছেন সহস্র বাধা ও বিপদ অতিক্রম করে এবং পরবর্তী কালে অজস্র বিপজ্জনক প্রতিকূলতার মধ্য দিয়ে কর্তৃত্ব বজায় রেখেছেন। তথাপি, সহনাগরিকদের বধ করা, বন্ধুদের ঠকানো, বিশ্বস্ত না থাকা, করুণা বিসর্জন দেওয়া, ধর্ম পালন না করা প্রতিভার সাক্ষ্য দেয় না; তাতে সাম্রাজ্য অর্জন করা যায়, গৌরব নয়। কিন্তু যদি বিপদের মধ্যে প্রবেশ করা ও তার থেকে নিজেকে মুক্ত করার ক্ষেত্রে অ্যাগাথোক্লেসের সাহস এবং সেই সঙ্গে বাধা বিপত্তি সহ্য করা ও জয় করার মানসিক জোর বিবেচনা করা যায় তবে তাঁকে সবচেয়ে উল্লেখযোগ্য অধিনায়কদের চেয়ে কম সম্মান দেওয়ার কোনো কারণ খুঁজে পাওয়া যায় না। অবশ্য তাঁর বর্বরোচিত নিষ্ঠুরতা ও অসংখ্য পাপাচার সম্বলিত অমানবিকতার কারণে তাঁকে একজন মহামানব হিসেবে সম্মানিত করা যায় না। তিনি যা অর্জন করেছিলেন তা ভাগ্যের বশেও নয়, প্রতিভার জোরেও নয়।

আমাদের সময়ে, ষষ্ঠ আলেকজান্ডারের শাসনকালে, অলিভিরোত্তো দা ফার্মো বাল্যকালে অনাথ আবস্থায় তাঁর মাতুল জিওভানি ফোগলিয়ানি কর্তৃক পালিত হয়ে যৌবনের প্রথমে পাগোলো ভিত্তেলি-র অধীনে যুদ্ধ করতে প্রেরিত হন যাঁর শিক্ষায় শিক্ষিত হয়ে তিনি সামরিক পেশায় কোনো উচ্চপদ লাভ করতে পারতেন। পাগোলোর মৃত্যুর পর তাঁর ভাই ভিতেল্লোজ্জোর অধীনে তিনি যুদ্ধ করেন এবং খুব অল্পকালের মধ্যে বুদ্ধি আর সবল শরীর ও মনের জোরে তাঁর পেশায় সফলতম ব্যক্তি হিসেবে পরিচিত হন। কিন্তু অন্যের সেবা করা একটি নগণ্য কাজ মনে হওয়ায় তিনি ফার্মোর কিছু মানুষ যাঁদের কাছে স্বাধীনতার চেয়ে দাসত্ব প্রিয়তর

তাদের সহায়তায় এবং ভিতেল্লিস্চি-র সাহায্যে ফার্মো দখল করতে মনস্থ করলেন। সেই কারণে তিনি জিওভান্নি ফোগলিয়ানিকে লিখলেন যে, বহু বছর বাড়ি থেকে দূরে কাটিয়ে তিনি এখন তাঁকে ও তাঁর শহর দেখতে ও কোনোভাবে পৈত্রিক সম্পত্তি দর্শন করতে ইচ্ছা করেন এবং পরিশ্রমের ফলে তিনি সম্মান ছাড়া আর কিছুই অর্জন করেননি বলে যাতে নগরবাসী মনে না করে যে তিনি বৃথাই সময় ব্যয় করেছেন, তিনি সম্মানের সঙ্গে প্রবেশ করতে চান আর তাই তাঁর সঙ্গে একশত অশ্বারোহী, তাঁর বন্ধুরা ও ব্যক্তিগত রক্ষীবর্গ থাকবে। তিনি জিওভান্নিকে অনুরোধ করলেন এমন আয়োজন করতে যাতে ফার্মোর অধিবাসীরা তাঁকে সসম্মানে অভ্যর্থনা জানায় সামগ্রিকভাবে যার ফলে শুধু তাঁর নয়, তাঁর প্রতিপালনকারী জিওভান্নিরও মর্যাদা বাড়বে।

অতএব জিওভান্নি তাঁর ভাগিনেয়র আপ্যায়নে কোনো ত্রুটি রাখলেন না। ফার্মোর অধিবাসীদের দিয়ে তাঁকে সসম্মানে অভ্যর্থনার ব্যবস্থা করলেন এবং নিজের বাড়িতে তাঁর থাকার ব্যবস্থা করলেন যেখানে কিছুদিন কাটিয়ে আর নিজের অসাধু পরিকল্পনা বাস্তবায়িত করার সব রকম ব্যবস্থা করে জিওভান্নি ফোগলিয়ানি সহ ফার্মোর প্রধান ব্যক্তিদের এক জাকজমকপূর্ণ ভোজসভায় নিমন্ত্রণ জানালেন অলিভারোত্তো। এই ধরনের সভার পক্ষে উপযুক্ত ভোজপর্ব ও অন্যান্য বিনোদন সমাপ্ত হলে অলিভারোত্তো চতুরভাবে পোপ আলেকজান্ডার ও তাঁর পুত্র সিজার এবং তাঁদের কর্মোদ্যোগ সম্পর্কে এক গম্ভীর বক্তৃতা শুরু করলেন যার পরিপ্রেক্ষিতে জিওভান্নি এবং অন্যান্যরা বক্তব্য পেশ করতে লাগলেন, কিন্তু হঠাৎ তিনি উঠে দাঁড়িয়ে এরকম আলোচনা কোনো গোপন জায়গায় হওয়া উচিত বলে জানিয়ে জিওভান্নি ও অন্যান্য নাগরিকদের একটি পার্শ্বকক্ষে নিয়ে গেলেন। তাঁরা সেখানে উপবেশন করা মাত্র সৈন্যরা গোপন স্থান থেকে বেরিয়ে এসে জিওভান্নি সহ সকলকে হত্যা করল। এই হত্যাকাণ্ডের পর অলিভারোত্তো ঘোড়ায় চড়ে সারা শহর দাপিয়ে বেড়ালেন এবং প্রধান প্রশাসককে প্রাসাদে অবরুদ্ধ করলেন যাতে জনগণ ভয়ে তাঁর বশ্যতা স্বীকার করে আর তাঁকে শাসক নির্বাচিত করে একটি সরকার গঠন করে। তাঁর ক্ষতিসাধন করতে পারে এরকম সকল বিক্ষুব্ধকে তিনি হত্যা করলেন এবং নতুন সামরিক ও অসামরিক অধ্যাদেশ জারি করে এমনভাবে নিজেকে শক্তিশালী করে তুললেন যাতে তাঁর শাসনকালে তিনি শুধু ফার্মো নগরে সুরক্ষিত থাকেন তাই নয় তাঁর প্রতিবেশীরাও যাতে তাঁকে সমীহ করে চলে। অ্যাগাথোক্লেসের মতো তাঁর

পতনও দুঃসাধ্য হত যদি না তিনি সিজার বর্জিয়ার কৌশলে মাত হয়ে যেতেন যিনি অরসিনি আর ভিতেল্লির সঙ্গে তাঁকেও সিনিগালিয়াতে পরাস্ত করেছিলেন যেমন আগে বর্ণনা করা হয়েছে। জ্ঞাতিহত্যার এক বছর পরেই তাঁকে ফাঁসিকাঠে ঝোলানো হয় আর সেই সঙ্গে ভিতেল্লোজ্জোকে যাঁকে তিনি বীরত্ব ও পাপাচার দুই ক্ষেত্রেই নেতৃত্বে রেখেছিলেন।

এটা ভেবে কেউ অবাক হতে পারেন যে, অ্যাগাথোক্লেস আর তার মতো অন্য শাসক অসীম বিশ্বাসঘাতকতা ও নিষ্ঠুরতা সত্ত্বেও কীভাবে নিজের দেশে সুরক্ষিত জীবন যাপন করেছেন, বহিঃশত্রুদের থেকে নিজেকে রক্ষা করেছেন এবং কখনোই নিজের সহনাগরিকদের ষড়যন্ত্রের শিকার হননি যখন দেখা যায় অন্য অনেকে শুধু যুদ্ধের অনিশ্চিত সময়ে নয় শান্তির সময়েও রাজ্যপাট ধরে রাখতে পারেননি। আমি বিশ্বাস করি এটি সম্ভব হয় কঠোরতার[১৬] মন্দ বা যথাযথ প্রয়োগের কারণে। যথাযথ প্রয়োগ বলা যেতে পারে যদি নিজের সুরক্ষার প্রয়োজনে অন্যায়কে ব্যবহার করা হয় একটি বারের জন্য এবং পরবর্তী কালে প্রজাদের মঙ্গলের জন্য ছাড়া তা আর ব্যবহৃত না হয়। মন্দ প্রয়োগ বলা যায় তখনই যখন প্রথমে অল্পমাত্রায় শুরু হয়ে কমার বদলে তা সময়ের সঙ্গে সঙ্গে বাড়তে থাকে। যাঁরা প্রথম পদ্ধতি অনুসরণ করেন তাঁরা ঈশ্বর বা মানুষের সহায়তায় নিজেদের শাসন কিছুটা সহনীয় রাখতে পারেন, যেমন অ্যাগাথোক্লেস পেরেছিলেন। যাঁরা অন্যটি অনুসরণ করবেন তাঁদের পক্ষে নিজেদের টিকিয়ে রাখা অসম্ভব।

তাই বলা যেতে পারে যে, রাজ্য অধিকারের সময় দখলকারীকে ভালোভাবে পরীক্ষা করতে হবে কোনো কোনো আঘাত করা তাঁর পক্ষে একান্ত আবশ্যক এবং সেগুলি করতে হবে একবারে যাতে প্রতিদিন সেগুলির পুনরাবৃত্তি না হয়। মানুষকে অস্থির করে না তুলে তাদের আশ্বস্ত করতে হবে এবং সুযোগ সুবিধা দিয়ে তাদের মন জয় করতে হবে। যিনি নমনীয়তার বশে বা অসদুপদেশের প্রভাবে এর অন্যথা করবেন তাঁকে সর্বদা হাতে ছুরি নিয়ে থাকতে হবে; ক্রমাগত এবং বারংবার অন্যায় আচরণের ফলে তিনিও প্রজাদের ভরসা করতে পারবেন না আর প্রজারাও তাঁর প্রতি অনুরক্ত হবে না। আঘাতসমূহ একবারে করা উচিত যাতে কম প্রয়োগের ফলে অসন্তোষ কম হয় আর সুবিধা দেওয়া উচিত অল্প অল্প করে যাতে তার সুফল দীর্ঘস্থায়ী হয়।

---

[১৬] মিস্টার বাউ মনে করেন এই শব্দটি সম্ভবত ম্যাকিয়াভেলির ভাবনার আধুনিক প্রতিশব্দ।

সর্বোপরি, শাসকের উচিত এমন জীবনযাপন করা যাতে ভালো বা মন্দ কোনো আকস্মিক পরিস্থিতেই তাঁকে বদলে দিতে না পারে, কারণ দুঃসময়ে তার প্রয়োজন পড়লে দেখা যাবে আপনি কঠোর পদক্ষেপ নিতে দেরি করে ফেলেছেন আর সেক্ষেত্রে কোমলতা আপনাকে সাহায্য করবে না কারণ মনে হবে আপনি সেগুলি চাপিয়ে দিচ্ছেন এবং সেগুলির জন্য কেউ আপনার প্রতি বাধিত থাকবে না।

৯

নাগরিক শাসনতন্ত্র বিষয়ে

অন্যদিকে, যেখানে একজন নেতৃস্থানীয় নাগরিক দেশের শাসক হন, অসাধু উপায় বা অসহনীয় হিংসার মাধ্যমে নয় তাঁর সহনাগরিকদের অনুমোদনে, তাকে বলা যেতে পারে নাগরিক শাসনতন্ত্র যেখানে ক্ষমতা পাওয়ার জন্য প্রতিজ্ঞা বা ভাগ্য নয় প্রয়োজন বিচক্ষণতা। অতএব এই শাসনতন্ত্রের অধিকার অর্জন করা যায় জনগণের অনুমোদন বা অভিজাতদের অনুগ্রহে। কারণ সব শহরেই এই দুই স্বতন্ত্র গোষ্ঠী দেখা যায় আর তার ফলে এই তত্ত্ব প্রতিষ্ঠিত হয় যে, সাধারণ মানুষ অভিজাতদের দ্বারা শাসিত বা নিপীড়িত হতে চায় না আর অভিজাতরা সাধারণ মানুষের ওপর শাসন ও নিপীড়ন চালাতে চায় এবং এই দুই বিপরীতধর্মী বাসনার ফলে নগরে তিন ধরনের পরিণতির যে কোনো একটি দেখা দেয়—হয় রাজতন্ত্র বা স্বশাসন অথবা নৈরাজ্য।

রাজতন্ত্র সৃষ্টি হয় জনগণের দ্বারা বা অভিজাতদের দ্বারা এবং সেই হিসেবে একে বা অন্যে সুবিধা ভোগ করে। অভিজাতবর্গ জনগণকে প্রতিরোধ করতে না পেরে নিজেদের মধ্যে কোনো একজনের খ্যাতির উচ্চ প্রশংসা করতে থাকে এবং তাকে শাসক বানিয়ে দেয় যাতে তাঁর ছায়ায় তারা তাদের উচ্চাকাঙ্ক্ষা চরিতার্থ করতে পারে। সাধারণ মানুষ আবার অভিজাতদের প্রতিহত করতে না পেরে নিজেদের মধ্যে থেকে কারও খ্যাতির প্রশংসা করতে থাকে এবং তাকে শাসক নির্বাচিত করে যাতে তাঁর কর্তৃত্বের বলে নিজেদের রক্ষা করতে পারে। যিনি জনগণের সহায়তায় সার্বভৌমত্ব অর্জন করেন তাঁর চেয়ে বেশি সমস্যা হয় তাঁর যিনি অভিজাতদের সাহায্যে স্থান দখল করেছেন কারণ দ্বিতীয় শ্রেণীর শাসকের চারপাশে তাঁরাই থাকেন যাঁরা শাসককে নিজেদের সমকক্ষ মনে করেন এবং তার ফলে তিনি নিজের পছন্দ

অনুসারে তাঁদের শাসন করতে বা সামলাতে পারেন না। কিন্তু যিনি জনসমর্থনে শাসক হয়েছেন তিনি নিজেকে অদ্বিতীয় ভাবতে পারেন আর তাঁর চারপাশে এমন কেউ থাকে না বা অল্প কয়েকজনই থাকে যারা তাঁকে মানতে প্রস্তুত নয়।

তাছাড়া, কাউকে আঘাত না দিয়ে, ন্যায় পরায়ণতার মাধ্যমে অভিজাতদের সন্তুষ্ট করা যায় না কিন্তু সাধারণ মানুষকে খুশি করা যায় কারণ তাদের অভিপ্রায় অভিজাতদের তুলনায় অনেক সৎ। যেখানে অভিজাতবর্গ চায় অত্যাচার করতে সেখানে সাধারণ মানুষ শুধু অত্যাচার থেকে বাঁচতে চায়। একথাও বলতে হবে যে, শাসক বিদ্রোহী জনগণের থেকে সুরক্ষিত থাকতে পারেন না কারণ তারা সংখ্যায় অনেক, যেখানে অভিজাতরা সংখ্যায় অল্প হওয়ার দরুণ তাদের থেকে নিজেকে রক্ষা করা সহজতর।

বিদ্রোহী জনসাধারণের হাতে শাসকের সবচেয়ে খারাপ পরিণতি হতে পারে বর্জন কিন্তু বিদ্রোহী অভিজাত শ্রেণী শুধু তাঁকে বর্জনই করবে না তাঁর বিরোধিতা করবে কারণ তারা এই ব্যাপারে অনেক বেশি দূরদৃষ্টি সম্পন্ন ও কৌশলী, তারা ঠিক সময়ে নিজেদের বাঁচাতে আর যাকে তারা বুঝিয়ে রাজি করাতে পারবে বলে আশা করে তাঁর অনুগ্রহ চাইতে এগিয়ে আসবে। আবার শাসক সর্বদা একই জনগণের সঙ্গে থাকতে বাধ্য কিন্তু অভিজাতবর্গ একই থাকবে এমন নয় কারণ নিজের ইচ্ছা অনুসারে কর্তৃত্ব দিয়ে বা কেড়ে নিয়ে তিনি তাদের পদে রাখতে বা পদ থেকে সরিয়ে দিতে পারেন।

অতএব, বিষয়টি স্পষ্ট করতে, আমি বলতে চাই যে, উচ্চপদস্থ অভিজাতদের মূলত দুইভাবে দেখা উচিত: হয় তারা তাদের পথ এমনভাবে নির্দিষ্ট করে যাতে তারা সম্পূর্ণত আপনার নিয়তির সঙ্গে আবদ্ধ থাকে অথবা তারা তা করে না। যারা এইভাবে নিজেদের আবদ্ধ করে তারা লোভী নয়, তাদের সম্মান দেওয়া উচিত, আপন করে নেওয়া উচিত। যারা নিজেদের আবদ্ধ করে না তাদের প্রতি দুইভাবে আচরণ করা উচিত। তারা হয়তো এরকম করে সাহসের অভাবে আর ভীরু স্বভাবের কারণে, সেক্ষেত্রে তাদের ব্যবহার করা উচিত বিশেষত যারা সৎ পরামর্শ দিতে পারে তাদের এবং তার ফলে সুসময়ে আপনি তাদের খাতির করবেন আর দুঃসময়ে তাদের থেকে ভয়ের কোনো আশঙ্কা থাকবে না। কিন্তু যখন নিজেদের উচ্চাভিলাষের কারণে তারা বাধ্যবাধকতা এড়িয়ে চলবে তখন বুঝতে হবে তারা আপনার চেয়ে নিজেদের প্রতি বেশি মনোযোগ দিচ্ছে। একজন শাসকের উচিত

এদের থেকে সাবধান থাকা এবং পরিচিত শত্রুর মতো এদের ভয় করে চলা কারণ প্রতিকূল সময়ে তারা সর্বদাই তাঁকে পতনের দিকে ঠেলে দেবে।

অতএব যিনি জনসমর্থন পেয়ে শাসন ক্ষমতা দখল করবেন তাঁর উচিত সর্বদাই জনগণকে বন্ধুভাবাপন্ন রাখা এবং তা তিনি সহজেই করতে পারেন যদি বোঝেন যে মানুষের একমাত্র প্রত্যাশা তাঁর দ্বারা নিপীড়িত না হওয়া। কিন্তু যিনি জনমতের বিরুদ্ধে ও অভিজাতদের অনুগ্রহে শাসনক্ষমতা অধিকার করেন তাঁর সবার আগে সাধারণ মানুষকে নিজের দিকে টেনে আনা উচিত এবং তা তিনি সহজেই করতে পারেন যদি জনগণকে সুরক্ষা দেন। কারণ যাঁকে মন্দ মনে করা হয়েছিল তাঁর কাছে ভালো কিছু পেলে মানুষ তাদের উপকারকর্তার প্রতি বেশি দৃঢ় বন্ধনে আবদ্ধ হয়। যদি তিনি জনগণের সমর্থনে শাসক হতেন তবে যা আনুগত্য পেতেন তার চেয়ে অনেক বেশি আনুগত্য পাবেন যদি তিনি এইভাবে আচরণ করেন। শাসক অনেক প্রকারে জনসাধারণের প্রীতিলাভ করতে পারেন কিন্তু পরিস্থিতি অনুসারে তার পরিবর্তন ঘটতে পারে বলে এই বিষয়ে কোনো স্থির নিয়ম নির্দেশ করা সম্ভব নয় তাই আমি সে চেষ্টা করছি না। কিন্তু আবার বলছি শাসকের সর্বদাই উচিত জনসাধারণকে বন্ধুভাবাপন্ন রাখা, নয়তো প্রতিকূল সময়ে কোনো সুরক্ষা থাকবে না।

স্পার্টার রাজা নাবিস[১৭] গোটা গ্রিস ও বিজয়ী রোমান সেনাবাহিনীর আক্রমণ প্রতিহত করেছিলেন এবং তাঁর দেশ ও সরকারকে তাদের থেকে রক্ষা করেছিলেন। এই বিপদ থেকে উদ্ধার পেতে মাত্র কয়েকজনের কাছ থেকে তাঁর সুরক্ষিত থাকা প্রয়োজনীয় ছিল কিন্তু তা সম্ভব হত না যদি জনগণ বিদ্রোহ করত। কেউ যেন একথার প্রতিবাদ না করে এই গতানুগতিক প্রবাদবাক্য দিয়ে যে, ‘যিনি জনগণের ভরসায় নির্মাণ করেন, তিনি কর্দমাক্ত জমিতে নির্মাণ করেন’, কারণ এটি সত্য, যখন কোনো সাধারণ নাগরিক জনসমর্থনে ক্ষমতা অর্জন করেন, তাঁর বিশ্বাস থাকে যে, শত্রু বা প্রশাসকদের থেকে বিপদ এলে জনগণ তাঁকে ব্যবস্থা গ্রহণের স্বাধীনতা দেবে। রোমে গ্রাচি এবং ফ্লোরেন্স-এ মেসার (মিস্টার) জিওর্জিও স্কালি[১৮]-র মতো প্রতারিত হওয়ার সম্ভাবনা তাঁর ক্ষেত্রে কমই থাকবে। উপরে বর্ণিত উপায়ে যিনি

[১৭] স্পার্টার অত্যাচারী রাজা নাবিস ফ্ল্যামিনাস-এর অধীনস্থ রোমান বাহিনীর কাছে পরাজিত হয়েছিলেন ১৯৫ খ্রিষ্টপূর্বাব্দে। তিনি নিহত হন ১৯২ খ্রিষ্টপূর্বাব্দে।

[১৮] মেসার জিওর্জিও স্কালি। এই ঘটনাটি পাওয়া যাবে ম্যাকিয়াভেলির *ফ্লোরেন্টাইন হিস্টরি* বুক III-তে।

শাসক হবেন, যিনি আদেশ বলবৎ করতে পারবেন, যাঁর সাহস থাকবে, যিনি প্রতিকূল পরিস্থিতিতে অবিচল থাকবেন, যাঁর অন্যান্য গুণাবলির ঘাটতি থাকবে না এবং যিনি সংকল্প ও কর্মশক্তির দ্বারা সমগ্র দেশবাসীকে উজ্জীবিত করতে পারবেন তিনি জনগণের দ্বারা কখনো প্রতারিত হবেন না এবং দেখা যাবে যে তিনি শক্তপোক্ত ভিত্তি স্থাপন করেছেন।

রাজত্ব বিপদে পড়বে যখন তা সাধারণতন্ত্র থেকে সরকারের অবাধ ক্ষমতায় রূপান্তরিত হবে কারণ সেক্ষেত্রে শাসক নিজে বা প্রশাসকদের মাধ্যমে শাসনকার্য চালাবেন। পরবর্তী ক্ষেত্রে সরকার দুর্বলতর হবে, কম সুরক্ষিত থাকবে কারণ তা সম্পূর্ণত সেই সব নাগরিকের ওপর নির্ভরশীল থাকবে যাদের উচ্চপদে উন্নীত করা হয়েছে, বিশযত অস্থির সময়ে তারা চক্রান্ত করে বা প্রকাশ্য বিরোধিতার মাধ্যমে সহজেই সরকার ফেলে দিতে পারবে। আর এই বিশৃঙ্খল অবস্থায় শাসক তাঁর চরম ক্ষমতা প্রয়োগ করতেই পারবেন না কারণ প্রশাসকদের থেকে নির্দেশ পেতে অভ্যস্ত নাগরিক ও প্রজাবর্গ এই বিভ্রান্তিময় কালে শাসকের আজ্ঞা পালন করবে না এবং অনিশ্চয়তার পরিস্থিতিতে শাসক আস্থা স্থাপন করার মতো কাউকে পাবেন না। এই ধরনের শাসক দেশের শান্ত পরিস্থিতিতে যা দেখেন তা বিশ্বাসযোগ্য নয় কারণ তখন নাগরিকদের কাছে রাষ্ট্রের প্রয়োজন থাকবে, সকলেই তাঁর সঙ্গে একমত হবে, সকলেই প্রতিজ্ঞাবদ্ধ থাকবে এবং মৃত্যু যখন দূরে থাকবে সকলেই তাঁর জন্য প্রাণ দিতে প্রস্তুত থাকবে কিন্তু প্রতিকূল পরিস্থিতিতে যখন রাষ্ট্রের প্রয়োজন হবে নাগরিকদের তখন তিনি অল্প কয়েকজনকেই পাশে পাবেন। এই পরীক্ষা এতটাই বিপজ্জনক যে একবারই কেবল তা করা সম্ভব। সুতরাং বিচক্ষণ শাসকের এমন পন্থা গ্রহণ করা উচিত যাতে জনগণ সবসময় সব পরিস্থিতিতে রাষ্ট্র ও শাসকের প্রয়োজনীয়তা অনুভব করে, তাহলে তারা সর্বদা শাসকের প্রতি বিশ্বস্ত থাকবে।

১০

সকল রাষ্ট্রব্যবস্থার শক্তি পরিমাপের সঠিক পদ্ধতি বিষয়ে

এই রাজত্বগুলির চরিত্র পরীক্ষার জন্য আর একটি বিষয় বিবেচনা করা দরকার। তা হল, শাসকের কি এত ক্ষমতা আছে যে প্রয়োজনের সময় নিজস্ব সংগতি অবলম্বন করে উদ্ধার পাবেন, নাকি সর্বদাই তাঁকে অন্যের সাহায্যের ওপর নির্ভর করতে হবে। এটি স্পষ্ট করে তুলতে আমি বলব, আমার বিবেচনায় তাঁরাই নিজের শক্তিতে নিজেদের রক্ষা করতে পারবেন যাঁরা লোকবল বা অর্থবলের প্রাচুর্যের দ্বারা আক্রমণকারীর বিরুদ্ধে যথেষ্ট সামরিক শক্তি গড়ে তুলতে পারবেন আর যাঁরা ময়দানে শত্রুর বিপক্ষে যথেষ্ট শক্তি প্রদর্শন না করে দেওয়ালের পিছনে আশ্রয় নিয়ে নিজেদের রক্ষা করতে বাধ্য হবেন তাঁদের আমি পরনির্ভর মনে করি। প্রথম শ্রেণির সম্পর্কে আলোচনা করা হয়েছে, প্রসঙ্গ আবার এলে আরও বলা যাবে। দ্বিতীয় ধরনের শাসকদের উচিত শুধুমাত্র রসদ সংগ্রহে ও তাঁদের শহরগুলিকে শক্তিশালী ও সুরক্ষিত করা এবং কোনোভাবেই দেশের জন্য লড়াই করা নয়। যিনি জনবসতিগুলি মজবুত করবেন আর উপরে বর্ণিত উপায়ে প্রজাদের অন্যান্য উদ্বেগ প্রশমিত করবেন তাঁকে আক্রমণ করতে যে কেউ সাবধানী হবে কারণ মানুষ সমস্যায় পড়া পছন্দ করে না এবং দেখা যাবে যাঁর নগর শক্তিশালী ও যিনি প্রজাদের ঘৃণার পাত্র নন তাঁকে আক্রমণ করা সহজ নয়।

জার্মানির নগররাষ্ট্রগুলি সম্পূর্ণ স্বাধীন, তাদের চারপাশে অল্প পরিমাণই জমি তাদের অধিকারে আছে এবং তারা তাদের সুযোগ সুবিধা অনুসারে সম্রাটের আজ্ঞা পালন করে আর তারা এতে ভয় পায় না বা নিকটবর্তী কোনো শক্তির ভয়ে থাকে না কারণ তারা এতটাই সুরক্ষিত যে কেউ তাদের আক্রমণ করাকে কঠিন ও ক্লান্তিকর মনে করবে যেহেতু তাদের চারপাশে যথাযথ পরিখা ও প্রাচীর আছে,

যথেষ্ট পরিমাণে কামান আছে, তারা সর্বদা ভাণ্ডারে এক বছরের উপযোগী খাদ্য, পানীয় ও প্রজ্জ্বলন সামগ্রী মজুত রাখে। এর ওপর, মানুষকে শান্ত রাখতে ও রাষ্ট্রকে ক্ষতির হাত থেকে বাঁচাতে তারা জনগণকে সেই কাজে ব্যস্ত রাখে যা নগরের জীবন ও শক্তি বৃদ্ধি করে এবং যে কাজে মানুষের সমর্থন থাকে। তারা সামরিক অনুশীলনও চালায় এবং তার জন্য অধ্যাদেশ জারি করে।

সুতরাং যে শাসকের নগর সুরক্ষিত হয় এবং যিনি নিজেকে ঘৃণার পাত্র করে তোলেন না তিনি আক্রান্ত হন না আর কেউ আক্রমণ করলেও তাকে অসম্মানের সঙ্গে বিতাড়িত হতে হয়। আবার যেহেতু জাগতিক বিষয়গুলি সদা পরিবর্তনশীল, বিনা সংঘর্ষে কোনো সৈন্যদলকে এক বছর ধরে ময়দানে রেখে দেওয়া প্রায় অসম্ভব। যিনি যুক্তি খাড়া করবেন যে, যদি নগরের বাইরে জনগণের সম্পত্তি থাকে আর তারা সেগুলি জ্বলে যেতে দেখে তবে তারা ধৈর্য হারাবে এবং দীর্ঘ অবরোধ ও ব্যক্তিগত আগ্রহের কারণে শাসককে ভুলে যাবে তবে তার উত্তরে আমি বলব যে একজন শক্তিশালী ও সাহসী শাসক এইসব সমস্যা জয় করবেন একদিকে প্রজাদের এই আশ্বাস দিয়ে যে, দুঃসময় দীর্ঘস্থায়ী হবে না এবং অন্যদিকে শত্রুর নিষ্ঠুরতার ভয় দেখিয়ে যাতে দুঃসাহসী প্রতিপন্ন হওয়া প্রজাদের থেকে নিপুণভাবে নিজেকে রক্ষা করতে পারেন।

উপরন্তু, শত্রু স্বাভাবিকভাবেই আসা মাত্র গ্রামাঞ্চল পুড়িয়ে ধ্বংস করবে যখন নাগরিকদের উদ্দীপনা চরমে থাকবে আর তারা প্রতিরক্ষার জন্য প্রস্তুত থাকবে; তাই শাসকের দ্বিধার কোন অবকাশ থাকবে না, কারণ যখন কিছুদিন পর উদ্দীপনা থিতিয়ে যাবে ততদিনে ক্ষতি যা হওয়ার হয়ে গেছে আর তার কোন প্রতিকার নেই। তখন তারা শাসকের সঙ্গে একাত্ম হতে চাইবে এবং শাসকও তাদের প্রতি সহানুভূতিশীল থাকবেন কারণ তাঁকে বাঁচাতেই তাদের বাড়ি পুড়েছে, সম্পত্তি ধ্বংস হয়েছে। মানুষের প্রকৃতিই হল, সে যা প্রদান করে তার সঙ্গে ততটাই আবদ্ধ থাকে যতটা যা সে গ্রহণ করে তার সঙ্গে। সুতরাং, সব দিক বিবেচনা করে বলা যায়, নাগরিকদের সাহায্য ও সুরক্ষা প্রদান করলে তাদের মানসিকতা অবিচল রাখতে একজন বিচক্ষণ শাসকের সমস্যা হবে না।

১১

যাজকীয় রাজত্ব বিষয়ে

এখন শুধু বাকি রয়ে গেছে যাজকীয় রাজত্ব সম্পর্কে বলা, যেখানে দখল পাওয়ার আগেই যা সমস্যা কারণ সামর্থ্য বা সৌভাগ্য যার দ্বারাই অধিকার অর্জন করা হোক তা রক্ষা করতে দু-টির কোনোটিরই প্রয়োজন হয় না যেহেতু তা ধর্মের প্রাচীন অধ্যাদেশ বলে রক্ষিত, যা এতটাই শক্তিশালী আর যার চরিত্র এমনই যে তার অস্তিত্ব শাসকের আচরণ বা জীবনধারার ওপর নির্ভর করে না। এই শাসকদের অধীনে রাজ্য থাকে কিন্তু তা রক্ষা করতে হয় না, তাঁদের প্রজাকূল থাকে কিন্তু তাদের শাসন করার প্রয়োজন হয় না এবং রাজ্য অরক্ষিত থাকলেও কেউ তা কেড়ে নেয় না আর প্রজারা শাসনে না থাকলেও কিছু যায় আসে না কারণ তাদের বিরোধিতা করার ইচ্ছা বা ক্ষমতা কোনোটাই থাকে না। এই ধরনের রাজত্ব সুরক্ষিত ও সুখী। কিন্তু অতিমানবীয় শক্তিতে বলীয়ান হয়ে এ বিষয়ে আমি আর কিছু বলব না কারণ ঈশ্বর দ্বারা মহিমান্বিত ও রক্ষিত এই রাজত্ব সম্পর্কে আলোচনা করা অহংকারী ও হঠকারী ব্যক্তির কাজ।

আলেকজান্ডার বা তাঁর ও আগে ইতালীয় রাজারা (যাঁদের রাজা বলা হত শুধু তাঁরাই নন, ক্ষুদ্র থেকে ক্ষুদ্রতর সামন্ত প্রভুরাও) গির্জার ঐহিক ক্ষমতাকে বিশেষ মূল্য দিতেন না তবে এখন ফ্রান্সের এক রাজা এই ক্ষমতার সামনে কম্পিত হন, এই শক্তি তাঁকে ইতালি থেকে বিতাড়িত করে এবং ভেনিসীয়দের ধ্বংস করতে সমর্থ হয়। এ সব দেখে যদি কেউ আমাকে প্রশ্ন করেন, কীভাবে গির্জা এই অনাধ্যাত্মিক ক্ষমতার শীর্ষে পৌঁছল তবে কয়েকটি বিষয় স্মরণ করা বাহুল্য হবে না।

ফ্রান্সের রাজা চার্লস ইতালিতে[১৯] পদার্পণ করার আগে এই দেশটিতে পোপ, ভেনিসীয়, নেপল্‌স-এর রাজা, মিলানের ডিউক ও ফ্লোরেন্সীয়দের রাজ্য ছিল। এই

১৯ অষ্টম চার্লস ১৪৯৪ খ্রিষ্টাব্দে ইতালি আক্রমণ করেন।

নৃপতিদের দু-টি প্রধান উদ্বেগের বিষয় ছিল: এক, যাতে কোনো বিদেশি যুদ্ধের উদ্দেশ্যে ইতালিতে প্রবেশ না করে আর দুই, তাঁদের নিজেদের মধ্যে কেউ অতিরিক্ত এলাকা না দখল করে। যাঁদের সম্পর্কে উদ্বেগ বেশি ছিল তাঁরা হলেন পোপ ও ভেনিসীয়রা। ভেনিসীয়দের সংযত রাখতে অন্যদের সংঘবদ্ধতা জরুরি ছিল, যেমন সংহতির প্রয়োজন ছিল ফেরারা রক্ষা করতে এবং পোপকে দমিয়ে রাখতে তারা সাহায্য নিয়েছিল রোমের সামন্তদের যাঁরা অরসিনি ও কলোনেসি এই দুই উপদলে বিভক্ত হয়ে সর্বদা বিশৃঙ্খলা ঘটাবার সুযোগ খুঁজত আর হাতে অস্ত্র নিয়ে পোপের চোখের সামনে দাঁড়িয়ে থাকত যাতে পোপের শাসন দুর্বল, হীনবল হয়ে পড়ে। যদিও মাঝে মাঝে সিক্সটাস-এর মতো সাহসী পোপ এসেছেন তবু তিনিও ভাগ্যের সহায়তায় বা বিজ্ঞতার বলে এসব উৎপাত দূর করতে পারেননি। একজন পোপের স্বল্পস্থায়িত্ব দুর্বলতার আর একটি কারণ। দশ বছরে, যা কোনো পোপের গড়পড়তা স্থায়িত্ব, তিনি কষ্টেসৃষ্টে একটি উপদলকে দমন করতে পারেন। যদি কিছু লোক কলোনেসিকে প্রায় ধ্বংস করে ফেলে অন্যরা অরসিনি-র বিরুদ্ধে বিদ্রোহ করে তাদের প্রতিপক্ষকেই সাহায্য করবে আর অরসিনি-দের ধ্বংস করার সময় পাবে না। এই কারণেই পোপের পার্থিব ক্ষমতাকে ইতালিতে বেশি সম্মান দেওয়া হত না।

যে সব পোপ দেখিয়েছেন কীভাবে অর্থ ও অস্ত্রের বলে একজন পোপ প্রভাবশালী হয়ে উঠতে পারেন তাঁদের মধ্যে একজন ষষ্ঠ আলেকজান্ডার ডিউক ভ্যালেন্টিনোর সাহায্যে আর ফরাসিদের প্রবেশের কারণে সেই সব কাণ্ড ঘটিয়েছেন যার আমি উল্লেখ করেছি ডিউকের কর্মধারা বর্ণনা করতে গিয়ে। যদিও গির্জার ক্ষমতা বৃদ্ধি করা তাঁর লক্ষ্য ছিল না কিন্তু ডিউক যা করেছেন তাতে গির্জার মাহাত্ম্য বেড়েছে যা আলেকজান্ডারের মৃত্যু ও ডিউকের পতনের পর তাঁর পরিশ্রমের পরিণতি হিসেবে রয়ে গেছে।

পরবর্তীকালে এসে পোপ জুলিয়াস দেখলেন গির্জার শক্তি বৃদ্ধি পেয়েছে কারণ গোটা রোমাগ্না দখলে এসেছে, রোমের সামন্ত প্রভুদের ক্ষমতা হ্রাস পেয়েছে এবং আলেকজান্ডারের দমননীতির ফলে উপদলগুলি উধাও হয়ে গেছে। তিনি আরও দেখলেন, অর্থসংগ্রহের এমন ব্যবস্থা হয়েছে যা আলেকজান্ডারের আগে ছিল না। জুলিয়াস শুধু সেই পদ্ধতিগুলি অনুসরণই করলেন না, সেগুলিকে আরো উন্নত করলেন এবং বোলোগ্না অধিকার করতে, ভেনিসীয়দের ধ্বংস করতে এবং ফরাসিদের ইতালি থেকে বিতাড়িত করতে চাইলেন। এই সকল উদ্যোগ তাঁর সময়ে

সফল হল এবং তাঁর কৃতিত্ব বাড়ল যেহেতু তিনি কোনো ব্যক্তি নয় গির্জাকে শক্তিশালী করতে এই পদক্ষেপগুলি নিয়েছিলেন। তিনি অরসিনি ও কলোনেসি উপদলগুলিকেও তাদের সীমার মধ্যে রেখেছিলেন এবং যদিও তাদের মধ্যে কেউ কেউ উপদ্রব করতে চেয়েছিল তিনি দুটি বিষয়ে কঠোরতা অবলম্বন করেছিলেন: এক, গির্জার মহিমা, যা দিয়ে তিনি তাদের সন্ত্রস্ত করে রেখেছিলেন এবং দুই, তাদের নিজস্ব যাজক রাখতে না দেওয়া যারা তাদের বিশৃঙ্খল হতে প্ররোচিত করবে। এই উপদলগুলির নিজস্ব যাজক থাকলেই তারা বেশিদিন শান্ত হয়ে থাকত না কারণ যাজকেরা উপদলগুলিকে রোম ও তার বাইরে উৎসাহিত করত আর সামন্তরা তাদের সমর্থন করতে বাধ্য হত যার ফলে যাজকদের উচ্চাকাঙ্ক্ষা থেকে সামন্তদের মধ্যে বিশৃঙ্খলা ও গোলমালের সৃষ্টি হত। এই সমস্ত কারণে মহিমময় পোপ লিও[২০] পোপের পদকে সবচেয়ে শক্তিশালী অনুভব করেছিলেন এবং আশা করা যায়, যদি অন্যেরা এই পদকে অস্ত্রবলে বলীয়ান করে থাকেন তবে তিনি তাঁর সদাশয়তা ও অসংখ্য অন্য গুণাবলি দিয়ে তাকে আরো মহান আরো শ্রদ্ধাস্পদ করে তুলবেন।

[২০] পোপ দশম লিও ছিলেন কার্ডিনাল দ্য' মেডিসি।

১২

কত ধরনের সেনাবাহিনী হয় এবং ভাড়াটে সৈনিকবর্গ বিষয়ে

রাজত্বসমূহের বৈশিষ্ট্য আলোচনার পর তাদের ভালো বা মন্দ হওয়ার কারণ বিবেচনা করতে গেলে এবং কীভাবে তাদের অধিকার ও রক্ষা করা যায় সে বিষয়ে বলতে গেলে এখন আমার কর্তব্য তাদের প্রত্যেকটির আক্রমণ ও প্রতিরক্ষার পদ্ধতি বিশ্লেষণ করা।

আমরা আগেই দেখেছি একজন শাসকের পক্ষে মজবুত ভিত্তি স্থাপন করা কতটা জরুরি যার অন্যথা হলে পতন অবশ্যম্ভাবী। নতুন, পুরোনো বা মিশ্র যে কোনো ধরনের রাষ্ট্রের ক্ষেত্রেই প্রধান ভিত্তি হল সঠিক আইন ও যথেষ্ট অস্ত্র এবং যেহেতু রাষ্ট্রের অস্ত্রভাণ্ডার যথাযথ না হলে সেখানে আইনব্যবস্থা ভালো হতে পারে না তাই বলা যায় যখন রাষ্ট্র অস্ত্র দ্বারা সুরক্ষিত থাকে তখন সেখানে উৎকৃষ্ট আইনব্যবস্থা থাকে। আমি আইনকে আলোচনা থেকে সরিয়ে রেখে শুধু অস্ত্র নিয়েই কথা বলব।

একজন শাসক যে অস্ত্রধারীদের নিয়ে তাঁর রাষ্ট্রকে রক্ষা করেন তা তাঁর নিজের বা ভাড়া করা বা সংরক্ষিত বিদেশি সৈন্য হতে পারে বা মিশ্র ধরনের হতে পারে। ভাড়াটিয়া ও সংরক্ষিত সৈন্য কোনো কাজের নয় বরং ক্ষতিকারক; তাদের ভরসায় যদি কেউ রাষ্ট্র রক্ষা করতে চান তবে তিনি অটল বা সুরক্ষিত থাকতে পারবেন না, কারণ তারা বিচ্ছিন্ন, উচ্চাকাঙ্ক্ষী, শৃঙ্খলাহীন, অবিশ্বস্ত, বন্ধুদের সামনে সাহসী, শত্রুদের সামনে ভীরু, তাদের ঈশ্বরভীতি নেই, মানুষের প্রতি সততা নেই; আক্রমণ হলে ধ্বংস অনিবার্য, শান্তির সময় তাদের হাতে সর্বস্বান্ত হতে হয়, যুদ্ধের সময় শত্রুর হাতে। সত্যি বলতে কী, সামান্য ভাতা ছাড়া তাদের কাছে যুদ্ধে যাওয়ার অন্য কোনো

আকর্ষণ বা হেতু নেই আর তা আপনার জন্য তাদের প্রাণত্যাগের পক্ষে যথেষ্ট নয়। যখন আপনি যুদ্ধ করবেন না তখন তারা আপনার সৈন্য হতে প্রস্তুত কিন্তু যুদ্ধ শুরু হলে তারা নিজেদের সরিয়ে নেয় আর শত্রুর সামনে থেকে পালিয়ে যায়। এ কথা প্রমাণ করা আমার পক্ষে কঠিন নয় যেহেতু ইতালির পতনের কারণ দীর্ঘ দিন ধরে ভাড়াটিয়া সৈন্যের ওপর নির্ভরতা ছাড়া আর কিছুই নয়। যদিও প্রথম দিকে তারা কিছু প্রদর্শন করেছিল এবং সাহসের পরিচয় দিয়েছিল কিন্তু বিদেশিরা আসার পরেই তারা তাদের স্বরূপ প্রকাশ করেছিল। সেই কারণেই ফ্রান্সের রাজা চার্লস খড়ি হাতে[২১] ইতালি দখল করতে পেরেছিলেন। যিনি বলেছিলেন যে আমাদের পাপই তার কারণ, তিনি যথার্থই বলেছিলেন কিন্তু পাপ সেটা নয় যা তিনি ভেবেছিলেন, আমি যা বর্ণনা করলাম সেটাই প্রকৃত পাপ। যেহেতু শাসকরাই সেই পাপ করেছিলেন, তাই তাঁদেরই জরিমানা দিতে হয়েছিল।

এই ধরনের সৈন্যের অযৌক্তিকতা সম্পর্কে আর একটু ব্যাখ্যা করতে চাই। ভাড়াটিয়া সৈন্যদের অধিনায়ক দক্ষ হতে পারেন বা নাও পারেন। যদি তিনি দক্ষ হন তবে তাঁকে ভরসা করতে পারবেন না কারণ তিনি সর্বদাই তাঁর প্রভু অর্থাৎ আপনার বিরুদ্ধে গিয়ে বা আপনাকে দমন করে নিজেকে মহান করতে চাইবেন। আর যদি তিনি দক্ষ না হন তবে স্বাভাবিক কারণেই আপনার পতন অনিবার্য।

যদি কেউ তর্ক করেন যে ভাড়াটিয়া বা অন্য যে সৈন্যই হোক একই আচরণ করবে তবে আমি বলব, যখন কোনো রাজা বা প্রজাতন্ত্রকে সৈন্যের সাহায্য অবলম্বন করতে হবে তখন রাজার উচিত ব্যক্তিগতভাবে গিয়ে অধিনায়কের কর্তব্য পালন করা এবং প্রজাতন্ত্রের উচিত কোনো নাগরিককে সেই কাজে পাঠানো যিনি ব্যর্থ হলে তাঁকে প্রত্যাহার করে নিতে হবে আর যোগ্য হলে আইনের সাহায্যে তাঁর অধিনায়কত্ব সুনিশ্চিত করতে হবে। নিদর্শন আছে যে রাজা বা প্রজাতন্ত্র নিজ ক্ষমতাবলে উন্নতি করেছে আর ভাড়াটিয়া সৈন্যরা ক্ষতিসাধন ছাড়া কিছুই করেনি। বিদেশি সৈন্যবলে

---

[২১] 'খড়ি হাতে' কথাটি ষষ্ঠ আলেকজান্ডারের একটি মজাদার মন্তব্য। অষ্টম চার্লস কত সহজে ইতালি দখল করেছিলেন তা বোঝাতে তিনি বলেছেন যে, তিনি ইতালি জয়ের লক্ষ্যে সরবরাহকারী অফিসারদের পাঠিয়েছিলেন সৈন্যদের জন্য বাসস্থান নির্দিষ্ট করতে। লর্ড বেকন রচিত *দ্য হিস্ট্রি অফ হেনরি VII* অনুযায়ী, 'রাজা চার্লস স্বপ্নের মতো নেপলস জয় করেছিলেন এবং আবার হারিয়েছিলেন। তিনি বিনা বাধায় গোটা ইতালি অতিক্রম করছিলেন। তাই পোপ আলেকজান্ডার বলতে অভ্যস্ত ছিলেন যে, ফরাসিরা তরবারি হাতে যুদ্ধ করতে নয়, ইতালিতে এসেছিল খড়ি হাতে নিয়ে তাদের বাসস্থান চিহ্নিত করতে।'

বলীয়ান কোনো প্রজাতন্ত্রকে পরাজিত করার চেয়ে নিজস্ব নাগরিকের অধীনস্থ নিজস্ব সৈন্যবাহিনী দ্বারা সজ্জিত প্রজাতন্ত্রকে পরাজিত করা বেশি কঠিন। রোম ও স্পার্টা বহু যুগ ধরে নিজস্ব সৈন্যবলে স্বাধীন থেকেছে। সুইজারল্যান্ডবাসীরা সম্পূর্ণ সসৈন্যে সজ্জিত এবং সম্পূর্ণ স্বাধীন।

প্রাচীন কালের ভাড়াটিয়া সৈন্যের উদাহরণ দিতে গিয়ে বলা যায় কার্থেজীয়দের কথা যারা রোমানদের সঙ্গে যুদ্ধের পর ভাড়াটিয়া সৈন্যদের দ্বারা পীড়িত হয়েছিল যদিও কার্থেজীয় নাগরিকরা ছিলেন সৈন্যবাহিনীর অধিনায়ক। এপামিনোনডাস-এর মৃত্যুর পর থেবানরা ম্যাসিডন-এর ফিলিপকে তাদের অধিনায়ক বানায় কিন্তু জয়ের পর তিনিই তাদের স্বাধীনতা কেড়ে নেন।

ডিউক ফিলিপ্পো মারা যাওয়ায় মিলানীয়রা ফ্রান্সেসকো স্ফোরজা-কে ভেনিসীয়দের বিরুদ্ধে তাদের সেনানায়ক নির্বাচিত করে এবং তিনি ক্যারাভাজ্জিও[২২]-তে শত্রুদের পরাজিত করার পর তাদের সঙ্গেই হাত মিলিয়ে তাঁর নিয়োগকর্তা মিলানীয়দের ধ্বংস করেন। তাঁর বাবা স্ফোরজা নেপল্স-এর রানি জোহান্না[২৩] দ্বারা নিযুক্ত হয়ে তাঁকেই অরক্ষিত রাখেন যাতে তিনি রাজ্য রক্ষার্থে আরাগন-এর রাজার কাছে নিজেকে সমর্পণ করতে বাধ্য হন। যদি ভেনিসীয়রা ও ফ্লোরেন্সীয়রা আগে এই ভাড়াটিয়া সৈন্যদের সহায়তায় রাজ্যবিস্তার করে থাকে এবং তাদের সেনাপতিরা নিজেরা শাসক না হয়ে গিয়ে তাদেরই রক্ষা করে থাকে তবে আমি বলব এক্ষেত্রে ফ্লোরেন্সীয়রা ভাগ্যের সহায়তা পেয়েছিল কারণ যে দক্ষ অধিনায়কদের থেকে তাদের ভয় ছিল তাঁদের কেউ কেউ জিততে সক্ষম হননি, কাউকে বিরোধিতার মুখে পড়তে হয়েছিল, কেউ কেউ অন্যভাবে উচ্চাশা পূরণ করেছিলেন। যে একজন জিততে পারেননি তিনি ছিলেন জিওভান্নি আকুটো[২৪] এবং যেহেতু তিনি জয়লাভ করেননি তাই তাঁর বিশ্বস্ততা প্রমাণ করা সম্ভব নয় কিন্তু প্রত্যেকেই স্বীকার করবেন যে, যদি তিনি জিততে পারতেন তবে

---

[২২] ক্যারাভজ্জিও-র যুদ্ধ, ১৫ সেপ্টেম্বর ১৪৪৮।

[২৩] নেপল্স-এর দ্বিতীয় জোহান্না ছিলেন নেপল্স-এর রাজা লাডিসলাও-এর বিধবা।

[২৪] ইংরেজ নাইট জিওভান্নি আকুটো। তাঁর প্রকৃত নাম ছিল স্যার জন হকউড। ইংরেজদের হয়ে ফ্রান্সের সঙ্গে যুদ্ধ করে তিনি তৃতীয় এডওয়ার্ড কর্তৃক নাইটহুড প্রাপ্ত হন। পরে তিনি কিছু সৈন্য সংগ্রহ করে ইতালি যান। তারা ‘শ্বেত বাহিনী’ নামে বিখ্যাত হয়েছিল। তিনি বহু যুদ্ধে অংশ নেন এবং ১৩৯৪ সালে ফ্লোরেন্সে তাঁর মৃত্যু হয়, তিনি ১৩২০ সাল নাগাদ সিবল্ হেডিংহ্যাম নামে এসেক্সের এক গ্রামে জন্মগ্রহণ করেন। তিনি বার্নাবো ভিসকন্তির এক কন্যা ডোমনিয়াকে বিবাহ করেন।

ফ্লোরেন্সীয়দের তাঁর আধিপত্য মেনে নিতে হত। ব্রাসেস্কি গোষ্ঠী সর্বদাই স্ফোরজার বিরুদ্ধে ছিল, তারা পরস্পরের দিকে লক্ষ রাখত। ফ্রান্সেসকোর লক্ষ ছিল লম্বার্ডি আর ব্রাসিও ছিলেন গির্জা ও নেপল্‌স রাজ্যের বিরোধী। কিন্তু কিছুদিন আগে যেটা ঘটেছিল সেই ব্যাপারে আসা যাক। ফ্লোরেন্সীয়রা তাদের সেনানায়ক নির্বাচিত করেছিল পাগোলো ভিতেল্লি-কে যিনি ছিলেন এক বিচক্ষণ মানুষ এবং যিনি একজন সামান্য ব্যক্তি থেকে খ্যাতির শিখরে পৌঁছেছিলেন। যদি ইনি পিসা দখল করতে পারতেন তবে কেউ অস্বীকার করবেন না যে তাঁর নিয়োগ ফ্লোরেন্সীয়দের পক্ষে সঠিক হত কারণ যদি তিনি শত্রুপক্ষের সৈন্য হতেন তারা তাঁকে প্রতিরোধ করতে পারত না আর তাঁর দ্বারা বিজিত হলে তাঁর আজ্ঞাবহ হয়ে থাকতে হত। ভেনিসীয়দের কীর্তি বিবেচনা করলে দেখা যাবে, যতদিন তারা নিজেদের লোককে যুদ্ধে পাঠিয়েছিল ততদিন তারা নিরাপদ ও মর্যাদাসম্পন্ন ছিল কারণ অস্ত্রধারী ভদ্রলোক ও সাধারণ দরিদ্র মানুষও সাহসিকতার পরিচয় দিত। এলাকা দখলের উদ্যোগ নেওয়ার আগে তাদের এই ব্যবস্থা ছিল কিন্তু যখন তারা এলাকা দখলের জন্য যুদ্ধ শুরু করল তখন বৈশিষ্ট্য পরিত্যাগ করে তারা ইতালির রীতি গ্রহণ করল। রাজ্যবিস্তারের গোড়ার দিকে তাদের নিজস্ব এলাকা বেশি না থাকায় এবং তাদের সুখ্যাতির কারণে সেনানায়কদের থেকে তেমন ভয়ের কারণ ছিল না। কিন্তু যখন তারা বিস্তার লাভ করল, যেমন কার্মিগ্‌নুওলা[২৫]-র নেতৃত্বে, তারা ভুল বুঝতে পারল কারণ তাঁকে অসীম সাহসী ব্যক্তি দেখে (তাঁর নেতৃত্বে তারা মিলানের ডিউককে পরাস্ত করেছিল) আবার অন্যদিকে যুদ্ধে তাঁর সক্রিয়তার অভাব লক্ষ করে তারা ভয় পেল যে তাঁর নেতৃত্বে আর যুদ্ধ জয় সম্ভব হবে না আর সেই কারণে তারা তাঁকে আর এগোতে দিতে চাইল না বা বলা যায় পারল না এবং তাই, যা অর্জিত হয়েছে তা যাতে হারাতে না হয় এবং নিজেদের নিরাপদ রাখতে তারা তাঁকে হত্যা করতে বাধ্য হল। পরবর্তীকালে তারা সেনাবাহিনীর অধিনায়ক করেছিল বার্তোলোমিও দা বার্গামো, রবার্টো দা সান সেভারিনো পিটিলিয়াগ্‌নো[২৬]-র কাউন্টের মতো আরো কয়েকজনকে যাঁদের নেতৃত্বে জয় নয় শুধু হারই হয়েছিল

[২৫] কার্মিগ্‌নুওলা। ফ্রান্সেসকো বুসোন, জন্ম ১৩৯০ সাল নাগাদ কার্মাগনোলা-তে। ৫ মে, ১৪৩২ ভেনিসে মৃত্যুদণ্ডে দণ্ডিত হন।

[২৬] বার্গামো-র বার্তোলোমিও কোলেওনি, মৃত্যু ১৪৫৭। সান সেভারিনো-র রবার্টো; ভেনিসের জন্য অস্ট্রিয়ার ডিউক সিগিসমুণ্ড-এর সঙ্গে যুদ্ধকালে মৃত্যু হয় ১৪৮৭ সালে। ‘প্রাইমো ক্যাপিটানো ইন ইতালিয়া’—ম্যাকিয়াভেলি। কাউন্ট অফ পিটিগ্‌লিয়ানো; নিকোলো অরসিনি, জন্ম ১৪৪২, মৃত্যু ১৫১০।

যেমন ঘটেছিল আরো পরে ভায়লা[২৭]-তে, যেখানে আটশো বছরের কষ্টার্জিত সম্পত্তি তারা হারিয়েছিল মাত্র একটি যুদ্ধে। কারণ এই ধরনের সৈন্যবাহিনীর সাহায্যে বিজয় হাসিল করা যায় ধীরে ধীরে, দেরি করে এবং তাও নামমাত্র হিসেবে কিন্তু পরাজয় আসে হঠাৎ আর লক্ষ্যণীয়ভাবে।

এই সমস্ত উদাহরণ নিয়ে আমি যখন ইতালি পৌঁছেছি, যেখানে বহু বছর যাবৎ ভাড়াটিয়া সৈন্যরা রাজত্ব করেছে, আমি বিষয়টি আরো গুরুত্ব সহকারে আলোচনা করতে চাই যাতে তাদের উত্থান ও উন্নতি দেখে একজন তাদের নিবারণ করতে প্রস্তুত থাকে। আপনাদের বুঝতে হবে যে তখন ইতালিতে সাম্রাজ্য ভেঙে পড়েছে, পোপ আরো বেশি ঐহিক ক্ষমতা অর্জন করেছেন এবং ইতালি অধিক সংখ্যক রাষ্ট্রে বিভক্ত হয়ে গেছে, কারণ অনেক বড়ো নগররাষ্ট্র তাদের সেইসব অভিজাতদের বিরুদ্ধে অস্ত্রধারণ করেছে, যারা আগে সম্রাটের অনুগ্রহ লাভ করে তাদের ওপর নিপীড়ন চালাত আর গির্জাও পার্থিব ক্ষমতা অর্জনের আশায় তাদের সাহায্য করত। অন্য কয়েক জায়গায় নাগরিকরাই শাসক হয়ে বসেছিল। এইসব কারণে ইতালি আংশিকভাবে গির্জার হাতে আর কিছুটা প্রজাতন্ত্রের হাতে পড়েছিল এবং গির্জায় পুরোহিতরা আর প্রজাতন্ত্রে নাগরিকরা অস্ত্র ব্যবহারে অনভ্যস্ত হওয়ার কারণে উভয়েই বিদেশিদের নিয়োগ করতে শুরু করল।

প্রথম যিনি এই ধরনের বাহিনীকে খ্যাতি এনে দেন তিনি হলেন রোমাগ্‌নিয়া-র আলবেরিগো দা কোনিও[২৮]। এই ব্যক্তিকে অনুসরণ করেই অন্য অনেকের সঙ্গে উঠে আসেন ব্রাসিও ও স্ফোরজা যাঁরা তাঁদের সময়ে ইতালিকে নিয়ন্ত্রণ করেছিলেন। তারপর অনেক অধিনায়ক এসেছেন যাঁরা এখনও পর্যন্ত ইতালির সৈন্যবাহিনী পরিচালনা করেছেন, তাঁদের সকলের বীরত্বের পরিণামে দেশটি চার্লস দ্বারা পদদলিত হয়েছে, লুইস দ্বারা লুণ্ঠিত হয়েছে, ফার্দিনান্দের হাতে ছারখার হয়েছে এবং সুইসদের কাছে অপমানিত হয়েছে। যে নীতিসমূহ তাঁদের চালিত করেছে তার প্রথম ছিল পদাতিকদের কৃতিত্ব খাটো করে নিজেদের কৃতিত্ব বাড়ানো। তাঁরা এটি করেছিলেন কারণ জমিস্বত্ব না থাকায় শুধু বেতনের ওপর নির্ভর করে বেশি সৈন্য

---

[২৭] ১৫০৯ খ্রিষ্টাব্দে ভায়লার যুদ্ধ।

[২৮] আলবেরিগো দা কোনিও। আলবেরিকো দা বার্বিয়ানো ছিলেন রোমাগ্‌নাতে কিঁডনিওর কাউন্ট। তিনি বিখ্যাত 'কোম্পানি অফ সেন্ট জর্জ'-এর অধিনায়ক ছিলেন যা সম্পূর্ণ ইতালীয় সৈন্য নিয়ে গঠিত হয়েছিল। ১৪০৯ খ্রিষ্টাব্দে তাঁর মৃত্যু হয়।

প্রতিপালন করা তাঁদের পক্ষে সম্ভব ছিল না এবং কিছু পদাতিক সৈন্য তাঁদের কর্তৃত্ব অস্বীকার করেছিল। তাই তাঁরা অশ্বারোহী সৈন্য নিয়োগের দিকে গিয়েছিলেন যাতে মাঝারি সংখ্যক সৈনিক নিয়েই তাঁরা কাজ চালাতে পারেন ও সম্মান রক্ষা করতে পারেন। ব্যাপারটা এত দূর গড়িয়েছিল যে একটি কুড়ি হাজার সৈন্যের বাহিনীতে দু-হাজার পদাতিকেরও দেখা মিলত না। এছাড়াও তাঁরা নিজেদের ও সৈন্যদের ক্লান্তি ও বিপদ কমাতে সব ধরনের কৌশল অবলম্বন করেছিলেন যেমন যুদ্ধে অনর্থক হত্যা না করে বন্দী করা এবং বিনা মুক্তিপণে তাদের ছেড়ে দেওয়া। তাঁরা রাত্রে কোনো শহর আক্রমণ করতেন না আর শহরের দূর্গ রক্ষীরাও রাত্রে সৈন্যশিবির আক্রমণ করত না। তাঁরা শিবিরের চারপাশে প্রাচীর নির্মাণ বা পরিখা খনন করতেন না আর শীতের সময় যুদ্ধে যেতেন না। তাঁরা এরূপ করতেন কারণ তাঁদের সামরিক রীতিনীতি অনুসারে তাই রচিত হয়েছিল, যেমন বলেছি, ক্লান্তি আর বিপদ এড়াতে এবং এইভাবে তাঁরা ইতালিকে দাসত্ব ও অবজ্ঞার পাত্র করে তুলেছিলেন।

১৩

সাহায্যকারী বিদেশি সৈন্য, মিশ্র বাহিনী এবং নিজস্ব সৈন্যবাহিনী বিষয়ে

সংরক্ষিত বা সাহায্যকারী বিদেশি সৈন্য, যা আর একটি অকেজো বাহিনী, নিযুক্ত হয় যখন কোনো রাজাকে আহ্বান করা হয় তাঁর সেনাবাহিনী নিয়ে সাহায্য ও রক্ষা করতে যেমন ইদানীংকালে করেছিলেন পোপ জুলিয়াস কারণ ফেরারা-র বিরুদ্ধে যুদ্ধে তাঁর ভাড়াটিয়া সৈন্যরা ব্যর্থ হয়েছিল এবং তিনি সাহায্যকারী বাহিনীর আশায় স্পেনের রাজা ফার্দিনান্দ[২৯]-এর সঙ্গে বাহিনী ও অস্ত্রের জন্য চুক্তি করেছিলেন। এই বাহিনী নিজেরা উপযুক্ত হলেও যিনি তাদের ডাকেন তাঁর জন্য সর্বদাই অসুবিধাজনক কারণ পরাজিত হলে তাঁর পতন হবে আর জয়লাভ করলে তিনি তাদের বশে থাকবেন।

প্রাচীন ইতিহাসে ভুরি ভুরি নিদর্শন থাকলেও আমি পোপ দ্বিতীয় জুলিয়াসের বিপদের উদাহরণ দিতে চাইছি যা উপলব্ধি করা কঠিন হবে না কারণ তিনি ফেরারা-কে পরাস্ত করার আশায় নিজেকে সম্পূর্ণত বিদেশির হাতে সঁপে দিয়েছিলেন। ভাগ্যবশত একটি তৃতীয় ঘটনা ঘটেছিল যাতে তাঁর হঠকারী সিদ্ধান্তের ফল তাঁকে পেতে হয়নি। তাঁর সাহায্যকারীরা র‍্যাভেন্না-তে পর্যুদস্ত হওয়ার পর সুইসরা এসে বিজয়ীদের বিতাড়িত করায় (তাঁর ও অন্যদের কাছে আশাতীত ভাবে) তাঁকে শত্রুদের হাতে বন্দী হতে হয়নি, তারা পালিয়ে গিয়েছিল। তাঁর সাহায্যকারী বাহিনীও তাঁকে বন্দী করেনি, তিনি অন্য বাহিনীর দ্বারা বিজিত হয়েছিলেন।

---

[২৯] পঞ্চম ফার্দিনান্দ (তিনিই অ্যারাগন ও সিসিলির দ্বিতীয় ফার্দিনান্দ, নেপলস্-এর তৃতীয় ফার্দিনান্দ) তিনি *দ্য ক্যাথলিক* উপাধিতে ভূষিত হয়েছিলেন, জন্ম ১৪০২, মৃত্যু ১৫১৬।

ফ্লোরেন্সীয়রা সম্পূর্ণ অস্ত্রহীন হওয়ায় দশ হাজার ফরাসিকে পাঠিয়েছিল পিসা দখল করতে যার ফলে তাদের যাবতীয় সমস্যার মধ্যে চরমতম বিপদ ঘনিয়েছিল।

কনস্ট্যানটিনোপল-এর সম্রাট[৩০] তাঁর প্রতিবেশীদের বাধা দিতে দশ হাজার তুর্কিকে গ্রিসে পাঠিয়েছিলেন যারা যুদ্ধ শেষ হয়ে গেলেও ফিরে যেতে চায়নি আর সেটাই ছিল খ্রিষ্টধর্মবিরোধীদের কাছে গ্রিসের বশ্যতা স্বীকারের সূত্রপাত।

অতএব, যাঁর জয়লাভের ইচ্ছা নেই তাঁকে এই সৈন্যবাহিনী প্রয়োগ করতে দিন কারণ এরা ভাড়াটিয়া সৈন্যদের চেয়ে অনেক বেশি সমস্যা সৃষ্টিকারী। এদের ওপর ভরসা করলে পতন অবশ্যম্ভাবী কারণ এরা সংঘবদ্ধ, অন্যের প্রতি বাধ্য কিন্তু ভাড়াটিয়া সৈন্যরা জয় হাসিল করলেও তাদের বেশি সময় আর যথাযথ সুযোগ লাগে আপনার ক্ষতি করার জন্য, তারা সকলে এক গোষ্ঠীর নয়, তারা আপনার দ্বারা একত্রিত ও আপনার বেতনভূক এবং যে তৃতীয় পক্ষকে আপনি তাদের নেতৃত্বে রেখেছেন তিনিও হঠাৎ আপনাকে আঘাত করার মতো যথেষ্ট ক্ষমতা অর্জন করতে পারবেন না। সবশেষে বলা যায়, ভাড়াটিয়া সৈন্যদের ক্ষেত্রে কাপুরুষতাই সর্বাধিক বিপজ্জনক আর সাহায্যকারীদের ক্ষেত্রে বীরত্ব। বিচক্ষণ শাসক তাই সর্বদা চান এই দুই ধরনের সৈন্যবাহিনী এড়িয়ে চলতে এবং নিজের বাহিনীর ওপর ভরসা করতে। তিনি নিজস্ব বাহিনী নিয়ে হারতেও রাজি থাকেন কিন্তু অন্যদের নিয়ে জয়লাভ করতে চান না। অন্য সেনাবাহিনীর সাহায্যে জয়লাভকে তিনি প্রকৃত জয় বলে গণ্য করেন না।

সিজার বর্জিয়া ও তাঁর কর্মধারার উল্লেখ করতে আমি কখনোই দ্বিধা করব না। এই ডিউক সাহায্যকারী সৈন্য নিয়ে রোমাগ্‌নাতে প্রবেশ করেছিলেন, শুধু ফরাসি সৈন্যদের সাহায্যে তিনি ইমোলি ও ফোর্লি দখল করেছিলেন কিন্তু পরে এই বাহিনীকে বিশ্বস্ত মনে না হওয়ায় তিনি ভাড়াটিয়া সৈন্যের দিকে ঝুঁকেছিলেন তাদের কম বিপজ্জনক মনে করে এবং অর্সিনি আর ভিতেল্লিদের দায়িত্ব দিয়েছিলেন যাদের নিয়ে চলতে গিয়ে সন্দেহজনক, অবিশ্বস্ত ও ভয়ংকর বুঝে অবিলম্বে তাদের সরিয়ে নিজস্ব বাহিনীর ওপর ভরসা করেছিলেন। ফরাসিদের ব্যবহার করে, অর্সিনি ও ভিতেল্লিদের সাহায্য নিয়ে আর নিজের সৈন্যবাহিনীর ওপর আস্থা রেখে ডিউক যে ভিন্ন ধরনের সাফল্য পেয়েছিলেন তা বিবেচনা করলে এই বিভিন্ন বাহিনীর মধ্যে পার্থক্য সহজেই দেখা যায়। নিজস্ব বাহিনীর আনুগত্য তিনি সর্বদাই অনুভব করেছিলেন এবং দেখেছিলেন তা ক্রমবর্ধমান। তিনি সবচেয়ে বেশি শ্রদ্ধা অর্জন করেছিলেন যখন তিনি সম্পূর্ণ নিজের সৈন্যবাহিনীর অধিনায়ক হয়েছিলেন।

[৩০] জোয়ানেস ক্যান্টাকুজেনাস, জন্ম ১৩০০, মৃত্যু ১৩৮৩।

আমি ইতালীয় এবং সাম্প্রতিক উদাহরণের বাইরে যেতে চাইছিলাম না কিন্তু সিরাকিউস-এর হিয়েরো সম্পর্কে না বলে পারছি না যেহেতু আমার পূর্বোল্লিখিত ব্যক্তিদের মধ্যে তিনি একজন। এই ব্যক্তি যাঁকে, যেমন আগে বলেছি, সিরাকিউসীয়রা সৈন্যবাহিনীর অধিনায়ক নির্বাচিত করেছিল, শীঘ্রই বুঝেছিলেন যে, আমাদের ইতালীয় কন্‌ডোটিয়েরির মতো ভাড়াটিয়া সৈন্যরা কোনো কাজের নয় এবং তাদের রাখা বা ছেড়ে দেওয়া দুটিই অসম্ভব দেখে তিনি তাদের হত্যা করেছিলেন এবং পরবর্তীকালে কোনো বিদেশি নয় নিজের বাহিনী নিয়ে যুদ্ধ করেছিলেন।

আমি ওল্ড টেস্টামেন্ট থেকে একটি দৃষ্টান্ত উল্লেখ করতে চাই যা এই বিষয় সম্পর্কে প্রযোজ্য। ডেভিড রাজা সাউল-এর হয়ে ফিলিস্তিনি বীর গলিয়াথের সঙ্গে দ্বন্দ্বযুদ্ধ করতে চেয়েছিলেন এবং তাঁকে সাহস জোগাতে সাউল তাঁকে নিজের অস্ত্রে সজ্জিত করেছিলেন যা পিঠে নিয়েই ডেভিড নামিয়ে দিয়েছিলেন এই কথা বলে যে, তিনি ওগুলি ব্যবহার করতে পারবেন না এবং তিনি নিজের গুলতি আর ছোরা নিয়েই শত্রুর সম্মুখীন হতে চেয়েছিলেন। উপসংহার, অন্যের অস্ত্র আপনার পিঠ থেকে পড়ে যাবে বা তার ভারে আপনি নুয়ে পড়বেন অথবা তারা আপনাকে দৃঢ় বন্ধনে আবদ্ধ করবে।

রাজা একাদশ লুই[৩১]-এর পিতা সপ্তম চার্লস[৩২] যিনি ভাগ্যের সহায়তায় আর বীরত্বের জোরে ফ্রান্সকে ইংরেজদের থেকে মুক্ত করেছিলেন তিনি নিজস্ব সৈন্যবাহিনীর প্রয়োজনীয়তা বুঝেছিলেন এবং নিজের রাজ্যে অস্ত্রধারী ও পদাতিক সৈন্য সংক্রান্ত অধ্যাদেশ জারি করেছিলেন। পরবর্তীকালে তাঁর পুত্র রাজা লুই সেই পদাতিক বাহিনী ভেঙে দিয়েছিলেন আর সুইসদের নিয়োগ করেছিলেন যে ভুল এবং অন্য কয়েকটি ভ্রান্ত পদক্ষেপের কারণে সেই রাজ্যের পতন শুরু হয় কারণ সুইসদের প্রাধান্য বাড়ার ফলে তাঁর নিজস্ব বাহিনীর মনোবল একেবারে তলিয়ে গিয়েছিল। পদাতিক বাহিনী না থাকায় এবং অস্ত্রধারীরা অন্যের অধীনে থাকার কারণে তাঁর সৈন্যরা সুইসদের সহযোগিতায় যুদ্ধ করতে অভ্যস্ত হয়ে পড়েছিল। নিজেদের যোগ্যতায় যুদ্ধ জয় করতে পারার কথা তারা ভাবতে পারত না। ফলে পরিস্থিতি এমন হয়েছিল যে ফরাসিরা সুইসদের বিরোধিতাও করতে পারছিল না এবং তাদের সাহায্য ছাড়া অন্যদের বিরুদ্ধের ভালো ফল করতে সক্ষম হচ্ছিল না। এইভাবে

[৩১] একাদশ লুই, জন্ম ১৪২৩, মৃত্যু ১৪৮৩।

[৩২] ফ্রান্সের রাজা সপ্তম চার্লস-এর উপাধি ছিল 'অজেয়', জন্ম ১৪০৩, মৃত্যু ১৪৬১।

ফরাসি সৈন্যবাহিনী একটি মিশ্র বাহিনীতে পরিণত হয়েছিল যেখানে আংশিক ভাড়াটিয়া আর আংশিক জাতীয় সৈন্য ছিল যা শুধু ভাড়াটিয়া বাহিনী বা শুধু সাহায্যকারী বাহিনীর চেয়ে ভালো হলেও নিজস্ব বাহিনীর চেয়ে অনেক নিকৃষ্ট। এই উদাহরণ প্রমাণ করে, চার্লস-এর অধ্যাদেশ আরো শক্তিশালী করলে বা অন্তত রক্ষা করলেও ফ্রান্স রাজ্য অপরাজেয় থাকত।

কিন্তু অল্পজ্ঞানী মানুষ প্রাথমিকভাবে ভালো লাগা কাজে যখন জড়িয়ে পড়ে তখন লুকিয়ে থাকা বিষ চিনতে পারে না যেমন ঘটে অস্বাভাবিক জ্বরের ক্ষেত্রে যার কথা আগেই বলেছি। অতএব যদি কোনো শাসক বিপদ এসে পড়ার আগে অশুভ লক্ষণগুলি চিনতে না পারেন তবে তাঁকে প্রকৃত বিজ্ঞ বলা যায় না আর এই অন্তর্দৃষ্টি অল্প কিছু মানুষই লাভ করে থাকেন। যদি রোম সাম্রাজ্যের[৩৩] প্রথম বিপর্যয় পর্যালোচনা করা হয় তবে দেখা যাবে গথদের নিয়োগের মধ্য দিয়েই এর শুরু হয়েছিল কারণ সেই সময় থেকেই রোম সাম্রাজ্যের প্রাণশক্তি কমতে আরম্ভ করেছিল এবং যে বীরত্ব তার উত্থানের হেতু ছিল তা অন্যদের মধ্যে সঞ্চারিত হয়েছিল।

এই কথা বলে আমি শেষ করব যে, কোনো রাজত্বই নিজস্ব সৈন্যবাহিনী ব্যতিরেকে সুরক্ষিত নয় বরং প্রতিকূল পরিস্থিতিতে প্রতিরোধের ক্ষমতা না থাকায় সম্পূর্ণত ভাগ্যের ওপর নির্ভরশীল। বিজ্ঞজনদের মত ও বিচার অনুযায়ী কোনো কিছুই তত অনিশ্চিত বা অস্থিতিশীল নয় যতটা নিজের শক্তি ছাড়াই অর্জিত খ্যাতি বা ক্ষমতা। নিজস্ব বাহিনী বলতে বোঝায় যা প্রজা, নাগরিক বা অধীনস্থদের নিয়ে গঠিত; বাকি সবই ভাড়াটিয়া বা সাহায্যকারী। আমার প্রস্তাবিত শাসনব্যবস্থা সম্পর্কে চিন্তা করলে নিজস্ব বাহিনী গঠনের পদ্ধতি সহজেই অনুধাবন করা যাবে। মহান আলেকজান্ডারের পিতা ফিলিপ এবং অনেক প্রজাতান্ত্রিক রাষ্ট্র ও রাজা কীভাবে নিজেদের সংগঠিত করে সৈন্যবাহিনী তৈরি করেছিলেন তা বিবেচনা করলেও সে সম্পর্কে ধারণা জন্মাবে। এই সব শাসনব্যবস্থার প্রতি আমি সম্পূর্ণত দায়বদ্ধ।

---

৩৩ 'সেই সন্ধ্যায় হাউসে সামরিক সম্ভার হ্রাস সংক্রান্ত বিতর্কে অংশগ্রহণকারী অনেক বক্তাই কী পরিস্থিতিতে ব্রিটিশ সাম্রাজ্য তার অস্তিত্ব রক্ষা করে চলেছে সে বিষয়ে তাঁদের দুর্ভাগ্যজনক অজ্ঞতা প্রকাশ করলেন। রোম সাম্রাজ্য তার সামরিক দায়বদ্ধতার ভারে ডুবে গিয়েছিল—এই অভিযোগের উত্তর দিতে গিয়ে মিস্টার ব্যালফোর বললেন যে এ কথা ''সম্পূর্ণ অনৈতিহাসিক''। তিনি আরও সংযোজন করতে পারতেন যে রোমান শক্তি তখনই চূড়ান্ত বিন্দুতে ছিল যখন প্রত্যেক নাগরিক রাষ্ট্রের জন্য যুদ্ধ করাকে তাদের দায় বলে স্বীকার করত, কিন্তু যখন সেই দায়বদ্ধতা আর দেখা গেল না তখনই পতন শুরু হল।'—পল মল গেজেট, ১৫ মে, ১৯০৬।

১৪

যুদ্ধের কৌশল সংক্রান্ত বিষয়ে একজন শাসককে যা ভাবায়

যুদ্ধ এবং তার নিয়ম ও শৃঙ্খলা ছাড়া একজন শাসকের অন্য কোনো লক্ষ্য বা চিন্তার বিষয় থাকা উচিত নয়, অন্য কিছু তাঁর অধ্যয়নের বিষয় হওয়ারও কথা নয় কারণ এটিই শাসকের একমাত্র কৌশল এবং এর এতটাই ক্ষমতা যে শুধু জন্মসূত্রে রাজাকেই রাজত্ব বজায় রাখতে সাহায্য করে না একজন সাধারণ নাগরিককেও সেই স্থানে পৌঁছতে সক্ষম করে। অপরদিকে, দেখা যায় যে শাসকেরা যখন অস্ত্রের চেয়ে স্বাচ্ছন্দ্যের কথা বেশি ভাবেন তখন তাঁরা রাজ্যপাট হারান। আপনার পরাজয়ের প্রথম কারণ এই কৌশলকে অবজ্ঞা করা এবং যা আপনাকে একটি রাজ্য অধিকার করতে সক্ষম করবে তা হল এই কৌশলে বিশারদ হওয়া। ফ্রান্সেস্কো স্ফোরজা রণনিপুণ হওয়ায় একজন সাধারণ নাগরিক থেকে মিলানের ডিউক হয়েছিলেন আর তাঁর পুত্রেরা যুদ্ধের কষ্ট ও ঝঞ্ঝাট এড়িয়ে চলে ডিউক থেকে সাধারণ নাগরিক হয়েছিলেন। কারণ নিরস্ত্র হওয়ার অন্যান্য কুফলের সঙ্গে আপনি অবজ্ঞার পাত্র হবেন এবং এটি এমন একটি অসম্মান যার বিরুদ্ধে শাসকের নিজেকে রক্ষা করা উচিত যা পরে বর্ণনা করা হবে। সশস্ত্র ও নিরস্ত্র হওয়ার মধ্যে কোনো সামঞ্জস্য নেই এবং এটি যুক্তিযুক্ত নয় যে একজন সশস্ত্র ব্যক্তি নিরস্ত্রের প্রতি আনুগত্য দেখাবে অথবা নিরস্ত্র ব্যক্তি তার সশস্ত্র অনুচরদের মধ্যে সুরক্ষিত থাকবে। কারণ এক জায়গায় তাচ্ছিল্য ও অন্যত্র সন্দেহ থাকায় তাদের একসঙ্গে কাজ করা সম্ভব হবে না। সুতরাং একজন শাসক যাঁর অন্যান্য উল্লেখিত দুর্ভাগ্যের সঙ্গে যুদ্ধকলাতেও অজ্ঞতা থাকবে তিনি সৈন্যদের শ্রদ্ধা পাবেন না, তাদের ওপর ভরসাও করতে পারবেন না। তাই যুদ্ধের বিষয়টি চিন্তা থেকে সরানো তাঁর কখনোই উচিত নয় এবং

যুদ্ধের চেয়ে শান্তির সময়ে তাঁকে এর অনুশীলনে বেশি আসক্ত হতে হবে যা তিনি করতে পারেন দু-টি উপায়ে, এক কাজের মাধ্যমে, অন্যথায় অধ্যয়নের দ্বারা।

কাজের বিষয়ে বলতে গেলে, সর্বোপরি তাঁকে তার বাহিনীকে সুসংগঠিত ও অনুশীলনরত রাখতে হবে, অবিরাম ছুটে চলতে হবে যাতে তাঁর শরীর কষ্ট সহ্য করতে অভ্যস্ত থাকে এবং বিভিন্ন এলাকার প্রাকৃতিক বৈশিষ্ট্য সম্পর্কে তিনি জানতে পারেন, পাহাড়ের উচ্চতা, উপত্যকার গভীরতা ও সমতলের চরিত্র সম্পর্কে তাঁর জ্ঞান হয়, নদী ও জলাভূমির বৈশিষ্ট্য তিনি অনুধাবন করতে পারেন এবং এই সবই করতে হবে অত্যন্ত যত্ন সহকারে। এই জ্ঞান কাজে লাগবে দু-ভাবে। প্রথমত, তিনি নিজের দেশকে চিনতে শিখবেন যাতে আরো ভালোভাবে এর সুরক্ষা করতে পারেন এবং পরবর্তীকালে এইসব এলাকার সম্পর্কে জ্ঞান ও পর্যবেক্ষণের মাধ্যমে সহজেই অন্য স্থান সম্পর্কে ধারণা করতে পারবেন কারণ, ধরা যাক, তোসকানা অঞ্চলের পাহাড়, উপত্যকা, সমতল, নদী বা জলাভূমির সঙ্গে অন্য দেশের পাহাড় ইত্যাদির কিছু সাদৃশ্য আছে আর তাই এক দেশের প্রাকৃতিক বৈশিষ্ট্য সম্পর্কে জ্ঞান অন্য দেশের প্রাকৃতিক বৈশিষ্ট্য বুঝতে সাহায্য করবে। এই দক্ষতা না থাকলে রাজার অধিনায়কোচিত পারদর্শিতা থাকবে না কারণ এটি শত্রুকে হতচকিত করে দিতে, শিবিরস্থান নির্বাচন করতে, সৈন্যদের নেতৃত্ব দিতে, সৈন্যস্থাপন করতে, সুযোগ বুঝে শহর অবরোধ করতে শিক্ষা দেয়।

আচিয়ানদের রাজা ফিলোপোমেনের[৩৪] গুণাবলি সম্পর্কে প্রশংসা করতে গিয়ে লেখকরা জানিয়েছেন যে শান্তির সময়েও তাঁর মাথায় যুদ্ধের রীতিনীতি ছাড়া অন্য চিন্তা থাকত না। যখন তিনি দেশে থাকতেন অনেক সময় বন্ধুদের সঙ্গে আলোচনাকালে হঠাৎ থেমে গিয়ে প্রশ্ন করতেন: 'যদি শত্রু ওই পাহাড়ের ওপরে থাকে আর আমরা সৈন্যসহ এই স্থানে তবে সুবিধা কার হবে? কী উপায়ে সারিবদ্ধরূপে সবচেয়ে ভালোভাবে তার দিকে এগোনো যাবে? যদি আমরা পিছিয়ে আসতে চাই তবে কীভাবে তা করা উচিত?' একটি সৈন্যবাহিনীকে যে সব বাধার সম্মুখীন হতে হয় তা তিনি তাঁদের সামনে তুলে ধরতেন, তাঁদের মত শুনতেন, নিজের মত জানাতেন, যুক্তি দিয়ে নির্ধারণ করতেন যাতে এই ক্রমাগত আলোচনার ফলে যুদ্ধের সময় কখনোই কোনো আকস্মিক পরিস্থিতির উদ্ভব হত না যার মোকাবিলা তিনি করতে পারতেন না।

---

[৩৪] 'শেষ গ্রিক বীর' ফিলোপোমেন। জন্ম ২৫২ খ্রি.পূ., মৃত্যু ১৮৩ খ্রি.পূ.।

মেধার অনুশীলন করতে গেলে শাসকের ইতিহাস পড়া উচিত এবং বিখ্যাত ব্যক্তিদের কর্মধারা অধ্যায়ন করা উচিত যাতে তিনি জানতে পারেন কীভাবে তাঁরা যুদ্ধক্ষেত্রে আচরণ করেছিলেন, অনুসন্ধান করতে পারেন তাঁদের জয় ও পরাজয়ের কারণ কী ছিল এবং দ্বিতীয়টি এড়িয়ে প্রথমটি নকল করতে পারেন। সর্বোপরি তিনি সেই কাজগুলিই করবেন যা তাঁর আগেই প্রশংসিত ও বিখ্যাত একজন ব্যক্তি নিদর্শন হিসেবে রেখে গেছেন এবং তাঁর কর্মধারা ও কীর্তির কথা তিনি সর্বদা মনে রাখবেন যেমন বলা হয় মহান আলেকজান্ডার অ্যাচিলিসকে, সিজার আলেকজান্ডারকে, স্কিপিও সাইরাসকে অনুকরণ করেছিলেন। জেনোফন-এর লেখা সাইরাস-এর জীবনী যিনি পড়বেন বুঝতে পারবেন কীভাবে সেই অনুকরণ স্কিপিওকে পরবর্তী জীবনে মর্যাদা এনে দিয়েছিল এবং কীভাবে সততায়, শিষ্টতায়, মানবিকতায় আর উদারতায় স্কিপিও সাইরাস সম্পর্কে জেনোফন-এর বলা কথাগুলি মেনে চলেছিলেন। একজন বিচক্ষণ শাসকের উচিত এই ধরনের কিছু নিয়ম মেনে চলা এবং কখনোই শান্তির সময়ে চুপচাপ বসে না থাকা বরং এমনভাবে পরিশ্রম সহকারে নিজের সম্পদ বাড়িয়ে তোলা যাতে প্রতিকূল পরিস্থিতিতে তা পাওয়া যায়, যাতে ভাগ্য বিরূপ হলেও তার আঘাত প্রতিরোধ করার মতো শক্তি তাঁর থাকে।

১৫

যে সব কারণে মানুষ, বিশেষত শাসকবর্গ প্রশংসিত বা নিন্দিত হন

এখন দেখতে হবে প্রজা ও বন্ধুদের প্রতি শাসকের আচরণবিধি কী হওয়া উচিত। যেহেতু অনেকেই এ বিষয়ে লিখেছেন তাই জানি এই পুনরুল্লেখের জন্য আমাকে উপর পড়া মনে করা হবে, বিশেষত যখন আলোচনাকালে আমি অন্যদের অনুসৃত পদ্ধতি থেকে বিচ্যুত হব। কিন্তু আমার লেখার উদ্দেশ্য যিনি এই বিষয়ে সচেতন হতে চাইবেন তার জন্য আর তাই আমার মনে হয় বিষয়টি সম্পর্কে কল্পনার পরিবর্তে বিষয়টির অন্তর্নিহিত সত্য তুলে ধরাই যথাযথ হবে কারণ অনেকেই সেই সব প্রজাতন্ত্র ও রাজত্ব চিত্রিত করেছেন যাদের প্রকৃত অর্থে কোনোদিন দেখা যায়নি বা যাদের সম্পর্কে শোনা যায়নি। একজন যেমন জীবন কাটান তা যেমন জীবন কাটানো উচিত তার থেকে যদি অনেক দূরে হয়, কী করা উচিত সেই কথা ভেবে কী করা হয়েছে তাকে তিনি অবহেলা করেন তবে তাঁর রক্ষণের চেয়ে ধ্বংসই ত্বরান্বিত হয় কারণ যিনি পুরোপুরি ন্যায়ের পথে কাজ করতে চান তিনি শীঘ্রই ধ্বংসকারী মন্দের সম্মুখীন হন।

সুতরাং রাজ্য রক্ষণে ইচ্ছুক শাসকের জানা প্রয়োজন কেমন করে অন্যায় করতে হয় এবং প্রয়োজন অনুযায়ী তাঁকে তা ব্যবহার করতে বা না করতে হয়। শাসক সংক্রান্ত কাল্পনিক বিষয় সরিয়ে রেখে প্রকৃত ঘটনা আলোচনা করতে গিয়ে আমি বলব সব মানুষের বিশেষত উচ্চপদে আসীন শাসকের সেই গুণাবলি উল্লেখযোগ্য যার জন্য তাঁরা নিন্দিত বা প্রশংসিত হন। কেউ উদার বলে খ্যাত হন কেউ কৃপণ বলে—এই কথা বোঝাতে তাসক্যান-এর এই প্রবাদ ব্যবহার করব যে, যে দস্যুবৃত্তির মাধ্যমে সম্পদ বৃদ্ধি করতে চায় তাকে আমাদের ভাষায় লোভী বলা হয় আর যে শুধু

নিজের জিনিস ব্যবহার করে নিজেকে অত্যাধিক বঞ্চিত করে তাকে আমরা কৃপণ বলি। কেউ দয়ালু বলে খ্যাত হন, কেউ লোভাতুর বলে; কেউ নিষ্ঠুর, কেউ সহানুভূতিশীল; একজন অবিশ্বস্ত, একজন বিশ্বস্ত; একজন দুর্বল ও ভীরু, একজন ডাকাবুকো ও সাহসী; কেউ ভদ্র, কেউ উদ্ধত; কেউ লম্পট, কেউ শুদ্ধাচারী; একজন আন্তরিক, একজন ধূর্ত; একজন কঠিনস্বভাব, একজন সহজ সরল; কেউ গুরুগম্ভীর, কেউ অস্থিরচিত্ত; কেউ ধার্মিক, কেউ অবিশ্বাসী এবং এই রকম। আমি জানি প্রত্যেকেই স্বীকার করবেন যে উপরে বর্ণিত সদ্‌গুণাবলির প্রদর্শন একজন শাসককে সর্বাধিক প্রশংসনীয় করবে কিন্তু মানবচরিত্রে এই সমস্ত ভালো গুণ সম্পূর্ণভাবে ধারণ ও পালন সম্ভব নয় বলে তাঁর যথেষ্ট বিচক্ষণ হওয়া উচিত যাতে সেই সব কদাচারের কলঙ্ক থেকে তিনি দূরে থাকতে পারেন যেগুলোর কারণে তাঁকে রাজ্য হারাতে হতে পারে। তাঁকে সম্ভব হলে সেই সব দোষ থেকেও মুক্ত থাকতে হবে যেগুলোর কারণে তাঁর রাজ্য হারানোর ভয় থাকবে না কিন্তু তা সম্ভব না হলে তিনি নির্দ্বিধায় নিজেকে তাদের হাতে ছেড়ে দিতে পারেন। আবার, সেই অন্যায় আচরণ করতেও তাঁর অস্বস্তি হওয়া উচিত নয় যা ছাড়া রাজ্যরক্ষা কষ্টসাধ্য হবে কারণ যদি সব দিক সযত্নে বিবেচনা করা হয় তবে দেখা যাবে, যাকে সদ্‌গুণ বলে মনে হচ্ছে তা পালন করতে গিয়ে তাঁর পতন হবে যখন অন্য কিছু যাকে পাপ বলে মনে হচ্ছে তা পালন করলে তিনি সুরক্ষা ও সমৃদ্ধি পাবেন।

১৬
উদারতা ও সংকীর্ণতা বিষয়ে

উপরে উল্লিখিত দুটি বৈশিষ্ট্যের প্রথমটি দিয়ে শুরু করতে গিয়ে আমি বলব, উদার হিসেবে খ্যাত হওয়া ভালো। যদিও উদারতার সেই ধরনের চর্চা যা আপনাকে খ্যাতি এনে দেয় না তা আপনার ক্ষতিই করে কারণ যদি একজন সততার সঙ্গে এবং যেমনভাবে করা উচিত তেমনভাবে এর চর্চা করেন তবে হয়তো তা প্রচার পায় না আর তখন এর বিপরীত বৈশিষ্ট্যজনিত নিন্দা আপনি এড়াতে পারেন না, যিনি লোকের কাছে উদারহৃদয় বলে পরিচিত হতে চান তিনি জাঁকজমকের চিহ্ন এড়াতে পারেন না। একজন শাসক যখন এতে অভ্যস্ত হয়ে পড়েন তখন তাঁর সব সম্পদ এই কারণেই শেষ হয়ে যায় আর শেষে বদান্যতার পরিচিতি বহন করতে গিয়ে তিনি অকারণে জনগণকে ভারাক্রান্ত করেন, তাদের ওপর করের বোঝা চাপিয়ে দেন এবং যে কোনো উপায়ে অর্থ সংগ্রহ করেন। শীঘ্রই তিনি প্রজাদের কাছে ঘৃণার পাত্র হয়ে পড়েন এবং দারিদ্র্যের কারণে কারো কাছেই সম্মান পান না। এইভাবে উদারতার বশে অনেকের ক্ষতিসাধন করে আর কয়েকজনকে পুরস্কৃত করে তিনি প্রথম যে সমস্যার সৃষ্টি করেন আর প্রথম যে বিপদ ডেকে আনেন তা হল ভুল বুঝতে পেরে আর তা থেকে পিছিয়ে আসতে চেয়ে তিনি তৎক্ষণাৎ কৃপণ বলে নিন্দিত হন।

সুতরাং একজন শাসক যদি শুধু নিজের সম্পদের জোরে উদারতার চর্চা করতে না পারেন তবে, যদি তিনি বিচক্ষণ হন, তাঁর ক্ষুদ্রমনা বলে পরিচিত হওয়ার ভয়ে ভীত হওয়া উচিত নয় কারণ সময়ের সঙ্গে সঙ্গে তিনি উদারহৃদয় পরিচয়ের চেয়ে বড়ো গুণে ভূষিত হবেন। যখন দেখা যাবে মিতব্যয়িতার কারণে সঞ্চিত রাজস্বের জোরে তিনি যে কোনো আক্রমণ থেকে নিজেকে রক্ষা করতে সক্ষম, দেখা যাবে যে

জনগণের ওপর বোঝা না বাড়িয়েও তিনি নতুন নতুন উদ্যোগ নিচ্ছেন তখন প্রতিফলিত হবে যে, তিনি তাদের প্রতি উদার যাদের থেকে তিনি কিছু গ্রহণ করেন না এবং যারা সংখ্যায় অনেক আর তাদের প্রতি ক্ষুদ্রমনা যারা তাঁর কাছে কিছু পায় না এবং যারা সংখ্যায় নগণ্য।

আমাদের কালে আমরা তাঁদেরকেই মহান কিছু কাজ করতে দেখেছি যাঁরা হীনচেতা বলে বিবেচিত, বাকিরা অসফল। পোপ দ্বিতীয় জুলিয়াস তাঁর উদারতার পরিচিতির সাহায্যে পোপ পদে পৌঁছেছিলেন কিন্তু পরে ফ্রান্সের রাজার বিরুদ্ধে যুদ্ধের সময় তিনি সেই পরিচয় বজায় রাখার চেষ্টা করেননি। প্রজাদের ওপর অস্বাভাবিক কর না চাপিয়েও তিনি অনেক যুদ্ধ করতে পেরেছিলেন কারণ দীর্ঘ মিতব্যয়িতা তাঁকে অতিরিক্ত খরচ সামলাতে সাহায্য করেছিল। স্পেনের বর্তমান রাজা উদার বলে খ্যাত হলে এত সংখ্যক উদ্যোগ গ্রহণ করতে বা তাতে সফল হতে সক্ষম হতেন না। অতএব, একজন শাসক যদি নিজেকে রক্ষা করার তাগিদে তাঁর প্রজাদের লুঠ করতে না চান, যদি এত দারিদ্র্য ও দুর্দশায় না পড়তে চান যে তাঁকে আত্মসাৎপ্রবণ হতে বাধ্য হতে হয় তবে তাঁর উচিত হীনমনা হিসেবে পরিচিত হওয়াকে গ্রাহ্য না করা কারণ এটি সেই বদ্‌গুণগুলির একটি যা তাঁকে শাসনকার্যে সাহায্য করবে।

যদি কেউ বলেন: সিজার উদারতার মাধ্যমে সাম্রাজ্য অধিকার করেছিলেন এবং অন্য অনেকেই উদার হয়ে এবং উদার বলে পরিচিত হয়ে সর্বোচ্চ পদে পৌঁছেছিলেন, তবে আমি উত্তরে বলব: হয় আপনি বাস্তবিকই একজন শাসক অথবা শাসক হতে চলেছেন। প্রথম ক্ষেত্রে উদারতা বিপজ্জনক এবং দ্বিতীয় ক্ষেত্রে উদার বলে বিবেচিত হওয়া খুব জরুরি। সিজার রোমের প্রধান হতে চেয়েছিলেন কিন্তু তা হওয়ার পরেও জীবিত অবস্থায় যদি তিনি তাঁর ব্যয় নিয়ন্ত্রণ না করতেন তবে তাঁর সরকার বিপন্ন হত। আবার যদি কেউ তার উত্তরে বলেন: অনেকেই শাসক হয়েছেন এবং সৈন্যবাহিনীর সাহায্যে অনেক মহান কর্ম করেছেন যাঁরা অত্যন্ত উদারমনা বলে বিবেচিত হন, আমি বলব: একজন শাসক হয় তাঁর নিজের সম্পদ ব্যয় করেন নয়তো তাঁর প্রজাদের বা অন্য কারো। প্রথম ক্ষেত্রে তাঁর সংযত হওয়া উচিত আর দ্বিতীয় ক্ষেত্রে উদারতার সুযোগ অবহেলা করা তাঁর উচিত নয়। যে শাসক তাঁর সৈন্যবাহিনী নিয়ে চলেন এবং লুঠতরাজ, নগরলুণ্ঠন আর শোষণের মাধ্যমে অন্যদের সম্পদ ছিনিয়ে তাদের প্রতিপালন করেন তাঁর ক্ষেত্রে এই উদারতা প্রয়োজনীয় নয়তো

সৈন্যরা তাঁকে মানবে না। যা আপনারও নয় আপনার প্রজাদেরও নয় তার ক্ষেত্রে আপনি তৎপর দাতা হতে পারেন, যেমন ছিলেন সাইরাস, সিজার আর আলেকজান্ডার, কারণ অন্যের দ্রব্য অপব্যয় করলে আপনার খ্যাতি কমবে না বরং বেড়েই যাবে; শুধু নিজের সম্পদ অপব্যয় করলেই আপনি ক্ষতিগ্রস্ত হবেন।

উদারতার চেয়ে দ্রুত কিছু ক্ষয়িত হয় না কারণ যখন আপনি এর চর্চা করেন ক্রমশ আপনার তা চালিয়ে যাওয়ার ক্ষমতা হ্রাস পায় এবং তার ফলে আপনি গরীব বা অবজ্ঞার পাত্র হয়ে পড়েন আর দারিদ্র্য এড়াতে চাইলে আত্মসাৎপ্রবণ ও ঘৃণিত হন। শাসকের সবচেয়ে বড়ো কাজ অবজ্ঞা বা ঘৃণার পাত্র হওয়া থেকে নিজেকে রক্ষা করা আর বদান্যতা আপনাকে এই দুটির দিকেই চালিত করে। সুতরাং উদারহৃদয় বলে খ্যাত হতে গিয়ে আত্মসাৎকারীর পরিচয় পাওয়া যা ঘৃণার উদ্রেক করে কলঙ্ক এনে দেয় তার চেয়ে নীচমনা বলে পরিচিত হওয়া যাতে কলঙ্ক থাকলেও ঘৃণা নেই তা অধিকতর বিচক্ষণতা নির্দেশ করে।

১৭

নিষ্ঠুরতা ও ক্ষমাশীলতা প্রসঙ্গে এবং ভীতিজনক হওয়ার চেয়ে ভালোবাসার পাত্র হওয়া শ্রেয় কিনা

এবার উপরে বর্ণিত অন্য গুণাবলি সম্পর্কে বলব, প্রত্যেক শাসকেরই উচিত ক্ষমাশীল বলে বিবেচিত হতে চাওয়া, নিষ্ঠুর বলে নয়। অবশ্য তাঁর যত্নবান হওয়া উচিত যাতে ক্ষমাশীলতার অপব্যবহার না হয়। সিজার বর্জিয়া নিষ্ঠুর বলে বিবেচিত হতেন, যদিও তাঁর নিষ্ঠুরতা রোমাগ্না‌র সঙ্গে সুসম্পর্ক তৈরি করেছিল, অঞ্চলটিকে ঐক্যবদ্ধ করেছিল, সেখানে শান্তি ও আনুগত্য পুনস্থাপন করেছিল। যদি এই ব্যাপারটা সঠিকভাবে বিবেচনা করা যায় তবে দেখা যাবে তিনি সেই ফ্লোরেন্সীয়দের চেয়ে অনেক বেশি দয়ালু যারা নিষ্ঠুর বলে পরিচিত হওয়া এড়াতে গিয়ে পিস্‌টোইয়া-কে ধ্বংস হতে দিয়েছিল[৩৫]। সুতরাং, যতক্ষণ একজন শাসক তাঁর প্রজাদের ঐক্যবদ্ধ ও অনুগত রাখতে পারছেন ততক্ষণ নিষ্ঠুরতার কলঙ্ক নিয়ে তাঁর ভাবা উচিত নয় কারণ কয়েকটি নিদর্শনের মাধ্যমে তিনি তাদের চেয়ে বেশি দয়ালু বলে প্রতিপন্ন হবেন যারা অত্যধিক দয়ার বশে বিশৃঙ্খলা বাড়তে দেন যার ফলে হত্যা বা ডাকাতির মতো ঘটনা ঘটে। এই ঘটনাগুলিতে সমগ্র প্রজাকূল ক্ষতিগ্রস্ত হয় আর শাসকের দেওয়া প্রাণদণ্ডের কারণে ব্যক্তিবিশেষ ক্ষুণ্ণ হয়।

নতুন রাষ্ট্র বিপদাকীর্ণ হওয়ার কারণে সব নতুন শাসকই নিষ্ঠুরতার অভিযোগে অভিযুক্ত হন। তাই ভার্জিল (রোমান কবি) ডিডো-র মুখ দিয়ে বলিয়েছেন, তিনি একটি নতুন রাষ্ট্রের হওয়ার জন্যই তাঁর শাসনকালে অমানবিক ঘটনা ঘটেছিল।

৩৫ কানসেলিরি ও পানাসিয়াটিচি গোষ্ঠীর মধ্যে দাঙ্গার সময়, ১৫০২ ও ১৫০৩ খ্রিষ্টাব্দে।

রেস ডুরা, এট রেগনি নভিটাস মি টালিয়া কগুন্ট
মোলিরি, এট লেট ফাইনস কাস্টডে টুয়েরি.[৩৬]

তাঁর উচিত বিশ্বাসে ও কাজে ধীরতা অবলম্বন করা, ভয় না দেখিয়ে তাঁকে সংযতভাবে, বিচক্ষণতা ও মানবিকতার সঙ্গে এগোতে হবে যাতে অতিরিক্ত আত্মবিশ্বাসের ফলে তিনি অসতর্ক না হয়ে পড়েন এবং খুব বেশি অনাস্থা তাঁকে অসহনীয় না করে তোলে।

এখানে একটা প্রশ্ন ওঠে: ভালোবাসার পাত্র হওয়া কি ভীতিজনক হওয়ার চেয়ে ভালো অথবা ভীতিকর হওয়া ভালোবাসা পাওয়ার চেয়ে? উত্তরে বলা যেতে পারে, একজন দুটোই হতে চাইতে পারেন কিন্তু যেহেতু একই ব্যক্তির মধ্যে দুইয়ের সমাহার কঠিন তাই একটিকে বাদ দিতেই যদি হয় তবে ভালোবাসার পাত্র হওয়ার চেয়ে ভীতিজনক হওয়া অনেক বেশি নিরাপদ। কারণ সাধারণভাবে মানুষ সম্পর্কে জোর দিয়ে বলা যায় যে তারা অকৃতজ্ঞ, অস্থিরমতি, মিথ্যাবাদী, ভীরু, লোভী; যতক্ষণ আপনি সাফল্য পাচ্ছেন তারা সম্পূর্ণত আপনার পক্ষে, তারা আপনার জন্য তাদের রক্ত দিতে পারে, সম্পদ, জীবন এমনকী সন্তানদের তুলে দিতে পারে, যেমন আগে বলা হয়েছে, বিপদ যতক্ষণ দূরে থাকে কিন্তু তা এগিয়ে এলেই তারা আপনার প্রতি বিমুখ হবে। যে শাসক তাদের প্রতিজ্ঞায় সম্পূর্ণ আস্থা রেখে অন্যান্য সাবধানতা অবহেলা করেন, তাঁর পতন হয়; কারণ যে বন্ধুত্ব মহত্ব আর মহানুভবতার বদলে অর্থপ্রদানের মাধ্যমে অর্জিত হয় তা লভ্য হলেও সুরক্ষিত নয় এবং প্রয়োজনের সময় তার ওপর ভরসা করা যায় না আর মানুষ ভীতিকর ব্যক্তির চেয়ে প্রিয়জনকে আঘাত করতে কম দ্বিধাগ্রস্ত হয় কারণ ভালোবাসা বজায় থাকে বাধ্যবাধকতার কারণে যা মানুষের হীনতাবশে নিজেদের সুবিধার্থে যে কোনো সুযোগে ভঙ্গ হয় কিন্তু ভয় বজায় থাকে শাস্তির আতঙ্কে যা কখনো ব্যর্থ হয় না।

একজন শাসকের এমনভাবে ভয় জাগানো উচিত যাতে প্রজারা তাঁকে ভালো না বাসলেও যেন ঘৃণা না করে কারণ ঘৃণাহীন ভয় তিনি বহন করতে পারবেন যা সম্ভব হবে যদি তিনি নাগরিক ও প্রজাদের সম্পত্তি ও নারীদের থেকে নিজেকে দূরে

---

৩৬ '... আমার ইচ্ছার বিরুদ্ধে, আমার ভাগ্যবশে একটি অস্থিতিশীল সিংহাসন, একটি শিশু রাষ্ট্র আমাকে আহ্বান করেছিল আমার সমস্ত ক্ষমতা দিয়ে আমার রাজ্য রক্ষা করতে এবং এই সব কঠোরতা দিয়ে আমার উপকূল সুরক্ষিত করতে।' ক্রিস্টোফার পিট।

রাখেন। যদি প্রয়োজন হয় যথাযথ যুক্তিতে ও স্পষ্ট কারণে তিনি কারো প্রাণ নিতে পারেন কিন্তু কোনো অবস্থাতেই তাদের সম্পত্তিতে যেন তিনি হাত না দেন কারণ মানুষ সহজেই পিতার মৃত্যু ভুলে যায় কিন্তু পৈত্রিক সম্পত্তির ক্ষতি ভুলতে পারে না। তাছাড়া সম্পত্তি কেড়ে নিতে অজুহাতের অভাব হয় না কারণ যে একবার দস্যুতার মাধ্যমে জীবনধারণে অভ্যস্ত হয়ে পড়ে সে সর্বদাই অন্যের জিনিস দখল করার অজুহাত খুঁজে নেয় কিন্তু পক্ষান্তরে হত্যা করার কারণ খুঁজে পাওয়া অনেক কঠিন এবং তা শীঘ্রই হারিয়ে যায়। কিন্তু শাসকের যখন একটি সৈন্যবাহিনী থাকে এবং তাঁর অধীনে বহুসংখ্যক সৈন্য থাকে তখন নিষ্ঠুরতার পরিচিতি সম্পর্কে তাঁর মনোযোগ না দেওয়াই প্রয়োজন কারণ তা না হলে তিনি বাহিনীকে সংহত ও দায়িত্ববদ্ধ রাখতে পারবেন না।

হ্যানিবলের অনেক চমকপ্রদ কীর্তির মধ্যে এটির উল্লেখ করা হয়! তাঁর বিভিন্ন জাতি গোষ্ঠীর মানুষ সম্বলিত একটি বিশাল বাহিনী থাকা সত্ত্বেও, তাদের বিদেশের মাটিতে লড়াই করতে হলেও তাদের মধ্যে কখনো বিরোধ দেখা দেয়নি আর তাঁর সুসময় বা দুঃসময়ে কেউ তাঁর বিরুদ্ধে যায়নি। এটা সম্ভব হয়েছিল শুধুমাত্র তাঁর অমানবিক নিষ্ঠুরতার কারণে যা তাঁর অসীম বীরত্বের সঙ্গে যুক্ত হয়ে তাঁকে সৈন্যদের দৃষ্টিতে একাধারে মহিমান্বিত ও ভয়ংকর করে তুলেছিল কিন্তু সেই নিষ্ঠুরতা না থাকলে তাঁর অন্য গুণাবলি সেই প্রভাব উৎপাদনের জন্য যথেষ্ট হত না। অদূরদর্শী লেখককূল এক দৃষ্টিকোণ থেকে তাঁর কীর্তিসমূহের প্রশংসা করেন আর অন্যদিকে সেই কীর্তির প্রধান ভিত্তির নিন্দা করেন। তাঁর অন্যান্য গুণাবলি যে যথেষ্ট হত না তা সিপিও-র উদাহরণ দিয়ে প্রমাণ করা যায় যিনি শুধু তাঁর সময়ের নয় মানুষের সমগ্র স্মরণকালের সর্বোত্তম ব্যক্তি ছিলেন। তাঁর সৈন্যবাহিনী স্পেনে তাঁর বিরুদ্ধে বিদ্রোহ করেছিল যার কারণ ছিল তাঁর অতি মহান ক্ষমাশীলতা যা তাঁর সৈন্যদের সামরিক শৃঙ্খলার পক্ষে বেমানান স্বাধীনতা দিয়েছিল। এই কারণে তিনি সেনেটে ফ্যাবিয়াস ম্যাক্সিমাস কর্তৃক তিরস্কৃত হন এবং তাঁকে রোমান সৈনিক বর্গের মধ্যে ভ্রষ্টাচারী বলে দাগিয়ে দেওয়া হয়। সিপিও-র এক প্রতিনিধি লোক্রিয়ানদের বিধ্বস্ত করেছিল কিন্তু তিনি তাঁর সহজ স্বভাবের দরুণ তার প্রতিবিধান করেননি বা সেই প্রতিনিধিকে ঔদ্ধত্বের জন্য শাস্তি দেননি। এমনকি সেনেটে একজন তাঁকে শাস্তি থেকে অব্যাহতি দিতে গিয়ে বলেছিলেন যে, অনেক মানুষ আছে যারা ভুল না করতে জানে কিন্তু অন্যের ভুল শোধরাতে জানে না। যদি সিপিও সেনাধিনায়ক হিসেবে কাজ চালিয়ে

যেতেন তবে তাঁর স্বভাব তাঁর সমস্ত খ্যাতি ও মহিমা এক সময় নষ্ট করে দিত কিন্তু তিনি সেনেটের নিয়ন্ত্রণে থাকার দরুণ তাঁর এই ক্ষতিকর স্বভাব শুধু গোপনই থাকেনি তাঁর মহিমা উজ্জ্বলতর হয়েছিল।

ভীতিজনক বা প্রিয়জন হওয়ার প্রশ্নে ফিরে গিয়ে আমি এই উপসংহারে পৌঁছব যে, যেহেতু মানুষ নিজের ইচ্ছেয় ভালোবাসে আর শাসকের ইচ্ছায় ভয় পায় তাই একজন বিচক্ষণ শাসকের উচিত অন্যের নয় নিজের নিয়ন্ত্রণে থাকা বিষয়ের ওপর নিজেকে প্রতিষ্ঠিত করা। তাঁর শুধু উচিত, যেমন বলা হয়েছে, ঘৃণা এড়িয়ে চলার প্রচেষ্টা করা।

১৮[৩৭]

যেভাবে শাসকদের আস্থা স্থাপন করা উচিত সেই বিষয়ে

প্রত্যেকেই স্বীকার করবেন, শাসকের ক্ষেত্রে আস্থা স্থাপন করা এবং শঠতার পরিবর্তে ন্যায়পরায়ণতার সঙ্গে জীবনধারণ করা কতটা প্রশংসনীয়। যদিও আমাদের অভিজ্ঞতা অনুযায়ী সেই শাসকেরাই মহান কীর্তি রেখে গেছেন যাঁরা বিশ্বাস করেছেন কমই আর জেনেছেন কীভাবে চাতুর্যের দ্বারা মানুষের বুদ্ধিবৃত্তিকে বোকা বানাতে হয় এবং পরিশেষে তাঁদের চেয়ে এগিয়ে গেছেন যাঁরা মানুষের কথায় আস্থা রেখেছেন। আপনারা নিশ্চয়ই জানেন যে, প্রতিদ্বন্দ্বিতার[৩৮] দু-টি উপায় আছে, একটি নিয়ম অনুযায়ী আর অন্যটি বলপূর্বক। প্রথম পদ্ধতি মানুষের জন্য যথাযথ, দ্বিতীয়টি পশুদের জন্য। কিন্তু যেহেতু প্রথমটি প্রায়শই যথেষ্ট হয় না তাই দ্বিতীয়টির আশ্রয় নেওয়া প্রয়োজনীয় হয়ে পড়ে। সুতরাং শাসকের বোঝা দরকার পশু ও মানুষের পদ্ধতি কতটা সদ্ব্যবহার করবেন। প্রাচীন লেখকগণ আলঙ্কারিকভাবে শাসকদের এই শিক্ষা দিয়ে গেছেন। তাঁরা বর্ণনা করেছেন কীভাবে অ্যাচিলিস ও অন্য অনেক প্রাচীন রাজাকে পশুমানব সেন্টুর চিরন-এর হাতে দেওয়া হয়েছিল প্রতিপালনের জন্য যিনি তাদের নিজস্ব শিক্ষায় শিক্ষিত করে তুলেছিলেন যার একমাত্র অর্থ এই যে, যেহেতু তাদের শিক্ষক ছিলেন অর্ধেক পশু ও অর্ধেক মানব তাই শাসকের জানা দরকার কীভাবে দু-টি প্রকৃতিকেই কাজে লাগাতে হয় এবং একটি ব্যতিরেকে অন্যটির স্থায়িত্ব অল্প। অতএব, শাসকের পশুপ্রবৃত্তি ধারণ অনিবার্য বলে তাঁকে

---

৩৭ 'ম্যাকিয়াভেলির রচনার অন্য যে কোনো অংশের চেয়ে এই অধ্যায়টি বেশি আঘাত করেছে'—বার্ড, *ইল প্রিন্সিপি*, ১৯৭ পৃষ্ঠা

৩৮ 'প্রতিদ্বন্দ্বিতা' যার অর্থ 'প্রভুত্বের জন্য সংগ্রাম'। মি. বার্ড দেখিয়েছেন যে এই অংশটি সিসেরোর 'ডি অফিসিস' থেকে সরাসরি নকল করা।

বেছে নিতে হবে শিয়াল ও সিংহ দুইকেই কারণ সিংহ ফাঁদ এড়াতে জানে না আর শিয়াল নেকড়েকে প্রতিরোধ করতে অক্ষম। তাই ফাঁদ চিনতে শিয়াল হওয়া প্রয়োজন আর নেকড়েকে ভয় দেখাতে সিংহ হওয়া। যাঁরা শুধু সিংহের ওপর ভরসা করেন তাঁরা বুঝতে পারেন না তাঁদের চারপাশে কী হচ্ছে। তাই যখন সেই অনুশাসন শাসকের বিরুদ্ধে যায় বা যখন সেই অনুশাসন পালনের যুক্তিগুলিই হারিয়ে যায় তখন আর তার ওপর আস্থা রাখা তাঁর উচিত নয়। এই উপদেশ কার্যকরী হত না যদি মানুষ সামগ্রিকভাবে ভালো হত, কিন্তু তারা খারাপ হওয়ায় এবং আপনার প্রতি বিশ্বস্ত থাকবে না বলে আপনিও তাদের প্রতি বিশ্বস্ত থাকতে বাধ্য নন। এই বিশ্বাস লঙ্ঘনের অজুহাত হিসেবে শাসকের কোনো বৈধ যুক্তি খোঁজারও প্রয়োজন নেই। আধুনিক কালে এর অসংখ্য উদাহরণ দেওয়া যেতে পারে যাতে দেখা যাবে শাসকের অবিশ্বস্ততার জন্য কত চুক্তি ও প্রতিশ্রুতি ভঙ্গ হয়েছে যার কোনো প্রভাব পড়েনি এবং যিনি শেয়ালকে যত ভালো কাজে লাগাতে পেরেছেন তিনি তত বেশি সাফল্য পেয়েছেন।

কিন্তু এটা ভালো করে জানা দরকার যে কীভাবে এই চারিত্রিক বৈশিষ্ট্য লুকিয়ে রাখতে হয় আর কীভাবে একজন চমৎকার ভণ্ড ও কপট ব্যক্তি হওয়া যায়। মানুষ এত সরল এবং বর্তমান প্রয়োজন সম্পর্কে এত মগ্ন যে যিনি প্রতারণা করতে চাইবেন তিনি সর্বদাই কাউকে না কাউকে পাবেন যে নিজেকে প্রতারিত হতে দেবে। একটি সাম্প্রতিক উদাহরণকে আমি নীরবে এড়িয়ে যেতে পারছি না। ষষ্ঠ আলেকজান্ডার মানুষকে প্রতারণা করা ছাড়া কিছু করেননি, অন্য কিছু করার কথা ভাবেনওনি এবং তিনি সর্বদাই শিকার পেয়ে গেছেন কারণ এমন কোনো মানুষ ছিল না যে অধিকতর শক্তি দিয়ে মতপ্রকাশ করবে বা যে শপথ নিয়ে দৃঢ়তার সঙ্গে কিছু সমর্থন করবে বা তার প্রতিবাদ করবে এবং তাঁর শঠতা সর্বদাই তাঁর ইচ্ছা অনুযায়ী[৩৯] সাফল্য পেয়েছে, কারণ তিনি জনগণের এই দিকটি ভালোই বুঝেছিলেন।

যে উত্তম বৈশিষ্ট্যগুলি আমি উল্লেখ করলাম একজন শাসকের সেগুলি থাকা জরুরি কিন্তু আরও জরুরি সেগুলি আছে বলে জাহির করা। আমি এও বলব যে সেগুলি থাকা এবং সর্বদা সেগুলি পালন করা ক্ষতিকর বরং সেগুলির উপস্থিতি জাহির করা বেশি কার্যকর। দয়ালু, বিশ্বস্ত, মানবিক, ধার্মিক, ন্যায়নিষ্ঠ বলে প্রতীয়মান

[৩৯] 'ইচ্ছা অনুযায়ী' শব্দবন্ধটি ১৫৫০-এর টেস্টিনা সংস্করণে বাদ দেওয়া হয়েছে। 'আলেকজান্ডার যা বলেছেন তা কখনো করেননি, সিজার যা করেছেন তা কখনো বলেননি।' ইতালীয় প্রবাদ

হওয়া এবং সত্যিই সেরকম হওয়া ভালো কিন্তু মানসিক প্রস্তুতি এমন থাকবে যাতে সেরকম না হওয়ার প্রয়োজন পড়লে আপনি বিপরীতধর্মী হয়ে যেতে পারেন।

আপনাদের বুঝতে হবে, একজন শাসক, বিশেষত একজন নতুন শাসক সেই সমস্ত গুণাবলি বজায় রাখতে পারেন না যার জন্য মানুষ সম্মান পায়, অনেক সময় রাজ্যরক্ষার্থে তিনি বিশ্বস্ততা,[৪০] বন্ধুত্ব, মানবিকতা আর ধর্মের বিরুদ্ধে কাজ করতে বাধ্য হন। সুতরাং শাসকের এমন মানসিকতা থাকা প্রয়োজন যা পরিস্থিতি ও ভাগ্য বদল যেভাবে বাধ্য করবে সেভাবে পরিবর্তিত হতে পারে। তথাপি, যেমন আগে বলেছি, সম্ভব হলে উৎকর্ষ থেকে বিচ্যুত না হওয়াই ভালো কিন্তু জানা দরকার, বাধ্য হলে কেমন করে তা শুরু করতে হয়।

এই কারণে শাসকের সতর্ক থাকা উচিত যাতে এমন কোনো কথা তাঁর মুখ দিয়ে না বেরোয় যা উপরে বলা পাঁচটি গুণের প্রাচুর্যে ভরা না হয়, যাতে দর্শক ও শ্রোতার কাছে তিনি সম্পূর্ণ দয়ালু, বিশ্বস্ত, মানবিক, ন্যায়নিষ্ঠ ও ধার্মিক বলে প্রতীয়মান হন। এই শেষ গুণটির মতো প্রয়োজনীয় আর কিছুই নেই যেহেতু মানুষ সাধারণত হাতের চেয়ে চোখ দিয়েই বেশি যাচাই করে কারণ প্রত্যেকেই আপনাকে দেখতে পারে, কেবল কয়েকজনই আপনার সংস্পর্শে আসবে। প্রত্যেকেই জানবে আপনাকে কেমন মনে হচ্ছে, কয়েকজন প্রকৃতপক্ষে জানবে আপনি আসলে কী এবং সেই কয়েকজনও সেই বহুসংখ্যক মানুষের বিরোধিতা করতে সাহস পাবে না যারা রাষ্ট্রের রাজকীয়তা দেখিয়ে নিজেদের সমর্থন করবে। পরিণামের দ্বারাই মানুষের কর্মকাণ্ড বিচার করা হয় বিশেষত শাসকের কাজ যার প্রতিবাদ করা বিচক্ষণতার পরিচয় দেয় না।

সেই কারণেই, একবার কোনো শাসক রাজ্য দখল করতে এবং তা রক্ষা করতে পারলে তাঁর অবলম্বিত পন্থা সর্বদাই সৎ বলে বিবেচিত হবে এবং তিনি সকলের

[৪০] উল্লেখযোগ্য যে 'বিশ্বস্ততার বিরোধী' ও 'সম্পূর্ণ বিশ্বস্ত' শব্দবন্ধ দু-টি টেস্টিনা সংস্করণ যেটি পোপের অনুমতিক্রমে প্রকাশিত সেখানে অনুপস্থিত। এমন হতে পারে যে, 'বিশ্বাস' কথাটি ক্যাথলিক ধর্মবিশ্বাসের সঙ্গে জড়িত, এখানে 'বিশ্বস্ত' বলতে যা বোঝানো হয়েছে তার সঙ্গে নয়। লক্ষ্যণীয় যে 'ধর্ম' শব্দটি টেস্টিনা সংস্করণে স্থান পায়নি কারণ সেটি যে কোনো ধরনের ধর্মবিশ্বাস বোঝাতে ব্যবহৃত হয় যেমন হিউগনট ধর্মবিরোধীদের চিহ্নিত করতে 'দি রিলিজিয়ন' শব্দবন্ধটি ব্যবহার করা হয়। ১৮৪৩ খ্রিষ্টাব্দে প্রকাশিত নবম উপদেশ-এর ৬৯ পৃষ্ঠায় সাউথ এই অংশটি সম্পর্কে বলেছেন, 'এই গোষ্ঠীর মহান অভিভাবক ও পণ্ডিত নিকোলো ম্যাকিয়াভেলি তাঁর রাজনৈতিক পরিকল্পনায় শাসকের জন্য এই নিয়ম নির্ধারণ করেছেন, ধর্মের প্রদর্শন রাজনীতিকদের জন্য উপযোগী কিন্তু এর বাস্তব রূপ ক্ষতিকর ও সর্বনাশা।'

দ্বারা প্রশংসিত হবেন কারণ সাধারণ মানুষ বাইরের চেহারা দেখে কোনো জিনিসের বিচার করে আর দেখে তার থেকে কী পাওয়া যাবে এবং পৃথিবীতে শুধু সাধারণ মানুষই আছে কারণ যখন অনেকে থাকার জায়গা পায় না তখন অল্প কয়েকজন জায়গা পেয়ে যায়।

বর্তমান কালের এক শাসক[৪১] যাঁর নাম উল্লেখ করা উচিত হবে না তিনি শান্তি ও বিশ্বস্ততার কথা ছাড়া কিছু প্রচার করেন না এবং ওই দুটিরই বিরোধী আর যদি তিনি ওগুলি মেনে চলতেন তবে বহুবার রাজ্য ও খ্যাতি হারাতেন।

---

[৪১] আরাগন-এর ফার্দিনান্দ। 'যখন ম্যাকিয়াভেলি *দ্য প্রিন্স* লিখছিলেন তখন ফার্দিনান্দের নাম উল্লেখ করলে তিনি চটে যেতেন।' বার্ড রচিত *ইল প্রিন্সিপি* ৩০৮ পৃষ্ঠা।

১৯

তুচ্ছ ও ঘৃণ্য প্রতিপন্ন হওয়া এড়িয়ে চলা উচিত

উপরে যে বৈশিষ্ট্যগুলি উল্লেখ করা হয়েছে তাদের মধ্যে অধিক গুরুত্বপূর্ণ বিষয়গুলির কথা আগেই বলেছি বলে অন্যগুলির সম্পর্কে সংক্ষেপে আলোচনা করতে চাই। আগেই বলা হয়েছে, শাসকের বিবেচনা করা উচিত কীভাবে সেই কাজগুলি তিনি এড়িয়ে যেতে পারেন যা তাঁকে ঘৃণা ও অবজ্ঞার পাত্র করে তোলে এবং যত বেশি তিনি এতে সফল হবেন তত তাঁর অন্য নিন্দা থেকে বিপদের ভয় কম থাকবে।

যেমন আগে বলা হয়েছে, তাঁকে সবচেয়ে বেশি ঘৃণা করা হবে যদি তিনি লোভাতুর হন এবং প্রজাদের সম্পত্তি ও নারীদের হরণ করেন। এই দুটি বিষয় থেকে তাঁর নিজেকে সরিয়ে রাখা উচিত। সম্পত্তি ও সম্ভ্রম অক্ষত থাকলে অধিকাংশ মানুষই সন্তুষ্ট থাকবে এবং তাঁকে কেবল কয়েকজন মাত্র ব্যক্তির উচ্চাকাঙ্ক্ষার সঙ্গে যুঝতে হবে যাদের তিনি বহুভাবে দমিয়ে রাখতে পারবেন।

যদি তিনি চপলমতি, অস্থিরচিত্ত, দুর্বল, হীনচেতা, তরলমতি বলে বিবেচিত হন তবে তিনি অবজ্ঞার পাত্র হবেন যা থেকে তাঁর নিজেকে রক্ষা করা উচিত যেমন পাথর থেকে বাঁচতে হয় এবং তাঁকে কাজের মাধ্যমে মহানুভবতা, সাহস, গাম্ভীর্য ও স্থৈর্য প্রদর্শনের চেষ্টা করতে হবে। প্রজাদের ব্যক্তিগত আচরণে তাঁকে দেখাতে হবে যে তাঁর বিচার অনড় এবং তাঁকে এমন পরিচিতি বহন করতে হবে যাতে কেউ তাঁকে প্রতারণা করতে বা বুঝিয়ে নিজের দিকে আনার আশা না করতে পারে।

যে শাসক নিজের প্রভাব জ্ঞাপন করতে পারেন তিনিই উচ্চ সম্মান লাভ করতে পারেন এবং সম্মানিত ব্যক্তি ষড়যন্ত্রের শিকার হন না কারণ যদি তিনি একজন চমৎকার মানুষ আর জনগণের শ্রদ্ধার পাত্র হিসেবে বিখ্যাত হন তবে তাঁকে আক্রমণ

করা কঠিন হয়। এই জন্যে শাসকের দুটি ভয় থাকা উচিত, এক, ভিতর থেকে প্রজাদের দরুণ এবং দুই, বাইরে থেকে বহির্শক্তির কারণে। নিজস্ব সৈন্যবাহিনী থাকলে ও সহায়ক মিত্রশক্তি থাকলে দ্বিতীয়টি থেকে রক্ষা পাওয়া যায় আর যদি কারও উপযুক্ত বাহিনী থাকে তবে তার ভালো বন্ধুও থাকে এবং বাইরের পরিস্থিতি শান্ত থাকলে অভ্যন্তরীণ শান্তিও বজায় থাকে যদি না কোনো ষড়যন্ত্র দ্বারা তা আগেই বিঘ্নিত হয়ে থাকে। বহির্দেশীয় পরিস্থিতি বিশৃঙ্খল হলেও তিনি যদি প্রস্তুত থাকেন আর যেভাবে বলেছি সেইভাবে জীবন কাটিয়ে থাকেন তবে নিজে হতাশ হয়ে না পড়লে তিনি যে কোনো আক্রমণ প্রতিহত করতে পারবেন যেমন স্পার্টার নাবিস পেরেছিলেন।

কিন্তু প্রজাদের সম্পর্কে বলতে গেলে, যখন বহির্দেশীয় পরিস্থিতি অশান্ত থাকে তখন শাসকের ভয় থাকে যে প্রজারা গোপনে ষড়যন্ত্র করতে পারে যা থেকে তিনি রক্ষা পেতে পারেন ঘৃণিত ও অশ্রদ্ধেয় না হয়ে এবং তাদের সন্তুষ্ট রেখে যা তাঁর পক্ষে অত্যন্ত জরুরি যেমন আমি আগে বিশদে বলেছি। ষড়যন্ত্রের বিরুদ্ধে একটি অত্যন্ত কার্যকরী সমাধান শাসক করতে পারেন প্রজাদের কাছে ঘৃণিত ও অশ্রদ্ধেয় না হয়ে কারণ ষড়যন্ত্রকারী তাদের খুশি করতে চাইবে শাসককে সরিয়ে দিয়ে, কিন্তু যদি তাতে তারা ক্ষুব্ধ হয় তবে সে এমন একটা কাজ করতে সাহস পাবে না, কারণ তাতে ষড়যন্ত্রকারীকে অশেষ সমস্যার সম্মুখীন হতে হবে। অভিজ্ঞতা বলে, ষড়যন্ত্র অনেক হলেও তার মধ্যে মাত্র কয়েকটি সফল হয়েছে কারণ যে ষড়যন্ত্র করে সে একা তা করতে পারে না বা অসন্তুষ্ট ব্যক্তি ছাড়া কাউকে সঙ্গে পায় না এবং যেইমাত্র আপনি কোনো অসন্তুষ্ট মানুষের কাছে মনের কথা বলবেন, সে নিজেকে খুশি করার উপাদান পেয়ে যাবে কারণ আপনাকে নিন্দা করে সে যাবতীয় সুবিধা পেতে চাইবে। তাই এই কাজে লাভ সুনিশ্চিত করতে গেলে এবং অন্যজন সন্দেহজনক ও বিপজ্জনক হওয়ার সম্ভাবনা থাকায় একজন বিরল বন্ধু বা শাসকের কোনো চরম শত্রুই কেবল সহযোগী হতে পারে যে আপনার ওপর সম্পূর্ণ আস্থা রাখবে।

বিষয়টি একটি ছোটো পরিধির মধ্যে এনে আমি বলতে চাই, ষড়যন্ত্রকারীর দিকে ভয়, ঈর্ষা, শাস্তির সম্ভাবনার ভীতি ছাড়া আর কিছুই নেই কিন্তু শাসকের দিকে আছে রাজত্বের মর্যাদা, আইন, বন্ধুদের সুরক্ষা এবং গোটা রাষ্ট্রব্যবস্থা যার সঙ্গে জনপ্রিয়তার সুনাম যুক্ত হলে তাঁর বিরুদ্ধে কারও পক্ষে ষড়যন্ত্রের হঠকারিতা করা অসম্ভব। সাধারণভাবে ষড়যন্ত্রকারীর ভয় থাকে চক্রান্ত সফল হওয়ার আগে পর্যন্ত কিন্তু এই

ক্ষেত্রে তাকে অপরাধের পরিণতি সম্পর্কেও ভীত থাকতে হবে কারণ জনগণ তার শত্রু হয়ে যাবে এবং তার আর পালাবার পথ থাকবে না।

এই বিষয়ে অগুনতি উদাহরণ দেওয়া যেতে পারে কিন্তু আমি সন্তুষ্ট একটি দিয়েই যা ঘটেছিল আমাদের আগের প্রজন্মের স্মরণকালের মধ্যে। বোলগ্না-র শাসক অ্যানিবেল বেন্টিভোগ্লি (বর্তমান অ্যানিবেল-এর পিতামহ) তাঁর বিরুদ্ধে ষড়যন্ত্রকারী ক্যানেসি-দের দ্বারা নিহত হয়েছিলেন। তাঁর পরিবারের একমাত্র জীবিত সদস্য ছিলেন মেসার (মিস্টার) জিওভান্নি[৪২] যিনি তখন ছিলেন বাল্যাবস্থায়। হত্যাকাণ্ডের অব্যবহিত পরেই জনগণের উত্থানে সমস্ত ক্যানেসি নিহত হয়। এই অভ্যুত্থান সম্ভব হয়েছিল তৎকালীন বোলোগ্নাতে বেন্টিভোগ্লি পরিবারের জনপ্রিয়তার কারণে যা এতটাই বেশি ছিল যে অ্যানিবেল-এর মৃত্যুর পর রাষ্ট্রে শাসনক্ষম কেউ না থাকলেও বেন্টিভোগ্লি পরিবারের একজন যাকে ততদিন পর্যন্ত এক লৌহকারের পুত্র বলে মনে করা হত তিনি ফ্লোরেন্সে থাকেন খবর পেয়ে বোলোগ্নাবাসীরা তাঁকে আনতে ফ্লোরেন্সে লোক পাঠায় এবং তাঁর হাতে নগরের কর্তৃত্ব অর্পণ করে এবং মেসার জিওভান্নি যথাসময়ে সরকারে যোগদান করা পর্যন্ত তিনি শাসনকার্য চালিয়ে যান।

এই কারণেই আমার বিবেচনায় যতক্ষণ জনগণ তাঁর প্রতি শ্রদ্ধাশীল থাকে ততক্ষণ কোনো ষড়যন্ত্রকেই শাসকের আমল দেওয়ার প্রয়োজন নেই কিন্তু তারা যদি তাঁর প্রতি শত্রুভাবাপন্ন হয় তবে যে কোনো বিষয় এবং যে কোনো ব্যক্তি সম্পর্কে তাঁর ভয় থাকা উচিত। সুশৃঙ্খল রাষ্ট্রসমূহ এবং বিচক্ষণ শাসকগণ যত্নবান থেকেছেন যাতে অভিজাতরা হতাশ না হয়ে পড়ে আর জনগণ তৃপ্ত ও সন্তুষ্ট থাকে, কারণ শাসকের যাবতীয় লক্ষ্যের মধ্যে সর্বাধিক গুরুত্বপূর্ণ এইটিই।

আমাদের সময়কার সর্বাধিক সুশৃঙ্খল ও সুশাসিত রাজ্যগুলির মধ্যে একটি ফ্রান্স এবং সেখানে অনেক উৎকৃষ্ট প্রতিষ্ঠান আছে যাদের ওপর রাজার স্বাধীনতা ও সুরক্ষা নির্ভর করে। তাদের মধ্যে প্রথমেই উল্লেখ্য সংসদ ও তার কর্তৃত্ব, কারণ যিনি এই রাজ্য প্রতিষ্ঠা করেছিলেন তিনি অভিজাতবর্গের উচ্চাকাঙ্ক্ষা ও ধৃষ্টতার কথা

[৪২] জিওভান্নি বেন্টিভোগ্লি, জন্ম ১৪৩৮ খ্রিষ্টাব্দে বোলোগ্নাতে, মৃত্যু মিলান-এ ১৫০৮। ১৪৬২ থেকে ১৫০৬ তিনি বোলোগ্না শাসন করেছিলেন। ষড়যন্ত্র সম্পর্কে ম্যাকিয়াভেলির তীব্র নিন্দার জন্ম হয়তো তাঁর অতি সাম্প্রতিক (ফেব্রুয়ারি ১৫১৩) অভিজ্ঞতা থেকে যখন বোসকলি ষড়যন্ত্রে যোগসাজশের অভিযোগে তাঁকে গ্রেপ্তার ও অত্যাচার করা হয়।

মাথায় রেখে বিবেচনা করেছিলেন যে তাদের ধরে রাখতে গেলে তাদের সামান্য কিছু পাইয়ে দেওয়া প্রয়োজন এবং অন্যদিকে অভিজাতদের প্রতি ভয় থেকে যে সাধারণ মানুষের মনে ঘৃণার উদ্রেক হয় সে কথা বুঝে তাদেরও তিনি সুরক্ষা দিতে চেয়েছিলেন। তবে বিষয়টি তিনি শুধু রাজার হাতেই ছেড়ে দিতে চাননি, তাই জনগণকে অনুগ্রহ করার জন্য অভিজাতদের মনে এবং অভিজাতদের অনুগ্রহ করার জন্য জনগণের মনে উদিত শাসকের প্রতি অসন্তোষ দূর করতে তিনি একজন মধ্যস্থতাকারী নিযুক্ত করেছিলেন যিনি রাজার প্রতি বিরূপতা ব্যতিরেকেই শক্তিশালীকে দমন করতে এবং দুর্বলের প্রতি আনুকুল্য দেখাতে পারবেন। এর চেয়ে উৎকৃষ্ট বা সমীচীন ব্যবস্থা অথবা রাজা ও রাজ্যের সুরক্ষার মহত্তর নজির আর কিছু হতে পারে না। এর থেকে কেউ আর একটি সিদ্ধান্তে পৌঁছতে পারেন যে, শাসকের উচিত নিন্দাজনক বিষয় অন্যদের নিয়ন্ত্রণে ছেড়ে রাখা এবং প্রশংসনীয় বিষয় নিজের হাতে রাখা। অধিকন্তু, আমি মনে করি শাসকের উচিত অভিজাতদের সযত্নে লালন করা কিন্তু এমনভাবে নয় যে তিনি জনগণের ঘৃণার পাত্র হয়ে ওঠেন।

রোমান সম্রাটদের জীবন ও মৃত্যু পর্যালোচনা করে এবং তাঁদের মধ্যে কয়েকজন মহান জীবন কাটিয়ে আর মহান হার্দিক গুণাবলি প্রদর্শন করেও সাম্রাজ্য হারিয়েছেন ও ষড়যন্ত্রকারী প্রজাদের হাতে প্রাণ হারিয়েছেন দেখে কেউ কেউ হয়তো ভাবতে পারেন যে আমার মতের বিপরীতধর্মী নিদর্শন আছে। সেই প্রতিবাদের উত্তরে আমি কয়েকজন সম্রাটের চারিত্রিক বৈশিষ্ট্য তুলে ধরব এবং দেখব যে তাঁদের পতনের কারণ আমি যে অভিযোগ করেছি তার থেকে আলাদা নয়। সেই সঙ্গে কিছু উল্লেখযোগ্য বিষয় আমি তাঁর বিবেচনার জন্য উপস্থিত করব যিনি তৎকালীন ঘটনাবলি সম্পর্কে অধ্যয়ন করেন।

আমার মনে হয় দার্শনিক মার্কাস থেকে ম্যাক্সিমিনাস পর্যন্ত যাঁরা সাম্রাজ্যে অভিষিক্ত হয়েছেন তাঁদের উদাহরণই যথেষ্ট হবে। তাঁরা হলেন মার্কাস ও তাঁর পুত্র কমোডাস, পার্টিনাক্স, জুলিয়ান, সেভেরাস ও তাঁর পুত্র অ্যান্টোনিয়াস ক্যারাকালা, ম্যাক্সিনাস, হেলিওগ্যাবালাস, আলেকজান্ডার এবং ম্যাক্সিমাস।

প্রথমেই মনে রাখতে হবে, যেখানে অন্যান্য রাজত্বে শুধু অভিজাতদের উচ্চাকাঙ্ক্ষা আর জনগণের ঔদ্ধত্য সামলাতে হত সেখানে রোমান সম্রাটদের সামনে তৃতীয় সমস্যা ছিল তাঁদের সৈন্যদের নিষ্ঠুরতা ও লোভ মোকাবিলা করা যার জন্য অনেকেরই পতন হয়েছিল। সৈন্যবাহিনী ও জনগণ উভয়কেই সন্তুষ্ট করা কঠিন

ছিল কারণ সাধারণ মানুষ শান্তিপ্রিয় ছিল আর তাই তারা অনুচ্চাভিলাষী রাজা পছন্দ করত যখন সৈন্যরা ভালোবাসত যুদ্ধবাজ শাসক যিনি হবেন সাহসী, নিষ্ঠুর ও হিংস্র স্বভাবের যে বৈশিষ্ট্যগুলি তারা চাইত জনগণের ওপর প্রযুক্ত হোক যাতে সৈন্যরা দ্বিগুণ বেতন পায় এবং তাদের লোভ ও নিষ্ঠুরতা চরিতার্থ হয়। তাই যে সব সম্রাটের মধ্যে জন্মগত বা শিক্ষাগতভাবে কর্তৃত্বের অভাব থাকত, বিশেষত যাঁরা নতুন রাজত্বের অধিকার লাভ করতেন, তাঁরা এই দুই বিপরীতধর্মী মানসিকতা সহজে সামলাতে না পেরে জনগণের আহত হওয়ার কথা মাথায় না রেখে সৈন্যদের সন্তুষ্ট করতেন আর তাতেই তাঁরা উৎখাত হতেন। এই ঘটনাক্রম আবশ্যিক ছিল কারণ যেহেতু নিন্দিত রাজার পক্ষে রাজ্য চালানো সম্ভব নয় তাই তাঁর প্রথমত উচিত কারো ঘৃণার পাত্র না হওয়া আর তা না পারলে সর্বতোভাবে চেষ্টা করা উচিত যাতে সর্বাধিক শক্তিশালীরা তাঁকে ঘৃণা না করে। সুতরাং অনভিজ্ঞতাবশত যে সব সম্রাটের বিশেষ অনুগ্রহের প্রয়োজন হত তাঁরা প্রজাদের পক্ষ না নিয়ে সহজেই সৈন্যদের পক্ষ নিতেন। যে শাসক সৈন্যদের ওপর কর্তৃত্ব বজায় রাখতে পারতেন তাঁর এই পদ্ধতিতে সুবিধা হত, অন্যদের নয়।

এই সব কারণেই এমন ঘটেছিল যে, মার্কাস, পার্টিনাক্স ও আলেকজান্ডার সকলেই পরিমিত জীবনযাপনকারী, ন্যায়পরায়ণ, নিষ্ঠুরতা বিরোধী, মানবিক এবং সদাশয় ব্যক্তি হওয়ার দরুণ মার্কাস ছাড়া সকলেরই করুণ পরিণতি হয়েছিল। মার্কাস সম্মানের সঙ্গে বেঁচেছিলেন এবং তাঁর সম্মানজনক মৃত্যু হয়েছিল কারণ তিনি উত্তরাধিকার সূত্রে সিংহাসনে বসেছিলেন বলে সৈন্যবাহিনী বা জনগণ কারো কাছেই তিনি ঋণী ছিলেন না এবং পরবর্তীকালে বিবিধ গুণের অধিকারী হওয়ার দরুণ তিনি শ্রদ্ধার পাত্র হয়ে উঠেছিলেন। তিনি তাঁর জীবৎকালে সর্বদাই উভয় গোষ্ঠীকে যথাস্থানে রেখেছিলেন আর তাই তাঁকে কেউ ঘৃণা বা অবজ্ঞা করতে পারেনি।

কিন্তু পার্টিনাক্সকে সৈন্যদের ইচ্ছার বিরুদ্ধে সম্রাট করা হয়েছিল এবং সৈন্যরা কমোডোস-এর অধীনে উচ্ছৃঙ্খল জীবন কাটাতে অভ্যস্ত হওয়ায় পার্টিনাক্স নির্দিষ্ট সৎ জীবন সহ্য করতে পারেনি। তাই তিনি বিরাগভাজন হয়ে পড়েছিলেন এবং তার সঙ্গে যুক্ত হয়েছিল তাঁর বার্ধক্যজনিত কারণে তাঁর প্রতি অবজ্ঞা। ফলত শাসনকালের শুরুতেই তিনি সিংহাসনচ্যুত হয়েছিলেন। এখানে মনে রাখতে হবে যে, ভালো বা খারাপ উভয় কাজের জন্যই বিরাগ সৃষ্টি হতে পারে, তাই, যেমন আগে বলেছি, রাজ্য রক্ষাকামী শাসককে প্রায়শই মন্দ কাজ করতে বাধ্য হতে হয় কারণ নিজের স্থান

বজায় রাখতে আপনার যাদের প্রয়োজনীয় বলে মনে হয়—জনগণ বা সৈন্য বা অভিজাত যারাই হোক—তারা যদি দুর্নীতিপরায়ণ হয় তবে আপনাকে তাদের মেজাজের কাছে নতি স্বীকার করতে হয় এবং তাদের সন্তুষ্ট রাখতে হয় আর তখন সৎ কাজের ফলে আপনার ক্ষতিই হয়।

এবার আসা যাক আলেকজান্ডারের বিষয়ে, যিনি এতটাই মহদাশয় ব্যক্তি ছিলেন যে অন্যান্য প্রশংসার সঙ্গে তাঁর সম্পর্কে এও বলা হয় যে, তাঁর চোদ্দো বছরের শাসনকালে তিনি বিনা বিচারে একজনকেও হত্যা করেননি, যদিও মেয়েলি স্বভাববিশিষ্ট বলে বিবেচিত হওয়ায় এবং নিজেকে মায়ের দ্বারা চালিত হতে দেওয়ার কারণে তিনি অবজ্ঞার পাত্র হয়ে পড়েছিলেন এবং সৈন্যরা ষড়যন্ত্র করে তাঁকে হত্যা করেছিল।

এবার কমোডাস, সেভেরাস, অ্যান্টোনিয়াস ক্যারাকালা ও ম্যাক্সিমাস-এর বিপরীতধর্মী চরিত্রের দিকে তাকালে দেখবেন তাঁরা সকলেই নিষ্ঠুর ও আত্মসাৎপ্রবণ ব্যক্তি ছিলেন যাঁরা তাঁদের সৈন্যদের সন্তুষ্ট করতে সাধারণ মানুষের প্রতি যে কোনো ধরনের অবিচার করতে দ্বিধা করেননি কিন্তু সেভেরাসের বীরত্ব এতটাই ছিল যে জনগণের ওপর অত্যাচার করেও সৈন্যদের বন্ধুভাবাপন্ন রেখে তিনি সফলভাবে রাজত্ব করে গিয়েছিলেন কারণ তাঁর বীরত্ব সৈন্যবাহিনী ও জনগণের চোখে তাঁকে এমন শ্রদ্ধার পাত্র করে তুলেছিল যে দ্বিতীয় দল চমৎকৃত ও বিস্মিত হয়ে থাকত আর প্রথম দল শ্রদ্ধাবনত ও সন্তুষ্ট। নবনিযুক্ত শাসক হিসেবে এই মানুষটির কর্মধারা দারুণ ছিল বলে আমি সংক্ষেপে দেখাতে চাই যে তিনি শিয়াল ও সিংহ উভয়কেই নকল করতে জানতেন যে বৈশিষ্ট্য, যেমন আগে বলেছি, একজন শাসকের অনুকরণ করা প্রয়োজন।

সম্রাট জুলিয়ান-এর ঢিলেঢালা স্বভাবের কথা জানতে পেরে তিনি স্লাভোনিয়াতে থাকা তাঁর নেতৃত্বাধীন সৈন্যবাহিনীকে বোঝালেন যে রোমে ফিরে গিয়ে প্রিটোরিয়ান সৈন্যদের হাতে নিহত পার্টিনাক্স-এর মৃত্যুর প্রতিশোধ নেওয়া উচিত এবং এই অজুহাত দেখিয়ে, সিংহাসনের আকাঙ্ক্ষার কথা চেপে রেখে সৈন্যবাহিনীকে রোমের দিকে চালিত করলেন আর তাঁর যাত্রা শুরুর কথা জানাজানি হওয়ার আগেই ইতালি পৌঁছে গেলেন। তিনি রোমে উপস্থিত হতেই সেনেট ভীত হয়ে তাঁকেই সম্রাট নির্বাচিত করল এবং জুলিয়ানকে হত্যা করা হল। গোটা সাম্রাজ্যের অধীশ্বর হতে চাওয়া সেভেরাস-এর সামনে এর পর দুটি সমস্যা দেখা দিল। একটি

এশিয়াতে, যেখানে এশিয়াটিক সৈন্যবাহিনীর নেতা নিগার নিজেকে সম্রাট বলে ঘোষণা করেছিল এবং অন্যটি পশ্চিমে যেখানে আলবিনাস সম্রাট হতে চাইছিল। একসঙ্গে দু-জনেরই বিরোধিতা করা বিপজ্জনক বিবেচনা করে তিনি নিগারকে আক্রমণ করা স্থির করলেন এবং আলবিনাসকে ঠকাতে চাইলেন। পরের জনকে তিনি লিখলেন যে সেনেটের দ্বারা সম্রাট নির্বাচিত হয়ে তিনি আলবিনাসের সঙ্গে সেই মর্যাদা ভাগ করে নিতে চান। সিজার উপাধি প্রেরণ করে তিনি আলবিনাসকে আরও লিখলেন যে সেনেট তাঁকে তাঁর সহকর্মী হিসেবে নির্বাচিত করেছে যা আলবিনাস সত্য বলে গ্রহণ করে নিল। কিন্তু নিগারকে পরাজিত করার পর হত্যা করে এবং প্রাচ্য সমস্যার নিষ্পত্তি করে সেভেরাস রোমে ফিরে এলেন এবং সেনেটের কাছে অভিযোগ করলেন যে, আলবিনাস প্রাপ্ত সুযোগের অপব্যবহার করে বিশ্বাসঘাতকের মতো তাঁকে হত্যা করতে চাইছেন আর সেই অকৃতজ্ঞতার কারণে তিনি আলবিনাসকে শাস্তি দিতে বাধ্য হচ্ছেন। পরবর্তী সময়ে তিনি আলবিনাসকে ফ্রান্সে খুঁজে বার করেন এবং তাঁর সরকারি ক্ষমতা কেড়ে নিয়ে তাঁকে হত্যা করেন। এই মানুষটির কর্মধারা যিনি খুঁটিয়ে পরীক্ষা করবেন তিনি তাঁর মধ্যে একটি প্রবল পরাক্রমী সিংহ এবং একটি অত্যন্ত ধূর্ত শিয়ালকে দেখতে পাবেন এবং দেখবেন যে তিনি প্রত্যেকের কাছে ভীতি ও শ্রদ্ধার পাত্র ছিলেন আর সৈন্যদেরও তাঁর প্রতি বিরাগ ছিল না। এতে বিস্ময়ের কিছু নেই যে তিনি নতুন সম্রাট হলেও তাঁর সাম্রাজ্য ধরে রাখতে পেরেছিলেন কারণ তাঁর হিংসাত্মক আচরণের জন্য জনগণের বিরাগভাজন হওয়ার সম্ভাবনা থাকলেও তাঁর অগাধ যশ তাঁকে সর্বদা তা থেকে রক্ষা করেছিল।

কিন্তু তাঁর পুত্র অ্যান্টোনিয়াস একজন বিশিষ্ট ব্যক্তি ছিলেন এবং তাঁর উত্তম গুণাবলি তাঁকে জনগণের কাছে শ্রদ্ধার পাত্র আর সৈন্যদের কাছে গ্রহণযোগ্য করে তুলেছিল। তিনি রণোন্মুখ ছিলেন, অকাতরে ক্লান্তি সহ্য করতে পারতেন, সুস্বাদু খাদ্য ও বিলাসিতাকে ঘৃণা করতেন আর তাই সৈন্যদের প্রিয় ছিলেন। যদিও তাঁর হিংস্রতা ও নিষ্ঠুরতা অভূতপূর্ব রকমের বেশি ছিল এবং অসংখ্য একক ব্যক্তিকে হত্যা করার পর তিনি রোমের বহু মানুষকে আর আলেকজান্দ্রিয়ার সকলকে নিহত করেন। গোটা বিশ্ব তাঁকে ঘৃণা করত আর তাঁর চারপাশে থাকা মানুষজন তাঁকে ভয় পেত এবং তা এতটাই ছিল যে এক সেনানায়ক সৈন্যবাহিনীর মাঝখানেই তাঁকে হত্যা করে। এখানে মনে রাখতে হবে যে শাসক এই ধরনের স্থিরপ্রতিজ্ঞ, বেপরোয়া

সাহসীর ইচ্ছাকৃত হানায় মৃত্যু এড়াতে পারেন না কারণ যার মৃত্যুভয় নেই সেই মৃত্যু ঘটাতে পারে কিন্তু এই রকম ঘটনা বিরল বলে শাসকের খুব বেশি ভয়ের কারণ নেই তবে তাঁকে সতর্ক থাকতে হবে যাতে তাঁর দ্বারা রাষ্ট্রকর্মে নিয়োজিত ব্যক্তিবর্গ বা তাঁর চারপাশের মানুষ তাঁর থেকে কোনো চরম আঘাত না পায়। অ্যান্টোনিয়াস সেই সতর্কতা অবলম্বন করেননি বরং একগুঁয়েমি করে সেই সেনানায়কের এক ভাইকে হত্যা করেছিলেন এবং তাকেও প্রতিদিন হুমকি দিয়েও তাঁর দেহরক্ষী বাহিনীতে রেখে দিয়েছিলেন যে হঠকারী কাজের পরিণতি সম্রাটের পতন।

কমোডাস-এর বিষয়ে দেখতে গেলে, তাঁর পক্ষে সাম্রাজ্য ধরে রাখা সহজ ছিল কারণ মার্কাস-এর পুত্র হিসেবে তিনি উত্তরাধিকার সূত্রে তা পেয়েছিলেন এবং জনগণ ও সৈন্যদের খুশি করতে গেলে তাঁকে শুধু পিতার পদাঙ্ক অনুসরণ করতে হত, কিন্তু নিষ্ঠুর ও বর্বর প্রকৃতির হওয়ায় তিনি সৈন্যদের আমোদ-প্রমোদ আর দূর্নীতিমূলক কাজ করতে দেন যাতে জনগণের ওপর তিনি তাঁর আত্মসাৎ প্রবণতা চরিতার্থ করতে পারেন। অন্যদিকে নিজের মর্যাদা রক্ষা না করে তিনি প্রায়ই গ্ল্যাডিয়েটরদের সঙ্গে প্রতিদ্বন্দ্বিতা করতে আসরে নেমে পড়তেন এবং আরও অনেক নীচ কাজ করতেন যা তাঁর রাজকীয় গরিমার যোগ্য নয় যার ফলে তিনি সৈন্যদের বিরাগভাজন হয়ে পড়েন, এক দল তাঁকে ঘৃণা করত অন্য দল অবজ্ঞার চোখে দেখত আর পরিণামে তাঁর বিরুদ্ধে ষড়যন্ত্র হয় এবং তিনি নিহত হন।

ম্যাক্সিমিনাস-এর চরিত্র সম্পর্কে আলোচনা বাকি রয়ে গেছে। তিনি একজন যুদ্ধাভিলাষী ব্যক্তি ছিলেন এবং সৈন্যরা পূর্বোল্লেখিত আলেকজান্ডার-এর মেয়েলিপনায় বিরক্ত হয়ে তাঁকে হত্যা করে ম্যাক্সিমিনাসকে সিংহাসনে বসায়। তিনি তা বেশি দিন বজায় রাখতে পারেননি কারণ দুটি বিষয় তাঁকে ঘৃণা ও অবজ্ঞার পাত্র করে দিয়েছিল। প্রথমত থ্রেশ অঞ্চলে তাঁর মেষপালনে নিযুক্ত থাকা যার জন্য তাঁর প্রতি মানুষের ঘৃণা জন্মেছিল (এটি সকলেই জানত এবং প্রত্যেকের কাছেই ব্যাপারটা অমর্যাদাকর মনে হত) এবং দ্বিতীয়ত তাঁর রোমে গিয়ে সিংহাসনের অধিকার নিতে দেরি করা যার জন্য তাঁর রাজত্ব দখল বিলম্বিত হয়েছিল। এছাড়াও তিনি হিংস্রতার জন্য কুখ্যাত হয়েছিলেন কারণ তাঁর নিযুক্ত প্রশাসকরা রোম ও সাম্রাজ্যের অন্যত্র নিষ্ঠুর ব্যবহার করত যার ফলে গোটা পৃথিবী তাঁর হীন জন্মের জন্য ক্রুদ্ধ ছিল এবং তাঁর বর্বরতাকে ভয় পেত। প্রথমে আফ্রিকা বিদ্রোহ করে, তারপর সেনেট সহ রোমের সকল মানুষ এবং গোটা ইতালি তাঁর বিরুদ্ধে ষড়যন্ত্র করে যার মধ্যে তাঁর

সৈন্যবাহিনীকেও যুক্ত করা যেতে পারে যারা অ্যাকুইলিয়া দখল করতে গিয়ে সমস্যার সম্মুখীন হয়ে তাঁর নিষ্ঠুরতায় বিরক্ত হয়ে ওঠে এবং অনেককেই তাঁর বিরুদ্ধে দেখে নির্ভয়ে তাঁকে হত্যা করে।

হেলিওগ্যাবালাস, ম্যাক্সিনাস বা জুলিয়ান, যাঁরা আগাগোড়া ঘৃণ্য প্রতিপন্ন হয়ে অচিরেই মুছে গিয়েছিলেন তাঁদের কথা আমি আলোচনা করতে চাই না কিন্তু আমি আমার বক্তব্য শেষ করব এই কথা বলে যে, আমাদের সময়কার শাসকেরা তাঁদের সৈন্যদের অযৌক্তিক সুবিধা দিতে অনেক কম সমস্যায় পড়েন কারণ যদিও তাদের কিছুটা প্রশ্রয় দিতে হয় যা শীঘ্রই দেওয়া হয় কিন্তু এই শাসকদের কারোই এমন সৈন্যবাহিনী নেই যারা নিয়ন্ত্রণ ও অঙ্গরাজ্য প্রশাসনে রোমান সাম্রাজ্যের সৈন্যবাহিনীর মতো অভিজ্ঞ। তখন যেখানে জনগণের চেয়ে সৈন্যদের দাবি পূরণ বেশি জরুরি ছিল সেখানে এখন তুর্কি বা সোলডান ছাড়া সব শাসকের কাছেই সৈন্যদের চেয়ে জনগণকে খুশি রাখা বেশি প্রয়োজনীয় কারণ জনগণই সর্বাধিক ক্ষমতাসম্পন্ন।

তুর্কি শাসককে আমি বাদ দিয়েছি কারণ তাঁর চারপাশে সর্বদা বারো হাজার পদাতিক আর পনেরো হাজার অশ্বারোহী সৈন্য ঘিরে থাকে যাদের ওপর রাজ্যের সুরক্ষা ও শক্তি নির্ভরশীল এবং জনগণের জন্য যাবতীয় চিন্তা সরিয়ে রেখে তাদের বন্ধুভাবাপন্ন রাখা জরুরি। সোলডান-এর রাজ্যও অনুরূপ যা সম্পূর্ণত সৈন্যদের হাতে আর তাই আবার জনগণের কথা না ভেবে তাদের নিজ পক্ষে রাখা সেখানে শাসকের কর্তব্য। কিন্তু আপনাদের অবশ্যই মনে রাখতে হবে যে সোলডান-এর রাষ্ট্র অন্য রাজত্বের মতো নয় যেহেতু সেটি খ্রিষ্টীয় পোপ শাসিত রাজ্যের মতো যা উত্তরাধিকার সূত্রে প্রাপ্ত বা নবগঠিত রাজত্ব নয় কারণ পুরোনো শাসকের পুত্ররা উত্তরাধিকারী হয় না বরং আইনসম্মত ক্ষমতাসম্পন্নদের দ্বারা নির্বাচিত ব্যক্তি শাসকের পদে বসেন আর পুত্ররা শুধু অভিজাতবর্গ হয়ে থাকে। এটি একটি প্রাচীন প্রথা হওয়ায় এই রাজত্বকে নবগঠিত রাজত্ব বলা যায় না কারণ নতুন রাজত্বে যে সব সমস্যা হয় তার কোনোটিই এখানে দেখা দেয় না। যদিও শাসক নতুন, কিন্তু রাষ্ট্রের সংবিধান পুরোনো এবং এটি এমনভাবে গঠিত যাতে তাঁকে উত্তরাধিকারী অধীশ্বর হিসেবে গ্রহণ করা হয়।

কিন্তু আমাদের আলোচিত বিষয়বস্তুতে ফিরে গিয়ে আমি বলব যে যিনি এটি বিবেচনা করবেন তিনি স্বীকার করবেন যে হয় ঘৃণা বা অবজ্ঞা পূর্বোল্লেখিত সম্রাটদের জন্য ধ্বংসাত্মক হয়েছিল এবং এটাও বোঝা যাবে কীভাবে এমন ঘটেছিল যে তাঁদের

মধ্যে একদল একভাবে কাজ করেছিলেন আর অন্যদল অন্যভাবে এবং দু-দলেরই শুধু একজন করে শুভ পরিণতি লাভ করেছিলেন অন্যেরা অশুভ পরিণতির সম্মুখীন হয়েছিলেন। পার্টিনাক্স ও আলেকজান্ডার নতুন শাসক হওয়ায় তাঁদের পক্ষে অনুপযোগী ও বিপজ্জনক হত মার্কাসকে নকল করা যিনি উত্তরাধিকার সূত্রে রাজত্ব পেয়েছিলেন। তেমনই ক্যারাকালা, কমোডাস ও ম্যাক্সিডাস-এর পক্ষে চরম ক্ষতিকর হত সেভেরাসকে অনুকরণ করা কারণ তাঁর পথে চলার মতো বীরত্ব তাঁদের ছিল না। সুতরাং একজন নবাগত শাসক মার্কাস-এর কর্মধারা অনুকরণ করতে পারেন না আবার সেভেরাস-এর পদ্ধতিও অনুসরণ করার প্রয়োজন নেই। সেভেরাস-এর থেকে তাঁর সেইটুকু গ্রহণ করা উচিত যা রাষ্ট্র স্থাপনে প্রয়োজনীয় এবং আগে থেকেই সুস্থিত ও দৃঢ় একটি রাষ্ট্রকে রক্ষা করতে যথাযথ ও গৌরবময় বিষয়গুলি গ্রহণ করা উচিত মার্কাস-এর থেকে।

২০

দুর্গ ও অন্যান্য যা কিছুর সাহায্য শাসক প্রায়শই গ্রহণ করেন তা সুবিধাজনক না ক্ষতিকর?

১. কোনো কোনো শাসক তাঁদের রাজ্যকে নিরাপদ রাখতে প্রজাদের নিরস্ত্র করেছিলেন, কেউ তাঁদের অধীনস্থ নগরগুলিকে বিভিন্ন উপদলে বিভক্ত করেছিলেন, কেউ তাদের মধ্যে শত্রুতা জিইয়ে রেখেছিলেন, কেউ কেউ সরকার গঠনের সময় যাদের অবিশ্বস্ত মনে হয়েছিল তাদের স্বপক্ষে আনতে ব্যস্ত থেকেছিলেন। কোনো শাসক একাধিক দুর্গ নির্মাণ করেছিলেন, আবার কেউ সেগুলি ধ্বংস করেছিলেন। এই সমস্ত বিষয়ে চূড়ান্ত রায় দেওয়া কারো পক্ষে সম্ভব নয় যদি না তিনি বিচার্য রাজ্যের বৈশিষ্ট্য সম্পর্কে সম্যকরূপে অভিহিত থাকেন। আমি বিষয়টির গুরুত্ব অনুসারে যতটা সম্ভব বিস্তারিত বর্ণনা দেব।

২. কোনো নবনিযুক্ত শাসক কখনো তাঁর প্রজাদের নিরস্ত্র রাখেননি, বরং তাদের নিরস্ত্র দেখলে তাদের হাতে অস্ত্র তুলে দিয়েছেন কারণ হাতে আপনার দেওয়া অস্ত্র থাকলে অবিশ্বস্তরা আপনার বিশ্বস্ত হয়ে উঠবে আর আগে থেকেই বিশ্বাসভাজন ব্যক্তিরা তেমনই থেকে যাবে এবং প্রজাকুল আপনার অনুগামী হবে। যদিও সব প্রজার হাতে অস্ত্র তুলে দেওয়া সম্ভব নয় তবু যাদের আপনি সশস্ত্র করবেন তারা অনুগৃহীত হবে আর অন্যদেরও সহজেই সামলানো যাবে। আপনার আচরণের এই তারতম্য বুঝে সশস্ত্ররা আপনার ওপর নির্ভরশীল হবে এবং যারা সর্বাধিক বিপদের ঝুঁকি নেবে ও পরিষেবা দেবে তারাই সর্বাধিক পুরস্কৃত হবে এই কথা বুঝে অন্যরা আপনাকে ক্ষমা করে দেবে। কিন্তু যদি আপনি তাদের নিরস্ত্র করে দেন তবে তাতে প্রকাশ পাবে যে তাদের ভীরুতা

বা অনানুগত্যের জন্য আপনি তাদের বিশ্বাস করেন না এবং দুটি ক্ষেত্রেই আপনার বিরুদ্ধে ঘৃণা জন্ম নেবে। এবং যেহেতু আপনি নিরস্ত্র থাকতে পারবেন না তাই আপনাকে ভাড়াটিয়া সৈন্যবাহিনীর সাহায্য নিতে হবে যাদের চরিত্র আগেই দেখানো হয়েছে। যদি তারা ভালোও হয় শক্তিশালী শত্রু বা অবিশ্বাসী প্রজাদের প্রতিহত করতে তারা সক্ষম হবে না। তাই, যেমন বলেছি, একটি নতুন রাজত্বে নবনিযুক্ত শাসক সর্বদা অস্ত্র বিতরণ করে থাকেন। ইতিহাসে এর অজস্র উদাহরণ আছে। কিন্তু যখন কোনো শাসক নতুন রাজ্য দখল করেন এবং সেটিকে তাঁর পুরোনো রাজ্যের একটি অঙ্গরাজ্য হিসেবে সংযুক্ত করেন তখন সেই রাজ্যে তাঁর অনুগামী ছাড়া বাকিদের নিরস্ত্র করা প্রয়োজন। তাদেরও সময় সুযোগ অনুযায়ী দুর্বল করে দেওয়া উচিত এবং পরিস্থিতি এমনভাবে নিয়ন্ত্রণ করা উচিত যাতে আপনার পুরোনো রাজত্বে আপনার পাশে থাকা সৈন্যরাই শুধু নতুন রাজ্যে সশস্ত্র অবস্থায় থাকে।

৩. আমাদের পূর্বপুরুষ এবং জ্ঞানী হিসেবে গণ্য ব্যক্তিরা বলতেন, পিস্তোইয়া দখলে রাখতে গেলে উপদল তৈরি করতে হবে আর পিসার জন্য দুর্গ এবং এই ধারণা থেকে তাঁরা কিছু করদ নগরের ওপর সহজে আধিপত্য বজায় রাখতে সেখানে বিবাদকে প্রশ্রয় দিয়েছিলেন। এটা হয়তো সেই সময় যথেষ্ট কার্যকরী ছিল যখন ইতালিতে এক ধরনের স্থিতি ছিল কিন্তু আমি বিশ্বাস করি না যে এই নীতি আজকের দিনে গৃহীত হবে কারণ মনে হয় না দলাদলি কখনোই কাজে লাগে বরং নিশ্চিত করে বলা যায় যে, যখন শত্রু আপনাকে আক্রমণ করবে এবং আপনার নগরগুলি বিচ্ছিন্ন থাকবে, আপনার পরাজয় অনিবার্য যেহেতু দুর্বলতম দল সর্বদাই বাইরের শক্তিকে সাহায্য করবে আর অন্যরা প্রতিরোধ করতে অসমর্থ হবে। আমার বিশ্বাস উপরোক্ত যুক্তি মেনেই ভেনিসীয়রা তাদের করদ নগরগুলিতে গুয়েল্‌ফ্ আর গিবেলিন গোষ্ঠীদের উৎসাহ দিত এবং যদিও তাদের মধ্যে রক্তপাত ঘটতে দেয়নি তবু তাদের মধ্যে বিতর্ক জিইয়ে রাখত যাতে নাগরিকরা নিজেদের মতান্তরের কারণে ভেনিসীয়দের বিরুদ্ধে একতাবদ্ধ না পারে। পরবর্তীকালে, আমরা দেখেছি, এই নীতি আশানুরূপ ফল দেয়নি কারণ ভায়লা-তে পরাজয়ের পর একটি দল সাহস করে রাজ্য দখল করে নেয়। সুতরাং এই পদ্ধতি শাসকের দুর্বলতা সূচিত করে কারণ এই ধরনের উপদল কোনো শক্তিশালী রাজত্বে মেনে নেওয়া হবে না;

প্রজাদের নিয়ন্ত্রণে রাখার জন্য এই ধরনের পদ্ধতি শুধু শান্তির সময়েই কাজে লাগতে পারে, যদি যুদ্ধ লাগে এই নীতি ভ্রান্ত প্রমাণিত হবে।

৪. নিঃসন্দেহে বলা যায়, শাসকেরা মহান হন সামনে আসা বাধা বিপত্তি জয় করার মাধ্যমে আর তাই যে নতুন শাসকের খ্যাতি অর্জন করা একজন উত্তরাধিকার সূত্রে শাসক হওয়া ব্যক্তির তুলনায় বেশি প্রয়োজন তাঁকে যখন ভাগ্যদেবী মহান করতে চান তখন তাঁর বিরুদ্ধে শত্রু ও প্রতিকূল পরিস্থিতি তৈরি করেন যাতে শাসক তাদের জয় করে, যেন শত্রুদের তৈরি করা মই বেয়ে, আরও উচ্চতায় আরোহণ করতে পারেন। এই কারণেই অনেকে মনে করেন যে একজন বিজ্ঞ শাসকের উচিত সুযোগ পেলে নিজের বিরুদ্ধে শত্রুতা জিইয়ে রাখা যাতে তা দমন করে তিনি আরও খ্যাতিমান হতে পারেন।

৫. শাসকেরা, বিশেষত নব্য শাসকেরা শাসনকালের শুরুতে যাদের ওপর আস্থা রেখেছিলেন তাদের থেকে বেশি আনুগত্য ও সহায়তা পেয়েছেন শুরুতে যাদের ওপর আস্থা রাখা হয়নি তাদের থেকে। সিয়েনা-র শাসক প্যানডোল্ফো পেত্রুচি অন্যদের তুলনায় তাদের সাহায্যেই তাঁর রাজ্য শাসন করেছেন বেশি যাদের তিনি গোড়ার দিকে বিশ্বাস করেননি। কিন্তু এই প্রশ্নে সাধারণভাবে কিছু বলা যায় না কারণ ব্যক্তিবিশেষে এর তারতম্য হয়। আমি শুধু বলব যে, যারা শাসনকালের শুরুতে বিরোধী থাকে তারা যদি সেই শ্রেণীর হয় যাদের ভরণপোষণের জন্য অন্যের সহায়তা লাগে তবে সবচেয়ে সহজে তাদের বাগে আনা যায় এবং তারা আনুগত্যের সঙ্গে শাসকের সেবা করে চলে যেহেতু তারা জানে, অতীতে তাদের প্রতি জন্মানো বিরূপ ধারণা কাজের মাধ্যমে মুছে ফেলা প্রয়োজন আর তাই শাসক তাদের থেকে বেশি লাভ করতে পারে অন্যদের চেয়ে যারা কর্মসুরক্ষার কারণে কাজে অবহেলা করতে পারে। বিষয়টির চাহিদা মেনে আমি গোপন সাহায্যে নতুন রাজ্য দখল করা শাসককে এই বলে সতর্ক করব যে তাঁর উচিত যারা তাকে সাহায্য করেছে তাদের সহায়তার কারণ বিবেচনা করা। যদি তারা তাঁর প্রতি স্বাভাবিক অনুরাগের বদলে তাদের সরকারের প্রতি অসন্তোষজনিত কারণে তাঁকে সাহায্য করে থাকে তবে তাদের বন্ধুভাবাপন্ন রাখতে সমস্যায় পড়তে হবে কারণ তাদের সন্তুষ্ট করা অসম্ভব হয়ে দাঁড়াবে। প্রাচীন ও আধুনিক কাল থেকে নেওয়া উদাহরণগুলি বিচার করলে আমরা দেখব, যারা আগের সরকারের অধীনে সুখী ছিল তাদের

বন্ধু করে নেওয়া শাসকের কাছে সহজতর হয়েছে কিন্তু যারা অসন্তুষ্ট হয়ে তাঁকে সাহায্য করেছে এবং রাজ্য দখলে উৎসাহিত করেছে তাদের ক্ষেত্রে এ কাজ সহজ হয়নি।

৬. রাজ্যপাট সুরক্ষিত রাখতে শাসকদের মধ্যে প্রথা আছে দুর্গ তৈরি করার যা সম্ভাব্য বিরোধীদের বশ করতে এবং শত্রুর আক্রমণের শুরুতে আশ্রয়স্থল হিসেবে ব্যবহার করা যেতে পারে। আমি এই প্রথার প্রশংসা করি কারণ পূর্বকালে এটি কাজে এসেছে। যদিও আমাদের সময়ে মেসার নিকোলো ভিতেল্লি-কে দেখা গেছে সিটা ডি কাসেল্লোতে দুটি দুর্গ ধ্বংস করতে যাতে তিনি সেই রাজ্য দখলে রাখতে পারেন; উরবিনো-র ডিউক গুইডো উবাল্ডো তাঁর রাজ্য থেকে সিজার বর্জিয়া-র দ্বারা বিতাড়িত হওয়ার পর আবার যখন সেখানে ফিরে আসেন তখন সেখানকার সব দুর্গ মাটিতে মিশিয়ে দিয়েছিলেন এই বিবেচনা করে যে সেগুলি না থাকলে তাঁর পরাজয় কঠিনতর হত; বেন্টিভোগলি বোলোগ্নাতে ফিরে এসে একই সিদ্ধান্ত নিয়েছিলেন। তাই পরিস্থিতি অনুযায়ী দুর্গ কার্যকরী হয় বা হয় না, একদিক দিয়ে তারা কাজে লাগে অন্যদিকে ক্ষতি করে। সংক্ষেপে বলতে গেলে, যে শাসকের বিদেশিদের চেয়ে দেশীয় জনগণের থেকে বেশি ভয় থাকে তাঁর উচিত দুর্গ তৈরি করা কিন্তু যিনি জনগণের চেয়ে বিদেশিদের বেশি ভয় পাবেন তাঁর ও পথে না যাওয়াই ভালো। ফ্রান্সেস্কো স্ফোরজা দ্বারা নির্মিত মিলানের দুর্গ স্ফোরজা পরিবারকে যতটা সমস্যায় ফেলেছে ও ফেলবে রাজ্যের অভ্যন্তরীণ কোনো বিশৃঙ্খলা ততটা পারবে না। এই কারণে উৎকৃষ্টতম দুর্গ হল জনগণের ঘৃণার পাত্র না হওয়া। যদিও আপনার একাধিক দুর্গ থাকে তবু যদি মানুষ আপনার প্রতি বিরূপ হয় তবে সেগুলি আপনাকে রক্ষা করতে পারবে না কারণ আপনার বিরুদ্ধে অস্ত্র তুলে নেওয়া প্রজাদের সাহায্যের জন্য বিদেশি শক্তির অভাব হবে না। আমাদের সময়ে দুর্গ একমাত্র ফোরলি-র কাউন্টেসের[৪৩]

[৪৩] গ্যালিয়াজ্জো স্ফোরজা ও লক্রেজিয়া ল্যান্ড্রিয়ানির এক কন্যা যাঁর জন্ম হয়েছিল ১৪৬৩ খ্রিষ্টাব্দে আর মৃত্যু ১৫০৯। ফোরলি-র এই কাউন্টেসের কাছেই ম্যাকিয়াভেলিকে পাঠানো হয়েছিল ১৪৯৯ খ্রিষ্টাব্দে। কাউন্টেসের প্রতি লেখা ফরচুনাতি-র চিঠি থেকে এই নিয়োগের কথা জানা যায়। ফরচুনাতি লিখেছেন, 'আমি সিগনরি-র কাছে এসেছি তাঁরা কাকে কখন পাঠাবেন তা জানতে। তাঁরা বলেছেন নিকোলো ম্যাকিয়াভেলি, একজন শিক্ষিত ফ্লোরেন্সীয় অভিজাত যুবক এবং লর্ডস অফ টেন-এর সচিব, অবিলম্বে আমার সঙ্গে রওনা হবেন।' কাউন্ট প্যাসোলিনি রচিত ও পি. সিলভেস্টার কর্তৃক ১৮৯৮ খ্রিষ্টাব্দে অনুবাদিত 'ক্যাথরিন স্ফোরজা' দ্রষ্টব্য।

কাজে লেগেছিল যখন তাঁর স্বামী কাউন্ট জিরোলামো-র মৃত্যু ঘটেছিল কারণ দুর্গের সাহায্যেই তিনি জনগণের আক্রমণ সামলে মিলান থেকে আসা সাহায্যের জন্য অপেক্ষা করতে পেরেছিলেন এবং রাজ্য পুনরুদ্ধার করতে পেরেছিলেন। পরিস্থিতি এমন হয়েছিল যে কোনো বিদেশি শক্তি সেই জনগণকে সাহায্য করতে পারেনি। কিন্তু পরে যখন সিজার বর্জিয়া তাঁকে আক্রমণ করেছিলেন আর দেশের লোক সেই বিদেশি শত্রুদের সঙ্গ দিয়েছিল তখন দুর্গ কোনো কাজে আসেনি। সুতরাং তখন এবং আগেও দুর্গ থাকার চেয়ে জনগণের বিরাগভাজন না হওয়া তাঁর পক্ষে বেশি নিরাপদ হত। এই সমস্ত বিষয় বিবেচনা করে যিনি দুর্গ নির্মাণ করেন এবং যিনি করেন না উভয়েরই আমি প্রশংসা করব আর যিনি দুর্গের ভরসায় জনগণের বিরাগভাজন হওয়াকে গুরুত্ব দেন না তাঁর আমি নিন্দা করব।

২১

সুনাম অর্জনের জন্য একজন শাসকের যেভাবে আচরণ করা উচিত

একজন শাসক সর্বাধিক সম্মান লাভ করতে পারেন মহান উদ্যোগ গ্রহণ ও উৎকৃষ্ট দৃষ্টান্ত স্থাপনের মাধ্যমে। আমাদের সময়ে যেমন পেয়েছেন স্পেনের বর্তমান রাজা অ্যারাগনের ফার্দিনান্দ। তাঁকে প্রায় নব্য শাসকই বলা যেতে পারে, কারণ একজন মামুলি রাজা থেকে খ্যাতি ও গৌরব লাভ করে খ্রিষ্টান সমাজের শীর্ষস্থানীয় রাজা হিসেবে তাঁর উত্তরণ ঘটেছে এবং তাঁর কীর্তিসমূহ বিবেচনা করলে দেখবেন সবগুলিই মহান আর তাদের মধ্যে কয়েকটি অসাধারণ। তাঁর শাসনকালের গোড়ার দিকে তিনি গ্রানাডা আক্রমণ করেন এবং এই উদ্যোগ ছিল তাঁর রাজ্যপাটের ভিত্তি। তিনি প্রথমে কোনো বাধার তোয়াক্কা না করে চুপিসারে কাজটি শুরু করেন কারণ কাস্টিলের ব্যারনরা তখন যুদ্ধের চিন্তায় মগ্ন ছিল, কোনো নতুন কৌশলের কথা তাদের মাথায় আসেনি আর তাই তারা উপলব্ধি করতে পারেনি যে এই উপায়ে তিনি তাদের ক্ষমতা ও কর্তৃত্ব অধিকার করে নিচ্ছেন। তিনি গির্জা ও জনগণের অর্থে তাঁর সৈন্যবাহিনীর ভরণ পোষণ করতে পেরেছিলেন এবং সেই দীর্ঘ যুদ্ধের ফলে এক স্বতন্ত্র সামরিক দক্ষতার ভিত্তি স্থাপন করতে সক্ষম হয়েছিলেন। তদুপরি, সর্বদা ধর্মের নামে বৃহত্তর পরিকল্পনা গ্রহণ করে তিনি শুভ-উদ্দেশ্যপ্রণোদিত নিষ্ঠুরতায় তাঁর রাজ্য থেকে মুর-দের সম্পূর্ণরূপে বিতাড়িত করতে পেরেছিলেন যার থেকে অধিকতর প্রশংসনীয় ও বিরল উদাহরণ আর কিছু হতে পারে না। সেই একই অজুহাতে তিনি আফ্রিকা আক্রমণ করেছিলেন, ইতালির ওপর ঝাঁপিয়ে পড়েছিলেন এবং শেষে ফ্রান্স আক্রমণ করেছিলেন। তাঁর কৃতিত্ব ও পরিকল্পনা সর্বদাই বিশিষ্ট থেকেছে এবং মানুষ উৎকণ্ঠায়, শ্রদ্ধায় সেই বিষয়ে মগ্ন থেকেছে।

তাঁর কীর্তিগুলি একের পর এক এমনভাবে সামনে এসেছে যে মানুষ সেগুলির বিরুদ্ধে কোনো পদক্ষেপ নেওয়ার সময় পায়নি।

আবার, অভ্যন্তরীণ বিষয়ে অসাধারণ নিদর্শন স্থাপনও শাসককে সাহায্য করে যেমন হয়েছে মেসার বার্নাবো দা মিলানোর ক্ষেত্রে যিনি সুযোগ পেলেই নাগরিক জীবনে কোনো ব্যক্তি ভালো বা খারাপ ব্যতিক্রমী কোনো কাজ করলে তাকে কোনো না কোনো উপায়ে পুরস্কৃত করেছেন বা শাস্তি দিয়েছেন যা নিয়ে প্রভূত চর্চা হয়েছে। একজন শাসকের সর্বদা উচিত মহান এবং উল্লেখযোগ্য ব্যক্তি হিসেবে খ্যাতি অর্জনের চেষ্টা করা।

প্রকৃত বন্ধু হওয়া বা সরাসরি শত্রুতা করাও শাসককে শ্রদ্ধার পাত্র করে তোলে, অর্থাৎ, যদি তিনি নির্দ্বিধায় এক পক্ষের বিরুদ্ধে অন্য পক্ষকে সমর্থন করেন তবে তা নিরপেক্ষ থাকার চেয়ে বেশি সুবিধাজনক হয় কারণ যখন আপনার দুই শক্তিশালী প্রতিবেশী যুদ্ধে লিপ্ত হয় তখন একপক্ষ জয়লাভ করলে আপনার ভীতির কারণ ঘটতে পারে। যদি আপনি আপনার অবস্থান ঘোষণা করেন এবং প্রবল যুদ্ধ করেন তবে তা আপনার পক্ষে সুবিধাজনক হবে কারণ নিজের অবস্থান প্রকাশ না করলে আপনি নিশ্চিতভাবে জয়ী পক্ষের রোষে পড়বেন যাতে বিজিত পক্ষ খুশি হবে এবং আপনি তখন কোনো যুক্তি দেখাতে বা নিজেকে রক্ষা করতে পারবেন না, কারও আশ্রয়ও পাবেন না। যে জয়ী হবে সে তেমন সন্দেহজনক বন্ধু চাইবে না যে বিপদের সময়ে পাশে থাকবে না আবার বিজিত পক্ষও আপনাকে আশ্রয় দেবে না কারণ আপনি স্বেচ্ছায় অস্ত্র হাতে নিয়ে তার দুর্ভাগ্য আটকাতে এগিয়ে আসেননি।

অ্যাটোলিয়ানদের দ্বারা প্রেরিত হয়ে অ্যান্টিওকাস গ্রিসে গিয়েছিলেন রোমানদের বিতাড়িত করতে। তিনি রোমানদের বন্ধু অ্যাচিয়ানদের কাছে দূত পাঠিয়েছিলেন নিরপেক্ষ থাকার অনুরোধ জানিয়ে আবার অন্যদিকে রোমানরা তাদের কাছে আবেদন জানিয়েছিল যুদ্ধে অংশ নিতে। এই বিষয়ে অ্যাচিয়ানদের কাউন্সিলে আলোচনা হয়েছিল যেখানে অ্যান্টিওকাসের প্রতিনিধি তাদের নিরপেক্ষ থাকার জন্য আবেদন করেছিল। তাতে রোমান রাজদূত উত্তর দিয়েছিলেন, 'এই যে বলা হল যুদ্ধে অংশ না নেওয়া আপনাদের রাষ্ট্রের পক্ষে মঙ্গলজনক হবে তার চেয়ে ভ্রান্ত আর কিছু হতে পারে না, কারণ নিরপেক্ষ থাকলে আপনারা বিজয়ী পক্ষের পুরস্কারের জন্য বিবেচিত হবেন না।' তাই সর্বদাই এমন ঘটবে যে, যিনি আপনার বন্ধু নন তিনি চাইবেন আপনি নিরপেক্ষ থাকুন আর আপনার বন্ধু প্রার্থনা করবেন আপনি তাঁর

পক্ষ নিয়ে যুদ্ধ ঘোষণা করুন। অপ্রতিভ শাসক বর্তমান বিপদ এড়াতে সাধারণত নিরপেক্ষতা অবলম্বন করেন এবং সাধারণত বিনষ্ট হন। কিন্তু যখন কোনো শাসক এক পক্ষের জন্য সমর্থন ঘোষণা করেন এবং যদি তাঁর মিত্রপক্ষ জয়ী হয় তবে শক্তিশালী ও স্বায়ত্বাধীন হলেও বিজয়ী তাঁর প্রতি কৃতজ্ঞ থাকেন, একটি সৌহার্দ্যের সম্পর্ক তৈরি হয় আর মানুষ কখনোই সাহায্যকারীকে নিপীড়ন করে নির্লজ্জতার নিদর্শন স্থাপন করতে চায় না। সর্বোপরি বিজয় কখনো এত সম্পূরিত হয় না যে জয়ী শ্রদ্ধাশীল হবে না, বিশেষত ন্যায়ের প্রতি। কিন্তু আপনার মিত্রপক্ষ যদি পরাজিত হয় তবে হয়তো আপনি তাঁর কাছে আশ্রয় পেতে পারেন এবং যখন তিনি সমর্থ হবেন তখন আপনাকে সাহায্য করতে পারেন, ভবিষ্যতের কোনো সৌভাগ্যোদয়ে আপনারা পরস্পরের সঙ্গী হতে পারেন।

দ্বিতীয় ক্ষেত্রে, যদি যুযুধান দুই পক্ষের মধ্যে কে বিজয়ী হবে সে বিষয়ে আপনার দুশ্চিন্তা না থাকে তবে যুদ্ধে সংযুক্ত হওয়া বেশি বিচক্ষণতার লক্ষণ হবে কারণ আপনি এক পক্ষের সহায়তায় অন্যপক্ষকে ধ্বংস করেছেন যে জ্ঞানসম্পন্ন হলে নিজেকে রক্ষা করতে পারত এবং বিজয়ীপক্ষ আপনার সহায়তা না পেলে জয়লাভ করতে পারত না বলে আপনার আয়ত্ত্বে থাকবে। এখানে মনে রাখতে হবে যে নিতান্ত বাধ্য না হলে একজন শাসকের কখনোই উচিত নয় তাঁর চেয়ে শক্তিশালী কারও সঙ্গে মিত্রতা করে উপরে বর্ণিত ঘটনার মতো তৃতীয় পক্ষকে আক্রমণ করা কারণ তিনি জয়ী হলে আপনি তাঁর আয়ত্ত্বে থাকবেন আর অন্যের আয়ত্ত্বাধীন হওয়া এড়িয়ে চলাই শাসকের কর্তব্য। ভেনিসীয়রা মিলানের ডিউকের বিরুদ্ধে ফ্রান্সের সঙ্গে যোগ দিয়েছিল, যে মিত্রতা, যা তাদের পতন ডেকে এনেছিল অনায়াসে এড়ানো যেত। কিন্তু যদি এড়িয়ে চলা সম্ভব না হয় যেমন ঘটেছিল ফ্লোরেন্সীয়দের ক্ষেত্রে যখন পোপ ও স্পেন লম্বার্ডি আক্রমণ করতে সৈন্যবাহিনী পাঠিয়েছিল তবে শাসকের উচিত কোনো এক পক্ষকে সমর্থন করা।

কখনোই কোনো সরকার ভাবে না যে তারা সম্পূর্ণ নিরাপদ পন্থা অবলম্বন করতে পারবে বরং তারা অনিশ্চিত পথ বেছে নেওয়ারই আশা করে কারণ সাধারণভাবে দেখা যায় একটি সমস্যা এড়িয়ে গেলে অন্য একটি এসে পড়ে। কিন্তু বিচক্ষণতা হল সমস্যাগুলির চরিত্র বিচার করে কম মন্দটি বেছে নেওয়া।

একজন শাসকের উচিত দক্ষতার পৃষ্ঠপোষক হিসেবে নিজেকে তুলে ধরা এবং যে কোনো ক্ষেত্রে কুশলীকে সম্মান করা। সেই সঙ্গে তাঁর উচিত নাগরিকদের

শান্তিতে তাদের বৃত্তি নির্বাহ করতে দেওয়া, বাণিজ্য বা কৃষি উভয় ক্ষেত্রেই, এবং অন্যান্য পরবর্তী কাজে, যাতে কেউ হারানোর ভয়ে সম্পদ বৃদ্ধিতে নিরস্ত না হয় বা কেউ করের ভয়ে ব্যবসা শুরু বন্ধ রাখে বরং শাসকের উচিত এইসব কাজে উৎসাহী ব্যক্তিদের পুরস্কৃত করা এবং কোনোভাবে তাঁর নগর বা রাষ্ট্রকে সম্মানিত করার পরিকল্পনা করা।

তদুপরি, তাঁর উচিত বছরের উপযুক্ত সময়ে উৎসব বা প্রদর্শনীর আয়োজন করে জনগণকে বিনোদন দেওয়া এবং যেহেতু প্রত্যেক নগর বিভিন্ন সমবায় সংঘ বা সমিতিতে[৪৪] বিভক্ত থাকে, তাঁর উচিত এই সব প্রতিষ্ঠানকে সম্মান জানানো, কখনো তাদের সহযোগী হওয়া এবং নিজেকে সৌজন্য ও উদারতার নিদর্শন প্রতিপন্ন করা যদিও সর্বদাই তাঁর পদের গরিমা বজায় রেখে কিন্তু সেই কারণে কোনো কিছুতে কমতি না করে।

[৪৪] সংঘ বা সমিতি ছিল কারুশিল্প বা ব্যবসার সংগঠন।

২২

শাসকদের সচিবদের বিষয়ে

শাসকের কাছে কর্মচারী নির্বাচন একটি গুরুত্বপূর্ণ বিষয় এবং তারা উপযুক্ত কিনা তা নির্ভর করে শাসকের বিচারের ওপর। একজন শাসক বা তাঁর বিবেচনাবোধ সম্পর্কে প্রাথমিক ধারণা করা যায় তাঁর চারপাশের মানুষদের দেখে এবং তারা যদি দক্ষ ও বিশ্বস্ত হয় তবে শাসককে প্রাজ্ঞ বলে ধরা হয় কারণ তিনি দক্ষ ব্যক্তিদের চিনতে ও তাদের বিশ্বস্ত রাখতে জানেন। কিন্তু যখন তারা অন্যরকম প্রতিপন্ন হয় তখন শাসক সম্পর্কে ভালো ধারণা হয় না কারণ প্রথম ভুল তিনি করেছেন তাদের নির্বাচন করে।

সিয়েনার রাজা প্যান্‌ডোল্‌ফো পেত্রুচির কর্মচারী হিসেবে মেসার অ্যান্টোনিও দা ভেনাফ্রো-কে যাঁরা জানেন তাঁরা ভেনাফ্রোকে নিয়োগের জন্য প্যান্‌ডোল্‌ফোকে একজন চতুর ব্যক্তি হিসেবেই গণ্য করবেন। কারণ তিন ধরনের বুদ্ধিবৃত্তি আছে; প্রথম, যা নিজেই উপলব্ধি করে, দ্বিতীয়, যা অন্যের উপলব্ধিকে পছন্দ করে এবং তৃতীয়, যা নিজেও উপলব্ধি করে না আর অন্যদের প্রদর্শনও বোঝে না। প্রথমটি সর্বোৎকৃষ্ট, দ্বিতীয়টি ভালো আর তৃতীয়টি অকেজো। সুতরাং, অবশ্যই বলা যায়, যদি প্যান্‌ডোল্‌ফো প্রথম স্তরে না থাকেন দ্বিতীয় স্তরে নিশ্চয়ই ছিলেন কারণ নিজে না বুঝলেও অন্যের কথায় যিনি ভালোমন্দের বিচার করতে পারেন তিনি তাঁর কর্মচারীদের মধ্যে কে উপযুক্ত বা নয় তা বুঝতে পারবেন এবং একজনকে প্রশংসা করবেন আর অন্যজনকে শুধরে দেবেন যাতে কর্মচারী তাঁকে ঠকাতে না পারে এবং সৎ থাকে।

কর্মচারী সম্পর্কে শাসক যাতে ধারণা করতে পারেন তার একটা পরীক্ষা আছে যা কখনো বিফলে যায় না। যখন দেখবেন কর্মচারী আপনার স্বার্থের চেয়ে তার

ব্যক্তিগত স্বার্থের কথা বেশি ভাবছে এবং মনে মনে প্রতি ক্ষেত্রে নিজের লাভের চিন্তা করছে, তেমন ব্যক্তি উপযুক্ত কর্মচারী হতে পারবে না আর আপনিও তার ওপর আস্থা রাখতে পারবেন না কারণ যার হাতে অন্যের ভার আছে তার নিজের কথা ভাবা উচিত নয় বরং সর্বদা তার রাজার বিষয়ে ভাবা উচিত এবং রাজার সঙ্গে সম্পর্কিত নয় এমন বিষয়ে মনোযোগ না দেওয়া উচিত।

অন্যদিকে, কর্মচারীকে সৎ রাখতে শাসকের উচিত তাকে বিশেষভাবে লক্ষ করা, তাকে সম্মান দেওয়া, তার ধনবৃদ্ধি করা, তাকে দয়া দেখানো, তার সঙ্গে সম্মান ও উদ্বেগ ভাগ করে নেওয়া এবং সেই সঙ্গে তাকে বোঝানো যে সে একা বাঁচতে পারবে না যাতে প্রভূত সম্মান তাকে অধিকতর অভিলাষী না করে তোলে, অনেক সম্পদ তাকে আরও পেতে প্রলুব্ধ না করে, অনেক যত্ন পেয়ে সে ভয়ংকর না হয়ে ওঠে। সুতরাং যখন কর্মচারী এবং কর্মচারীর প্রতি শাসক এইরূপ মনোভাব বজায় রাখেন তখন তাঁরা পরস্পরকে বিশ্বাস করতে পারেন কিন্তু যদি এর অন্যথা হয় তবে পরিণতি এক বা অন্যের জন্য সর্বনাশা হবে।

২৩

কীভাবে স্তাবকদের এড়িয়ে চলা উচিত

আমি এই বিষয়ের একটি গুরুত্বপূর্ণ অংশ ছেড়ে যেতে চাইছি না কারণ এটি এমন একটি বিপদ যা থেকে রক্ষা পেতে শাসক সমস্যায় পড়বেন যদি না তিনি যত্নবান ও বিবেচক হন। বিপদটি স্তাবকদের থেকে রাজসভা জুড়ে যাদের অবস্থান কারণ মানুষ নিজের বিষয়ে এত আত্মসন্তুষ্ট, এত আত্মপ্রতারিত যে এই কীটদের থেকে তাদের রক্ষা করা কঠিন এবং যদি তারা নিজেদের রক্ষা করতে চায় তারা অবজ্ঞার দায়ে পড়ে। কারণ স্তাবকদের থেকে নিস্তার পাওয়ার একমাত্র উপায় হল মানুষকে জানানো যে সত্যি কথা শুনলে আপনি রাগ করেন না কিন্তু সবাই সত্য কথা বলতে শুরু করলে আপনার প্রতি শ্রদ্ধা হ্রাস পাবে।

তাই বিচক্ষণ শাসকের উচিত তৃতীয় পন্থা অবলম্বন করে রাজ্যের বিজ্ঞ মানুষদের বেছে নেওয়া এবং শুধু তাঁদেরই তাঁর সামনে সত্যকথনের স্বাধীনতা দেওয়া আর তাও যে বিষয়ে তিনি জানতে চেয়েছেন সেই সম্পর্কে, অন্য বিষয়ে নয়। কিন্তু তাঁর উচিত প্রত্যেক বিষয়ে প্রশ্ন করা, তাঁদের মত শোনা এবং পরে নিজে সিদ্ধান্ত গ্রহণ করা। এই পরামর্শদাতাদের সঙ্গে পৃথকভাবে ও সমষ্টিগতভাবে আলোচনার সময় তাঁর উচিত এমনভাবে নিজেকে প্রতিষ্ঠিত করা যাতে তাঁদের প্রত্যেকেই বোঝেন যে যত খোলাখুলি তিনি কথা বলবেন তত বেশি তিনি গ্রহণযোগ্য হবেন এবং শাসকের উচিত এর বাইরে কারো কথা না শোনা, প্রস্তাবিত বিষয় নিয়ে চিন্তা করা এবং নিজের সিদ্ধান্তে অনড় থাকা। যিনি এরূপ করেন না তিনি স্তাবকদের দ্বারা উৎখাত হন অথবা পরিবর্তমান মতের দ্বারা এত বেশি প্রভাবিত হন যে শেষে উপেক্ষার দায়ে পড়েন।

আমি এই বিষয়ে একটি আধুনিক দৃষ্টান্ত উল্লেখ করতে চাই। বর্তমান সম্রাট ম্যাক্সিমিলিয়ানের[৪৫] প্রিয়পাত্র ফ্রা লুকা তাঁর প্রভু সম্পর্কে বলতে গিয়ে বলেছেন, 'তিনি কারো সঙ্গে আলোচনা করতেন না, তবু কোনো বিষয়েই নিজের পথ ঠিক করতে পারতেন না।' এমনটা ঘটেছিল উপরে বর্ণিত পদ্ধতির বিপরীত অভ্যাসের ফলে, কারণ সম্রাট একজন গোপনীয়তা-প্রিয় মানুষ, তিনি তাঁর পরিকল্পনা কারো কাছে ব্যক্ত করেন না বা সেই বিষয়ে অন্যের পরামর্শ গ্রহণ করেন না। কিন্তু তা বাস্তবায়িত করতে গেলে প্রকাশিত হয়ে পড়ে এবং তাঁর পার্শ্বচররা তৎক্ষণাৎ তাতে বাধা দেয় আর তিনি নমনীয় হয়ে তা থেকে সরে আসেন। ফলত তিনি আজ যা করেন কাল তা বন্ধ করে দেন এবং কেউ বোঝে না যে তিনি কী চান বা কী করতে চান আর কেউ তাঁর সিদ্ধান্তে আস্থা রাখতেও পারে না।

সুতরাং শাসকের উচিত পরামর্শ গ্রহণ করা কিন্তু শুধু তখনই যখন তিনি চাইবেন, অন্যদের ইচ্ছা অনুযায়ী নয়। বরং তাঁর উচিত অযাচিত উপদেশ দেওয়া থেকে অন্যদের বিরত করা। কিন্তু তাঁকে সর্বদা অনুসন্ধিৎসু থাকতে হবে, অন্বেষিত বিষয়ে মনোযোগী শ্রোতা হতে হবে এবং কেউ সত্য গোপন করেছে জানতে পারলে ক্রোধ প্রকাশও করতে হবে।

যদি কেউ ভাবেন যে এর ফলে কোনো শাসকের প্রজ্ঞা তাঁর নিজস্ব বলে প্রতীয়মান না হয়ে তাঁর পাশে থাকা পরামর্শদাতাদের বলে মনে হবে তবে নিঃসন্দেহে তিনি ভুল করবেন কারণ একটি অব্যর্থ স্বতঃসিদ্ধ নীতি হল: শাসক নিজে বিজ্ঞ না হলে কখনো সুপরামর্শ গ্রহণ করবেন না যদি না তিনি কোনো বিচক্ষণ ব্যক্তিকে তাঁর কর্মভার অর্পণ করে থাকেন। সেক্ষেত্রে তিনি বাস্তবিকই সঠিকভাবে চালিত হতে পারেন কিন্তু তা বেশি দিনের জন্য নয়, কারণ তেমন নিয়ন্ত্রক অচিরেই তাঁর থেকে রাজ্য কেড়ে নেবেন।

কিন্তু যদি কোনো অভিজ্ঞ শাসক একাধিক ব্যক্তির পরামর্শ গ্রহণ করেন তবে তিনি কখনোই সুসমঞ্জস পরামর্শ পাবেন না বা তাদের মধ্যে সামঞ্জস্য ঘটাতে পারবেন না। প্রত্যেক পরামর্শদাতাই তাঁর নিজের স্বার্থের কথা ভাববেন আর শাসক ভেবে পাবেন না কীভাবে তাঁদের নিয়ন্ত্রণ করবেন বা তাঁদের মনোভাব বুঝবেন।

[৪৫] প্রথম ম্যাক্সিমিলিয়ান। জন্ম ১৪৫৯, মৃত্যু ১৫১৯, পবিত্র রোমান সাম্রাজ্যের সম্রাট। তিনি প্রথমে বিবাহ করেছিলেন 'সাহসী চার্লস'-এর কন্যা মেরিকে এবং তাঁর মৃত্যুর পর বিয়ান্কা স্ফোরজাকে বিবাহ করে ইতালীয় রাজনীতিতে জড়িয়ে পড়েন।

পরামর্শদাতারা অন্যরকমও হবেন না কারণ বাধ্য না করা হলে মানুষ আপনার প্রতি বিশ্বস্ত হবে না। সুতরাং এই সিদ্ধান্তে আসা যায় যে সুপরামর্শ যখনই আসুক তা শাসকের বিজ্ঞতাপ্রসূত হবে। শাসকের বিজ্ঞতা সুপরামর্শপ্রসূত হবে না।

২৪

ইতালির শাসকেরা কেন তাঁদের রাজত্ব হারিয়েছিলেন

পূর্ববর্তী পরামর্শগুলি সযত্নে পালন করা হলে অনেকদিন শাসনকার্য চালিয়ে যাওয়া ব্যক্তির চেয়ে একজন নব্য শাসক বেশি প্রতিষ্ঠা পাবেন এবং রাজ্যে ক্ষমতাসীন ও সুরক্ষিত থাকবেন। যেহেতু উত্তরাধিকারী শাসকের চেয়ে নব্য শাসকের কর্মধারা অধিক তীক্ষ্ণতার সঙ্গে লক্ষ করা হয়, তিনি সমর্থ বিবেচিত হলে বেশি মানুষের সমর্থন পাবেন, দৃঢ়বদ্ধ হবেন যা প্রাচীন শাসকের ক্ষেত্রে হবে না কারণ মানুষ অতীতের চেয়ে বর্তমানের প্রতি বেশি আকৃষ্ট হয় আর বর্তমানকে উপযুক্ত দেখলে তারা খুশি থাকবে, অন্যকিছু চাইবে না, অন্যান্য বিষয়ে তিনি তাদের হতাশ না করলে তারা সর্বতোভাবে শাসককে সুরক্ষা যোগাবে। তাই নতুন রাজত্ব প্রতিষ্ঠা করে তাকে উপযুক্ত আইন ও সৈন্যবাহিনী দিয়ে, যথাযথ সুহৃদ দিয়ে এবং সুনজির স্থাপন করে সজ্জিত ও শক্তিশালী করে তুললে দ্বিগুণ গৌরব অর্জন করা যাবে আর জন্মগত শাসক বিচক্ষণতার অভাবে রাজ্য হারালে তা দ্বিগুণ অসম্মানজনক হবে।

আমাদের সময়ে ইতালিতে নেপল্‌স্-এর রাজা, মিলানের ডিউক সহ অন্য যে সব মহাশয় রাজত্ব হারিয়েছিলেন তাঁদের কথা বিবেচনা করলে কিছু সাধারণ বৈশিষ্ট্য দেখা যাবে। প্রথমত, সামরিক বিষয়ে তাঁদের কিছু ত্রুটি ছিল যার কারণ সম্পর্কে আগেই বিস্তারিত আলোচনা করা হয়েছে। দ্বিতীয়ত, তাঁদের মধ্যে কয়েকজন হয় জনগণকে কুপিত করেছিলেন নয়তো জনগণের সহযোগিতা পেলেও অভিজাতদের সমর্থন বজায় রাখতে পারেননি। এই ত্রুটিগুলি না থাকলে সৈন্যবল সমৃদ্ধ কোনো রাষ্ট্রের পতন ঘটে না।

ম্যাসিডনের ফিলিপ, যিনি মহান আলেকজান্ডারের পিতা নন, যিনি টিটাস কুইন্টিয়াস-এর কাছে পরাজিত হয়েছিলেন, তাঁর রাজ্য রোমানদের মতো বা

আক্রমণকারী গ্রিকদের মতো বিস্তৃত ছিল না তবু একজন রণকুশলী ব্যক্তি, যিনি জানতেন কীভাবে জনগণকে আকর্ষণ করা যায় আর অভিজাতদের সমর্থন পাওয়া যায়, তিনি বহু বছর ধরে শত্রুদের বিরুদ্ধে যুদ্ধ জারি রাখতে পেরেছিলেন এবং শেষে কয়েকটি নগরের অধিকার হারালেও রাজত্ব রক্ষা করেছিলেন।

সুতরাং বহু বছর অধিকারে থাকা রাজ্য হারানোর জন্য আমাদের শাসকেরা যেন ভাগ্যকে দোষারোপ না করেন বরং তাঁদের আলস্যকেই দায়ী করেন কারণ শান্তির সময় তাঁরা কখনো ভাবেননি যে পরিবর্তন আসতে পারে (শান্ত সময়ে ঝড়ের বিরুদ্ধে প্রতিরোধের ব্যবস্থা না করা মানুষের একটি সাধারণ ত্রুটি) আর পরে যখন খারাপ সময় এল তাঁরা নিজেদের রক্ষা করার কথা না ভেবে পালানোর চিন্তা করলেন এবং তাঁরা আশা করেছিলেন যে বিজয়ীর ঔদ্ধত্যে বিরক্ত হয়ে জনগণ আবার তাঁদের ফিরিয়ে আনবে। অন্য সব পদ্ধতি ব্যর্থ হলে এটি কার্যকরী হতে পারে কিন্তু তার জন্য বাকি সমীচীন কর্তব্য অবহেলা করা অত্যন্ত খারাপ কারণ ভবিষ্যতে পুনরুদ্ধার করার জন্য কারো সাহায্য পাবেন এই আশায় নিশ্চয়ই আপনি আপনার পতন চাইবেন না। এইরকম কখনো ঘটে না বা ঘটলেও তাতে আপনার সুরক্ষা বজায় থাকবে না কারণ যে মুক্তি নিজের যোগ্যতায় আসে না তাতে কোনো লাভ হয় না; নিজের চেষ্টায় নিজের বীরত্বে অর্জিত মুক্তিই নির্ভরযোগ্য, নিশ্চিত ও স্থিতিশীল।

২৫

মানুষের জীবনে ভাগ্য কী প্রভাব ফেলতে পারে এবং কীভাবে তার প্রতিরোধ করা যায়

আমি জানি কতজন এই মত পোষণ করেছেন আর আজও করেন যে, জাগতিক বিষয়সমূহ নিয়তি ও ঈশ্বর দ্বারা এতটাই সুনিয়ন্ত্রিত যে মানুষ তার জ্ঞানের সাহায্যে তাদের চালিত করতে পারবে না বা কেউ সাহায্যও করতে পারবে না এবং সেই কারণে তাঁরা আমাদের বিশ্বাস করাতে চান যে, ওইসব বিষয়ে বেশি কষ্ট করার প্রয়োজন নেই সেগুলি দৈবের ওপর ছেড়ে দেওয়াই ভালো। এই মত আমাদের সময়ে বেশি গুরুত্ব পেয়েছে কারণ বড়োসড়ো পরিবর্তন যা কিছু দেখা গেছে বা এখনো প্রতিদিনই দেখা যাচ্ছে তা মানুষের ধারণার বাইরে। এই বিষয়ে চিন্তা করে আমি মাঝে মাঝে তাঁদের মতের দিকেই ঢলে পড়ি। যদিও, স্বাধীন ইচ্ছাশক্তি প্রশমিত না হতে দিয়ে আমি মনে করি ভাগ্যদেবী আমাদের অর্ধেক কর্মের[৪৬] নিয়ন্তা কিন্তু বাকি অর্ধেক বা তার কিছু কম তিনি ছেড়ে রেখেছেন আমাদের হাতে।

আমি ভাগ্যদেবীকে তুলনা করব সেই উদ্দাম নদীর সঙ্গে যা বন্যার সময় সমতলভূমি ডুবিয়ে দেয়, গাছপালা ঘরবাড়ি ভাসিয়ে নিয়ে যায়, এক জায়গার মাটি অন্যত্র বয়ে নিয়ে যায়। যার সামনে সব কিছু উড়ে যায়, সকলেই যার তীব্রতা সহ্য করতে না পেরে আত্মসমর্পণ করে তবু তার এই প্রকৃতি সত্ত্বেও যখন আবহাওয়া অনুকূল হয় তখন বেড়া আর বাঁধ দিয়ে মানুষ এমন ব্যবস্থা করে যাতে আবার জল বাড়লে তা খাল দিয়ে বেরিয়ে যায় এবং তার বেগ নির্বাধ ও বিপজ্জনক না হয়। ভাগ্যদেবীও তেমনি সেখানেই শক্তি প্রদর্শন করেন যেখানে প্রতিরোধের ব্যবস্থা

---

৪৬ মহান ফ্রেডরিক বলতেন, 'বয়স্করা এই ধারণায় বেশি বিশ্বাসী যে মহামহিম রাজা নিয়তি এই দুর্দশাগ্রস্ত বিশ্বজগতের তিন চতুর্থাংশ কাজ করে থাকেন।' সোরেল রচিত *ইস্টার্ন কোয়েশ্চন*।

থাকে না এবং সেখানেই তিনি ক্ষমতার জোর খাটান যেখানে তিনি জানেন তাঁকে আটকাবার মতো বাঁধ গড়া হয়নি।

আর যদি ইতালির কথা বিবেচনা করেন, যা এইসব পরিবর্তনের আসনস্থল এবং যা পরিবর্তনকে ত্বরান্বিত করেছে তবে দেখবেন সেটি বাঁধহীন, প্রতিরক্ষাহীন একটি মুক্ত অঞ্চল। কারণ যদি এটি জার্মানি, স্পেন বা ফ্রান্সের মতো বীরত্ব দ্বারা সুরক্ষিত থাকত তবে বহিরাক্রমণ সেখানে পরিবর্তন ঘটাতে পারত না বা আক্রমণ ঘটতই না। আমার মনে হয় সাধারণভাবে দুর্ভাগ্যের প্রতিরোধ বিষয়ে এই কথাই যথেষ্ট।

তবে বিশেষভাবে বলতে গেলে স্বভাব ও চরিত্রে পরিবর্তন না ঘটালে শাসককে আজ সুখী কাল বিনষ্ট দেখা যেতে পারে। আমার বিশ্বাস, এটি ঘটে প্রথমত সেই কারণে যা আগেই বিস্তারিত আলোচনা করা হয়েছে অর্থাৎ যে শাসক শুধু ভাগ্যের ওপর নির্ভর করে ভাগ্যের পরিবর্তনের সঙ্গে সঙ্গেই তার পতন হয়। আমি এও বিশ্বাস করি যে, যিনি তাঁর কর্মধারাকে সময়ের দাবি মেনে পরিচালিত করেন তিনিই সফল হন এবং যাঁর কাজ সময়ের সঙ্গে তাল মিলিয়ে চলে না তিনি ব্যর্থ হন। কারণ বিভিন্ন ব্যাপারে দেখা গেছে মানুষ শেষপর্যন্ত তার লক্ষ্যে অর্থাৎ মহিমা ও ঐশ্বর্যে পৌঁছোয় নানা পদ্ধতিতে; কেউ সাবধানে, কেউ তাড়াহুড়ো করে; কেউ শক্তির দ্বারা, কেউ দক্ষতার দ্বারা; কেউ ধৈর্যের সঙ্গে, কেউ বিপরীতভাবে; এবং প্রত্যেকেই উদ্দেশ্যসাধনে সক্ষম হয় কিন্তু ভিন্ন ভিন্ন উপায়ে। এও দেখা যায় যে, দুজন সাবধানী মানুষের মধ্যে একজন তার লক্ষ্যে পৌঁছয়, অন্যজন ব্যর্থ হয়; আবার দুজন ভিন্ন রীতিতে সমান সফল হয়, একজন সাবধানী তো অন্যজন আবেগতাড়িত। এই সমস্তই ঘটে একটাই কারণে যে, একজন সময়ের দাবি মেনে তার রীতি নির্ধারণ করছে কিনা। আমি যা বলেছি তাতে এটাই দাঁড়ায় যে, দু-জন ভিন্নভাবে কাজ করেও একই ফল পেতে পারে আবার দুজন একই পদ্ধতি মেনে চললেও একজন লক্ষ্যপূরণ করতে পারে, অন্যজন পারে না।

এর থেকে রাজত্বের পরিবর্তনও ঘটে, কারণ যিনি নিজেকে সাবধানতা ও ধৈর্যের সঙ্গে পরিচালনা করেন তাঁর কাছে সময় ও ঘটনাপ্রবাহ এমনভাবে মিলিত হয় যে তাঁর প্রশাসন সফল হয়, তাঁর সৌভাগ্যের সূচনা হয়, কিন্তু কর্মধারায় পরিবর্তন আনতে না পারলে সময় ও ঘটনাপ্রবাহের বদলের সঙ্গে সঙ্গেই তাঁর পতন ঘটে। কিন্তু একজন মানুষ সব সময় পরিবর্তনের সঙ্গে নিজেকে খাপ খাইয়ে নেওয়ার ব্যাপারে সতর্ক থাকে না, কারণ তার প্রকৃতি তাকে যে পথে চালনা করে তার থেকে

সে বেরিয়ে আসতে পারে না, আবার এক পদ্ধতিতে চলে সর্বদা উন্নতি করার ফলে তাকে বিশ্বাস করানো যায় না যে সেই পদ্ধতি পরিত্যাগ করাই শ্রেয় এবং তাই যখন দুঃসাহসী হওয়ার সময় আসে তখন সাবধানী মানুষ বুঝতেই পারে না কেমন ভাবে তা হওয়া যায় আর ফলস্বরূপ তার পতন ঘটে কিন্তু যদি সময়ের সঙ্গে তাল মিলিয়ে সে তার আচরণ বদলাতে পারত তবে তার ভাগ্যের পরিবর্তন ঘটত না।

পোপ দ্বিতীয় জুলিয়াস হঠকারিতার সঙ্গে কাজ করতেন এবং সময় ও পরিস্থিতি তাঁর কর্মধারার সঙ্গে এমন মানিয়ে গিয়েছিল যে তিনি সর্বদাই সাফল্য পেতেন। মেসার জিওভান্নি বেন্টিভোগলি জীবিত থাকাকালীন বোলোগ্না-র বিরুদ্ধে তাঁর প্রথম অভিযানের কথা ধরা যাক। ভেনিসীয়দের এতে সম্মতি ছিল না, স্পেনের রাজাও সম্মত ছিলেন না আর ফ্রান্সের রাজার সঙ্গে এই অভিযানের বিষয়ে তাঁর আলোচনা চলছিল; তবু তিনি তাঁর স্বভাবজাত সাহসিকতা ও প্রাণশক্তি নিয়ে একাই যুদ্ধে ঝাঁপিয়ে পড়লেন যাতে স্পেন ও ভেনিসীয়দের দ্বিধান্বিত ও নিষ্ক্রিয় অবস্থানে দেখা গেল, দ্বিতীয় পক্ষ ভয়ে আর প্রথম পক্ষ নেপল্স রাজ্য পুনরুদ্ধারের ইচ্ছায়; অন্যদিকে ফ্রান্সের রাজা তাঁর সঙ্গে যোগ দিলেন কারণ এই অভিযান দেখে এবং ভেনিসীয়দের বশ করার জন্য পোপের বন্ধুত্ব পেতে তাঁকে প্রত্যাখ্যান করা তাঁর পক্ষে অসম্ভব ছিল। অতএব জুলিয়াস তাঁর হঠকারী কাজের দ্বারা সেই উদ্দেশ্য সাধন করেছিলেন যা অন্য কোনো পোপ সাধারণ মানবসুলভ বিজ্ঞতা দিয়ে পারেননি, কারণ যদি তিনি পরিকল্পনা ও যাবতীয় ব্যবস্থাপনা সত্ত্বেও অভিযানের সুযোগের অপেক্ষায় রোমে বসে থাকতেন, যা অন্য যে কোনো পোপ করতেন, তবে তিনি সফল হতেন না। কারণ ফ্রান্সের রাজা হাজার অজুহাত দেখাতেন আর অন্যরা হাজার রকম ভয়ের কথা বলত।

তাঁর অন্য সব কাজ আমি সরিয়ে রাখছি যেহেতু সেগুলি একই ধরনের ছিল এবং প্রতিটিই সফল হয়েছিল কারণ স্বল্পায়ু হওয়ার জন্য তাঁকে বিপরীত অভিজ্ঞতার মুখে পড়তে হয়নি, কিন্তু যদি এমন পরিস্থিতি আসত যখন তাঁকে সাবধানতার সঙ্গে এগোতে হত তবে তাঁর পতন ত্বরান্বিত হত কারণ প্রকৃতি তাঁকে যে পথে চালনা করত তার থেকে তিনি বেরিয়ে আসতে পারতেন না।

সুতরাং আমি এই কথা বলে শেষ করব যে, ভাগ্য পরিবর্তনশীল আর মানুষ তার পথে অবিচল থাকলে, যতক্ষণ তাদের মধ্যে সমন্বয় থাকবে ততক্ষণ মানুষ সাফল্য পাবে কিন্তু দুইয়ের মধ্যে বিবাদ ঘটলে পরিণাম ব্যর্থতা। আমার মতে, সাবধানী

হওয়ার চেয়ে হঠকারী হওয়া ভালো কারণ ভাগ্য একজন নারী আর তাকে বশে রাখতে চাইলে তাকে প্রহার করা, তার সঙ্গে দুর্ব্যবহার করা প্রয়োজন এবং দেখা গেছে যারা শান্তভাবে কাজ করে তাদের চেয়ে যারা দুঃসাহসিক ভাগ্য তাদের প্রভুত্ব করার বেশি সুযোগ দিয়েছে। তাই সে সর্বদাই নারী সুলভ যে অল্পবয়সি পুরুষদের পছন্দ করে কারণ তারা কম সাবধানী, বেশি উগ্র এবং অধিক স্পর্ধার সঙ্গে তাকে শাসন করে।

২৬

বর্বরদের হাত থেকে ইতালিকে মুক্ত করতে একটি বিনীত অনুরোধ

পূর্ববর্তী নিবন্ধসমূহের বিষয়বস্তু সযত্নে বিবেচনা করে এবং বর্তমান সময় একজন নব্য শাসকের অনুকূল কিনা বা একজন বিজ্ঞ ও গুণী শাসকের সামনে নতুন আদেশবিধি যা তাঁকে সম্মানিত করবে আর দেশের জনগণের মঙ্গল করবে তা প্রচলনের সুযোগ দেওয়ার মতো উপাদান আছে কিনা তা মনে মনে অনুসন্ধান করে আমার মনে হয়েছে, একজন নতুন শাসকের অনুকূলে এত কিছু একসঙ্গে ঘটছে বলে আমার জানা যে কোনো কালের চেয়ে বর্তমান সময় বেশি উপযুক্ত।

আর যদি, যেমন বলেছি, মোজেসের ক্ষমতা প্রদর্শনের জন্য ইজরায়েলের জনগণের বন্দী থাকা প্রয়োজনীয় হয়ে থাকে, সাইরাসের আত্মার মহানুভবতা আবিষ্কারের জন্য মেডিস-এর দ্বারা পারসিকদের অত্যাচারিত হওয়া যথোপযুক্ত হয়ে থাকে, থেসিয়াসের সামর্থ্য প্রমাণের জন্য এথেনীয়দের ছত্রভঙ্গ হওয়া জরুরি হয়ে থাকে, তবে বর্তমান কালে ইতালির বর্তমান চরম দুর্দশাও প্রয়োজনীয়, যাতে সেই দেশ ইহুদিদের চেয়েও বেশি দাসত্ব ভোগ করে, পারসিকদের চেয়েও বেশি অত্যাচারিত হয়, এথেনীয়দের চেয়েও বেশি ছত্রভঙ্গ হয়; নেতা থাকে না, শৃঙ্খলা থাকে না, প্রহৃত হয়, বঞ্চিত হয়, ছিন্নভিন্ন, পদদলিত হয় এবং সব ধরনের উচ্ছিন্নতা সহ্য করতে বাধ্য হয়।

যদিও সাম্প্রতিককালে একজন কিছু বিচ্ছুরণ দেখিয়েছেন যাতে আমাদের মনে হয়েছে যে আমাদের মুক্তির জন্য তিনি ঈশ্বর দ্বারা নিযুক্ত, কিন্তু পরে দেখা গেছে তাঁর কর্মজীবনের চরম মুহূর্তে তিনি ভাগ্য বিড়ম্বিত হয়েছেন যাতে ইতালি, যেন প্রাণহীন অবস্থায়, সেই মানুষটির অপেক্ষায় যাকে তিনি তার ক্ষতে প্রলেপ দেবেন

এবং লম্বার্ডির ধ্বংসলীলা আর লুঠতরাজ বন্ধ করবেন, রাজত্ব ও তাসক্যানিদের প্রতারণা ও কর আরোপণ ঠেকাবেন এবং দীর্ঘকাল ধরে পচন ধরা ক্ষতস্থান পরিষ্কার করবেন। দেখা যাচ্ছে যে কীভাবে ইতালি ঈশ্বরের কাছে প্রার্থনা করছে কোনো একজনকে পাঠানোর জন্য যিনি তাকে এই অন্যায় আর বর্বরোচিত অসভ্যতা থেকে উদ্ধার করবেন। এও দেখা যাচ্ছে যে শুধু যদি কেউ একটি ধ্বজা উত্তোলন করে তবে সেটি অনুসরণ করতে সে প্রস্তুত এবং ইচ্ছুক।

বর্তমানে এমন কাউকে দেখা যাচ্ছে না যাঁর ওপর সে বেশি আস্থা রাখতে পারে একমাত্র ঈশ্বর ও গির্জার অনুগ্রহ প্রাপ্ত আপনাদের মহান প্রতিষ্ঠানের প্রধান[৪৭] ছাড়া যিনি এই মুক্তিতে নেতৃত্ব দিতে পারেন। যদি উল্লেখিত ব্যক্তিদের কর্মধারা ও জীবন স্মরণ করেন তবে এই কাজ কঠিন হবে না। যদিও তাঁরা মহান ও চমকপ্রদ মানুষ ছিলেন তবু আদতে তাঁরা মানুষই ছিলেন আর তাঁদের কারো কাছেই বর্তমানের তুলনায় বেশি সুযোগ ছিল না, তাঁদের উদ্যোগ বর্তমানের প্রয়োজনের তুলনায় বেশি যথাযথ বা সহজ ছিল না এবং ঈশ্বর তাঁদের প্রতি ততটাই বন্ধুভাবাপন্ন ছিলেন যতটা আপনাদের প্রতি।

আমাদের প্রতি সুবিচার হয়েছে কারণ সেই যুদ্ধই ন্যায়সঙ্গত যা প্রয়োজনীয় এবং যখন অস্ত্র ছাড়া কোনো কিছুর ওপরেই ভরসা করা যায় না তখন অস্ত্রই পবিত্র। এখানে সর্বাধিক আগ্রহ দেখা যাচ্ছে, আর যে ব্যক্তিদের প্রতি আপনাদের মনোযোগ আকর্ষণ করেছি তাঁদের বুঝলে দেখবেন যেখানে আগ্রহ বেশি থাকে সেখানে বাধা নামমাত্র হয়ে যায়। অধিকন্তু, ঈশ্বরের অনুগ্রহ কী অসাধারণভাবে প্রকাশিত হয়েছে তা উদাহরণ দিয়ে বোঝানো যাবে না: সমুদ্র বিভক্ত হয়, মেঘ পথ দেখায়, পাথর থেকে জলস্রোত বেরিয়ে আসে, প্রান্তরের মধ্যে খাদ্যবর্ষণ হয়, প্রত্যেকটিই আপনাদের মহান হতে সাহায্য করে, আপনাদের শুধু বাকিটুকু করতে হয়। ঈশ্বর আমাদের স্বাধীন ইচ্ছা কেড়ে নিয়ে, সব কাজ করে দিয়ে আমাদের প্রাপ্য বিজয় গৌরবে ভাগ বসাতে চান না।

যদি উপরে উল্লেখিত ইতালীয়দের মধ্যে কেউই সেই কাজ সম্পন্ন করতে না পারেন যা আপনাদের বিখ্যাত প্রতিষ্ঠানের কাছে আশা করা হচ্ছে তবে তাতে আশ্চর্য হওয়ার কিছু নেই। ইতালির অনেক বিপ্লবে, অনেক অভিযানে দেখা গেছে

[৪৭] গিউলিয়ানো দ্য মেডিসি। দশম লিও তাঁকে তখন কার্ডিনাল করেছিলেন। ১৫২৩ খ্রিষ্টাব্দে গিউলিয়ানো পোপ নির্বাচিত হন এবং সপ্তম ক্লিমেন্ট উপাধি গ্রহণ করেন।

যেন সৈন্যবাহিনীর উপযোগিতা কমে গেছে কারণ পুরোনো অনুশাসন যথেষ্ট ছিল না আর আমাদের কেউই নতুন কিছু সন্ধান করতে পারিনি। যখন কোনো ব্যক্তি প্রথম ক্ষমতা পান তখন যদি তিনি নতুন আইন নতুন অধ্যাদেশ প্রতিষ্ঠা করতে পারেন তবে তিনি যে সম্মান পান তা অতুলনীয়। এগুলি সুপ্রতিষ্ঠিত ও মর্যাদাসম্পন্ন হলে তিনি শ্রদ্ধেয় ও প্রশংসিত হন আর ইতালিতে এর প্রচলনের সুযোগের কোনো অভাব নেই।

মস্তিষ্ক ব্যর্থ হলে অঙ্গপ্রত্যঙ্গের বাহাদুরি বাড়ে। দ্বন্দ্বযুদ্ধ আর হাতাহাতি লড়াইয়ের দিকে মনোযোগ দিন, দেখবেন ইতালীয়রা শক্তিতে, দক্ষতায়, সূক্ষ্মতায় কত উন্নততর। কিন্তু সামরিক শক্তির কথা এলে তারা তুলনার অযোগ্য, আর এর কারণ নেতৃত্বের অপ্রতুলতা কারণ যারা সমর্থ তারা বাধ্য নয়, প্রত্যেকেই নিজের কাছে সবজান্তা, এমন কেউ নেই যাকে বীরত্বে বা সৌভাগ্যের কারণে অন্যদের থেকে আলাদা করা যায় যাতে অন্যেরা তার বশ্যতা স্বীকার করে। সেই কারণেই এই দীর্ঘদিন ধরে, গত কুড়ি বছরের অসংখ্য যুদ্ধে যখনই সম্পূর্ণ ইতালীয়দের দ্বারা সৈন্যবাহিনী তৈরি হয়েছে তখনই তারা খারাপ ফল করেছে যার প্রথম সাক্ষী ইল তারো, পরবর্তীকালে আলেসান্দ্রিয়া, কাপুয়া, জেনোয়া, ভায়লা, বোলোগ্না, মেস্ত্রি[৪৮]।

তাই, যদি আপনাদের প্রতিষ্ঠান এই উল্লেখযোগ্য ব্যক্তিদের অনুসরণ করতে চায় যাঁরা তাঁদের দেশকে মুক্ত করেছেন তবে যে কোনো উদ্যোগের প্রকৃত ভিত হিসেবে সর্বাগ্রে প্রয়োজন নিজেদের বাহিনী গড়ে তোলা কারণ তাদের চেয়ে বিশ্বস্ততর, অধিক সৎ বা উৎকৃষ্টতর সৈন্য হতে পারে না। আর যদি এককভাবে তারা ভালো হয় তবে শাসকের অধীনে থেকে, তাঁর কাছে সম্মান পেয়ে, তাঁর অর্থে পুষ্ট হয়ে তারা সম্মিলিতভাবে আরো অনেক ভালো হয়ে উঠবে। সুতরাং এই বাহিনী তৈরি করা একান্ত প্রয়োজন যাতে আপনারা শত্রুর বিরুদ্ধে ইতালীয় বীরত্ব দ্বারা সুরক্ষিত থাকেন।

যদিও সুইশ ও স্পেনীয় পদাতিক বাহিনীকে দুর্দান্ত মনে করা হয়, তাদের উভয়েরই একটি ত্রুটি আছে যার জন্য তৃতীয় কোনো শক্তি শুধু তাদের প্রতিরোধই করতে সক্ষম নয় তাদের পর্যুদস্ত করতে পারে। কারণ স্পেনীয়রা অশ্বারোহী বাহিনীর মোকাবিলা করতে পারে না আর সরাসরি যুদ্ধে পদাতিকদের সঙ্গে লড়াই করতে সুইজারল্যান্ডের মানুষ ভয় পায়। এই কারণে দেখা গেছে এবং আবার দেখা যেতে

---

[৪৮] ইল তারোর যুদ্ধ, ১৪৯৫; আলেসান্দ্রিয়া, ১৪৯৯; কাপুয়া, ১৫০১; জেনোয়া, ১৫০৭; ভায়লা, ১৫০৯; বোলোগ্না, ১৫১১; মেস্ত্রি, ১৫১৩।

পারে যে, স্পেনীয়রা ফরাসি অশ্বারোহী বাহিনীকে প্রতিরোধ করে অসমর্থ হয়েছে আর স্পেনীয় পদাতিক বাহিনী সুইসদের পর্যুদস্ত করেছে। যদিও দ্বিতীয়টির সম্পূর্ণ প্রমাণ দেওয়া যাবে না তবু তার কিছু লক্ষণ মিলেছে র‍্যাভেন্নার যুদ্ধে যখন স্পেনীয় পদাতিক বাহিনী সেই জার্মান স্থলবাহিনীর মুখোমুখি হয়েছে যারা সুইসদের কৌশল অবলম্বন করে, যখন স্পেনীয়রা শারীরিক তৎপরতায়, বর্মের সাহায্যে জার্মানদের বর্শাঘাত প্রতিহত করেছে, বিপন্মুক্ত হয়েছে, পুনরায় আক্রমণ করতে পেরেছে আর জার্মানরা অসহায়ভাবে দাঁড়িয়ে থেকেছে এবং যদি অশ্বারোহী বাহিনী প্রবল বেগে ঝাঁপিয়ে না পড়ত তবে তারা শেষ হয়ে যেত। এই দুই পদাতিক বাহিনীর ত্রুটি জেনে একটি নতুন কৌশল উদ্ভাবন করা সম্ভব যাতে অশ্বারোহী বাহিনীর মোকাবিলা করা যায় আর পদাতিক বাহিনীকেও ভয় না পেতে হয়। এর জন্য নতুন অস্ত্রপ্রয়োগ পদ্ধতি সৃষ্টি করার প্রয়োজন নেই, শুধু পুরোনো পদ্ধতিতে একটু বদল আনলেই চলবে। এই উৎকর্ষসাধন নতুন শাসককে খ্যাতিমান, শক্তিমান করে তুলবে।

ইতালির মুক্তিদাতার দেখা মেলার অপেক্ষায় বসে থেকে এই সুযোগ হারানো চলবে না। যে অঙ্গরাজ্যগুলি বিদেশির অত্যাচার এত সহ্য করেছে তারা প্রতিশোধের কোন আকাঙ্ক্ষায়, কোন দৃঢ় আস্থায়, কতটা ভক্তিতে, কতটা চোখের জলে, কতটা ভালোবাসায় আহ্বান জানাবে তার জন্য অপেক্ষা করা চলবে না। কোন দরজা তার জন্য বন্ধ থাকবে? কে তার বাধ্যতা অস্বীকার করবে? কোন ঈর্ষা তাকে বাধা দেবে? কোন ইতালীয় তার প্রতি ভক্তি দেখাবে না? আমাদের সকলের কাছেই বর্বরের শাসন অসহ্য মনে হয়। আপনাদের বিখ্যাত প্রতিষ্ঠান সেই সাহস আর আশা নিয়ে এই কর্তব্যভার গ্রহণ করুক যার বলে সমস্ত ন্যায়সঙ্গত উদ্যোগ গৃহীত হয়েছে যাতে তার পতাকাতলে আমাদের দেশ মহত্বমণ্ডিত হয়, যাতে তার আনুকুল্যে পেত্রার্কের সেই বাণী সত্য বলে প্রমাণিত হয়:

ক্রোধের বিপক্ষে সদ্‌গুণ লড়াইকে এগিয়ে নিয়ে যাবে,
আর সত্বর যুদ্ধ থেকে পালিয়ে যেতে বাধ্য করবে!
কারণ সুপ্রাচীন রোমান বীরত্ব মরে যায়নি,
ইতালীয়দের বুক থেকে লুপ্তও হয়নি।

এডওয়ার্ড ডেকার, ১৬৪০।

ভিতেল্লোজ্জো ভিতেলি, অলিভারোত্তো দা ফার্মো, সিগনর পাগোলো এবং ডিউক দি গ্র্যাভিনা অরসিনিকে হত্যার সময় ডিউক ভ্যালেন্টিনো যে পদ্ধতি অবলম্বন করেছিলেন তার বর্ণনা

রচনা

নিকোলো ম্যাকিয়াভেলি

আরেজ্জো ও ভাল দি সিয়ানার অন্যান্য শহরে ঘটিত বিদ্রোহ সম্পর্কে ফ্লোরেন্সীয়দের দ্বারা উত্থিত অপবাদ প্রসঙ্গে ফ্রান্সের রাজার কাছে নিজেকে নির্দোষ প্রমাণ করে ডিউক ভ্যালেন্টিনো লম্বার্ডি থেকে ফিরে ইমোলা গেলেন যেখানে তিনি বোলোগ্না‌র অত্যাচারী শাসক জিওভান্নি বেন্টিভোগলির বিরুদ্ধে সসৈন্য অভিযান করতে চেয়েছিলেন কারণ তাঁর অভিপ্রায় ছিল সেই শহরটিকে নিজের রাজত্বের অন্তর্ভুক্ত করা এবং সেটিকে রোমাগ্নি‌য়ান ডাচির কেন্দ্র হিসেবে গড়ে তোলা।

এই ব্যাপারে জানতে পেরে ভিতেল্লি ও অরসিনি এবং তাঁদের অনুগামীদের মনে হয়েছিল যে ডিউক অত্যন্ত শক্তিশালী হয়ে উঠবেন এবং তাঁদের ভয় হয়েছিল যে, বোলোগ্না‌ অধিকার করে তিনি তাঁদেরও ধ্বংস করবেন যাতে তিনি ইতালির একচ্ছত্র অধিপতি হতে পারেন। পেরুজিয়া জেলার ম্যাজিওন-এ একটি সভা ডাকা হয়েছিল যেখানে এসেছিলেন কার্ডিনাল পাগোলো, ডিউক দি গ্র্যাভিনা অরসিনি, ভিতেল্লোজ্জো ভিতেলি, অলিভারোত্তো দা ফার্মো, পেরুজিয়ার অত্যাচারী শাসক জিয়ান পাগোলো বাগলিওনি এবং সিয়েনার রাজা প্যানডোলফো পেত্রুচি-র

প্রতিনিধি মেসার অ্যান্টোনিও দা ভেনাফ্রো। ডিউকের শক্তি ও সাহস প্রসঙ্গে এবং বাকিদের পতন ঠেকাতে তাঁর উচ্চাকাঙ্ক্ষা দমনের প্রয়োজনীয়তা সম্পর্কে সেখানে আলোচনা হয়েছিল। তাঁরা স্থির করেছিলেন বেন্টিভোগলি ছেড়ে দেওয়া হবে না বরং ফ্লোরেন্সীয়দের বিরুদ্ধে জয় হাসিল করার চেষ্টা চালানো হবে; তাঁরা বিভিন্ন স্থানে দূত পাঠিয়ে কোনো পক্ষকে সাহায্যের আশ্বাস দিয়েছিলেন আবার কাউকে সাধারণ শত্রুর বিরুদ্ধে তাঁদের সঙ্গে যুক্ত হতে উৎসাহ দিয়েছিলেন। এই সভার খবর গোটা ইতালিতে ছড়িয়ে পড়েছিল এবং যারা ডিউকের প্রতি অসন্তুষ্ট ছিল, যার মধ্যে উরবিনোর জনগণও ছিল, সকলেই একটি বিপ্লব সংঘটিত হওয়ার আশা করেছিল।

মানুষের মন এইভাবে অস্থির হয়ে উঠেছিল এবং উরবিনোর কিছু মানুষ স্থির করেছিল ডিউকের দখলে থাকা স্যান লিও দুর্গ দখল করবে যা তারা করেওছিল নিম্নবর্ণিত উপায়ে। দুর্গাধ্যক্ষ দুর্গ মজবুত করার জন্য কাঠ আনাচ্ছিল যা ষড়যন্ত্রীরা দেখেছিল আর কয়েকটি গুঁড়ি যখন সেতুর ওপর রাখা হচ্ছিল, যাতে ভিতর থেকে কেউ সেগুলি টেনে নিতে পারে, তারা সুযোগ বুঝে সেতুর ওপর লাফ দিয়ে পড়ে ভিতরে ঢুকে গিয়েছিল। এইভাবে দুর্গের দখল নেওয়া হলে গোটা রাজ্য বিদ্রোহ ঘোষণা করেছিল এবং পুরোনো ডিউককে ফিরিয়ে নিয়ে এসেছিল এই আশায় যে ম্যাজিওনের ডিয়েট তাদের সাহায্য করতে পারবে।

উরবিনোর এই বিদ্রোহের কথা যারাই শুনেছিল তারাই ভেবেছিল যে, এই সুযোগ হারানো চলবে না এবং তারা যে কোনো শহর দখল করতে নিজেদের সংগঠিত করেছিল। তারা আবার ফ্লোরেন্স-এ দূত পাঠিয়েছিল এবং সেই প্রজাতন্ত্রকে অনুরোধ করেছিল যাতে তারা সাধারণ শত্রুকে ধ্বংস করতে যোগ দেয়। তারা বুঝিয়েছিল যে, ঝুঁকি এখন কম আর পরবর্তী সুযোগের জন্য অপেক্ষা করা তাদের উচিত নয়।

কিন্তু বিভিন্ন কারণে ভিতেল্লি ও অরসিনির প্রতি বিরাগ থাকায় ফ্লোরেন্সীয়রা মিত্রতা তো স্বীকার করেইনি বরং তাদের সচিব নিকোলো ম্যাকিয়াভেলিকে ডিউকের কাছে পাঠিয়ে তাঁকে শত্রুর বিরুদ্ধে আশ্রয় ও সাহায্যের আশ্বাস দিয়েছিল। ইমোলাতে ডিউক অত্যন্ত ভীত হয়ে পড়েছিলেন কারণ সকলকে বিস্মিত করে তাঁর সৈন্যরা শত্রুপক্ষে যোগ দিয়েছিল এবং তিনি দেখলেন সম্মুখে যুদ্ধ আর তিনি নিরস্ত্র। কিন্তু ফ্লোরেন্সীয়দের আশ্বাসে সাহস পেয়ে তিনি স্থির করলেন অবশিষ্ট সঙ্গী সৈন্যদের

নিয়ে তিনি কালহরণ করবেন এবং একদিকে সন্ধির জন্য আলোচনা চালাবেন অন্যদিকে সাহায্যের অপেক্ষায় থাকবেন। দ্বিতীয় কাজটি তিনি সমাধা করেছিলেন দু-ভাবে, সৈন্যের জন্য ফ্রান্সের রাজার কাছে দূত পাঠিয়ে এবং সশস্ত্র ব্যক্তি ও যাদের তিনি এক ধরনের অশ্বারোহী বাহিনীতে শামিল করেছিলেন তাদের তালিকা তৈরি করে। এদের সকলকেই তিনি অর্থ দিয়েছিলেন।

এতদ্‌সত্ত্বেও তাঁর শত্রুরা কাছাকাছি এসে পড়েছিল আর ফসমব্রোন-এর দিকে এগিয়েছিল যেখানে ডিউকের কিছু লোকের সঙ্গে তাদের যুদ্ধ হয় এবং অরসিনি ও ভিতেল্লির সহায়তায় তারা ডিউক বাহিনীকে খতম করে। এমতাবস্থায় ডিউক দেখতে চাইলেন সন্ধির প্রস্তাব দিয়ে সমস্যার ইতি করা যায় কিনা এবং একজন নিখুঁত কপটাচারীর মতো বিদ্রোহীদের বোঝাতে সফল হলেন যে, তিনি কারো সম্পত্তির ক্ষয়ক্ষতি চান না, শাসকের উপাধি তিনি আর বহন করতে ইচ্ছুক নন, অন্যরা শাসনভার গ্রহণ করতে পারে।

এই ব্যাপারে ডিউক এতটাই সফল হয়েছিলেন যে বিপক্ষীয়রা সিগনর পাগোলোকে তাঁর কাছে পাঠিয়েছিল সমন্বয় সাধনের জন্য এবং তাদের সৈন্যবাহিনীকে থামিয়ে দিয়েছিল। কিন্তু ডিউক তাঁর প্রস্তুতি না থামিয়ে অশ্বারোহী ও পদাতিক বাহিনী সংগ্রহের চেষ্টা চালিয়ে যাচ্ছিলেন এবং সেই প্রস্তুতি যাতে অন্যদের কাছে প্রকাশিত না হয় তাই তাঁর দলবলকে ভাগ ভাগ করে রোমাগ্‌নার বিভিন্ন অংশে পাঠাচ্ছিলেন। ইতিমধ্যে তাঁর কাছে পাঁচশো ফরাসি সশস্ত্র অশ্বারোহী এসে পৌঁছেছিল কিন্তু শত্রুদের বিরুদ্ধে যুদ্ধে প্রতিশোধ নেওয়ার জন্য যথেষ্ট শক্তিশালী হয়ে উঠলেও তিনি মনে করেছিলেন তাদের বোকা বানানো বেশি নিরাপদ আর সুবিধাজনক হবে আর তাই তিনি সমন্বয় সাধনের কাজ বন্ধ করেননি।

হয়তো সেই কারণেই ডিউক বিপক্ষের সঙ্গে একটি শান্তিচুক্তি করলেন যাতে তিনি তাদের পূর্ববর্তী শর্তসমূহ মেনে নিলেন, তৎক্ষণাৎ তাদের চার হাজার ড্যুকাট প্রদান করলেন আর প্রতিজ্ঞা করলেন যে বেন্টিভোগলিকে আঘাত করবেন না; তিনি জিওভান্নির সঙ্গে মিত্রতাও স্থাপন করলেন এবং তদুপরি তিনি তাদের ব্যক্তিগতভাবে তাঁর কাছে আসতে বাধ্যও করলেন না। অন্যদিকে তারাও প্রতিজ্ঞা করল তাঁকে উরবিনোর অধিকার ফিরিয়ে দেবে, তাঁর সব অভিযানে তাঁর হয়ে কাজ করবে এবং তাঁর অনুমতি ছাড়া কারো বিরুদ্ধে যুদ্ধ করবে না বা কারো সঙ্গে মৈত্রী স্থাপন করবে না।

এই চুক্তি সম্পূর্ণ হওয়ার পর উরবিনোর ডিউক গুইডো উবাল্ডো আবার ভেনিসে পালিয়ে গেলেন কিন্তু যাওয়ার আগে তাঁর রাজ্যের সব দুর্গ ধ্বংস করে ফেললেন কারণ তিনি চেয়েছিলেন বন্ধুদের সাহায্যে যে দুর্গগুলি তিনি রক্ষা করতে পারবেন না সেগুলি শত্রুর হাতে যেন না পড়ে আর বন্ধুরাও যেন সংযত থাকে। কিন্তু ডিউক ভ্যালেন্টিনো এই চুক্তি সম্পন্ন হওয়ার পর তাঁর লোকেদের গোটা রোমাগ্‌নাতে ছড়িয়ে দিলেন এবং নভেম্বর মাসের শেষে ফরাসি বাহিনী নিয়ে ইমোলার দিকে যাত্রা করলেন। সেখানে সেসেনাতে তিনি কিছুদিন থাকলেন ভিতেল্লি ও অরসিনির দূতদের সঙ্গে সমন্বয় সাধনের জন্য যাঁরা দলবল নিয়ে উরবিনোতে অভিযানের জন্য সমবেত হয়েছিলেন, কিন্তু কোনো মীমাংসায় আসা গেল না। অলিভারোত্তো দা ফার্মাকে তাঁর কাছে পাঠানো হয়েছিল এই প্রস্তাব নিয়ে যে, যদি ডিউক তাসক্যানির বিরুদ্ধে অভিযান করতে চান তবে তাঁরা প্রস্তুত; আর যদি তিনি না চান তবে তাঁরা সিনিগালিয়া দখল করবেন। এতে ডিউক জানালেন যে তিনি তাসক্যানির বিরুদ্ধে যুদ্ধে জড়িয়ে ফ্লোরেন্সীয়দের বিরাগভাজন হতে চান না কিন্তু তিনি সিনিগালিয়ার বিরুদ্ধে অভিযানে ইচ্ছুক।

শহর আত্মসমর্পণ করার দীর্ঘ সময় পরেও দুর্গ তাঁদের বশ্যতা স্বীকার করল না কারণ দুর্গাধ্যক্ষ ব্যক্তিগতভাবে ডিউক ছাড়া তাঁদের আর কারো বশ্যতা মানতে চায়নি আর তাই তাঁরা ডিউককে অনুরোধ করলেন সেখানে যেতে। এটা ডিউকের কাছে একটা ভালো সুযোগ মনে হয়েছিল যেহেতু তিনি স্বেচ্ছায় নয় তাঁদের আমন্ত্রণে সেখানে যাবেন তাই কেউ তাঁকে দোষারোপ করবে না। তাঁদের আরো নিশ্চিত করতে তিনি লম্বার্ডিতে থাকা সব সশস্ত্র ফরাসি সৈন্যকে ত্যাগ করলেন এবং শুধু তাঁর শ্যালক মঁসিয়ে ডি ক্যান্ডেলস-এর অধীনস্থ একশত সশস্ত্র অশ্বারোহীকে সঙ্গে রাখলেন। ডিসেম্বর মাসের মধ্যভাগে তিনি সেসেনা ছেড়ে ফানো-তে গেলেন এবং চরম ধূর্ততা ও চতুরতার সঙ্গে ভিতেল্লি ও অরসিনিকে রাজি করালেন তাঁর জন্য সিনিগালিয়াতে অপেক্ষা করতে। তিনি তাঁদের সূচিত করলেন যে, কোনো অমান্যতা ঘটলে চুক্তির আন্তরিকতা ও স্থায়িত্ব নিয়ে সন্দেহ জাগবে এবং জানালেন যে, তিনি এমন একজন মানুষ যিনি মিত্রদের অস্ত্র ও পরামর্শের ওপর ভরসা করেন কিন্তু ভিতেল্লোজ্জো জেদ ধরে রইলেন কারণ তাঁর ভাইয়ের মৃত্যু তাঁকে সতর্ক করেছিল যে, শাসককে আঘাত করে পরে তার ওপর আস্থা রাখা উচিত নয়। যদিও শেষপর্যন্ত পাগোলো অরসিনি যাঁকে ডিউক

উপহার ও প্রতিশ্রুতি দিয়ে বশ করেছিলেন তাঁর কথায় তিনি অপেক্ষা করতে রাজি হলেন।

১৫০২ খ্রিষ্টাব্দের ৩০ ডিসেম্বর ডিউক ফানো থেকে রওনা হয়েছিলেন, কিন্তু তার আগে তাঁর পরিকল্পনার কথা জানিয়েছিলেন তাঁর সবচেয়ে আস্থাভাজন আটজন অনুগামীকে যাঁদের মধ্যে ছিলেন ডন মিচেল ও মনসিগনর ডি'ইউনা যাঁরা পরবর্তীকালে কার্ডিনাল হয়েছিলেন। তাঁর আদেশ ছিল যে ভিতেল্লোজ্জো, পাগোলো অরসিনি, গ্যাভিনার ডিউক ও অলিভারোত্তো আসা মাত্রই তাঁর অনুগামীরা জোড়ায় জোড়ায় আগতদের এক একজনের সঙ্গ নেবে, তাঁদের বিনোদনের ব্যবস্থা করবে যতক্ষণ না তাঁরা সিনিগালিয়া পৌঁছন এবং ডিউকের বাসস্থানে উপস্থিত হন, যেখানে তাঁদের আটক করা হবে।

তারপর ডিউক তাঁর দু-হাজার অশ্বারোহী ও দশ হাজার পদাতিক সৈন্যকে আদেশ করেন সূর্যোদয়ের সময় ফানো থেকে পাঁচ মাইল দূরে মেতাউরো নদীর ধারে পৌঁছে তাঁর জন্য অপেক্ষা করতে। ডিসেম্বর মাসের শেষ দিনে তিনি দলবল সমেত মেতাউরোর ধারে পৌঁছলেন এবং দুই শত অশ্বারোহী সৈন্যের একটি বাহিনীকে সামনে রেখে তাঁর সশস্ত্র পদাতিক বাহিনীকে নেতৃত্ব দিয়ে এগিয়ে চললেন।

লা মার্কার দুই শহর ফানো আর সিনিগালিয়া আড্রিয়াটিক সাগরের তীরে পরস্পর থেকে পনেরো মাইল দূরে এমনভাবে অবস্থিত যে, যদি কেউ সিনিগালিয়ার দিকে যায় তবে তার ডানদিকে পাহাড় থাকবে যার পাদভূমি কোথাও কোথাও সাগর স্পর্শ করেছে। সিনিগালিয়া শহরটি পাহাড়ের পাদদেশ থেকে তীর ছোড়া দূরত্বে অবস্থিত আর সমুদ্রতট থেকে তার দূরত্ব প্রায় এক মাইল। যে দিকে শহর তার বিপরীত দিকে রয়েছে একটি নদী যা ফানোর দিকের রাজপথমুখী প্রাচীর ভিজিয়ে বয়ে চলেছে। তাই সিনিগালিয়ার দিকে যেতে গেলে পাহাড়ের ধারের রাস্তা দিকে অনেকটা গিয়ে শহরের পার্শ্ববর্তী নদীর তীরে পৌঁছতে হবে। সেখান থেকে নদীর কূল বরাবর বাম দিকে তীর ছোড়া দূরত্ব অতিক্রম করলে একটি সেতু পাওয়া যাবে যা নদীর অপর কূলে নিয়ে যাবে আর সেখানে রয়েছে সেই দরজা যেখান থেকে একটি সর্পিল পথ সিনিগালিয়া শহরে নিয়ে যাবে। দরজার আগেই রয়েছে এক সার বাড়ি ও একটি চক যার এক পাশে রয়েছে নদী।

ভিতেল্লি ও অরসিনি ডিউকের জন্য অপেক্ষা করার আদেশ পেয়ে এবং তাঁকে সশরীরে অভ্যর্থনা জানাতে তাঁদের লোকেদের সিনিগালিয়া থেকে প্রায়

ছয় মাইল দূরে অবস্থিত কয়েকটি দুর্গে পাঠিয়ে দিলেন যাতে ডিউকের লোকজন থাকার জায়গা পায়। সিনিগালিয়াতে থাকলেন শুধু অলিভারোত্তো ও তাঁর এক হাজার পদাতিক আর দেড়শো অশ্বারোহী সৈন্য যাদের রাখা হল পূর্বে বর্ণিত শহরতলিতে। এইভাবে সব ব্যবস্থা হওয়ার পর ডিউক ভ্যালেন্টিনো সিনিগালিয়ার উদ্দেশে রওনা হলেন এবং অগ্রবর্তী অশ্বারোহী বাহিনী সেতুর মুখে পৌঁছে তা অতিক্রম না করে সেটি খুলে রেখে এক ভাগ গেল নদীর দিকে আর অন্য ভাগ গ্রামাঞ্চলের দিকে যাতে পদাতিক বাহিনী মাঝখান দিয়ে বিনা বাধায় নগরে প্রবেশ করতে পারে।

ভিতেল্লোজ্জো, পাগোলো আর গ্র্যাভিনার ডিউক অশ্বতরের পিঠে চেপে কয়েকজন অশ্বারোহী নিয়ে ডিউকের দিকে গেলেন যাদের মধ্যে ভিতেল্লোজ্জো সবুজ ডোরাকাটা হাতাকাটা কোট পরে নিরস্ত্র অবস্থায় হতাশ মুখে ছিলেন, যেন আসন্ন মৃত্যু সম্পর্কে তিনি সচেতন এবং এই মানুষটির সামর্থ্য ও পূর্ববর্তী সমৃদ্ধির কথা ভেবে সকলে বিস্মিতই হচ্ছিল। কথিত আছে যে ডিউকের সঙ্গে দেখা করার জন্য সিনিগালিয়া যাত্রা করার আগে তিনি যখন সঙ্গীদের থেকে বিদায় নিচ্ছিলেন তখন এমন আচরণ করেছিলেন যেন তিনি তাঁদের থেকে শেষবারের মতো বিদায় নিচ্ছেন। তিনি তাঁর বাড়ি ও সেখানে থাকা মহার্ঘ্য বস্তু তাঁর সেনাধ্যক্ষদের হেপাজতে দিয়েছিলেন এবং তাঁর ভ্রাতুষ্পুত্রদের উপদেশ দিয়েছিলেন গৃহসম্পত্তি নয়, তাদের পূর্বপুরুষদের গুণাবলি স্মরণে রাখতে। এই তিনজন ডিউকের সামনে গিয়ে তাঁকে সসম্মানে অভিবাদন জানালেন এবং তাঁদেরও সাদরে অভ্যর্থনা করে তাঁদের জন্য নির্দিষ্ট সঙ্গীদের মধ্যে স্থাপন করা হল।

কিন্তু ডিউক লক্ষ করলেন যে সদলে সিনিগালিয়াতে থাকা অলিভারোত্তোকে দেখা যাচ্ছে না, কারণ অলিভারোত্তো নদীর ধারে তাঁর আবাসের সামনে চকটিতে অপেক্ষা করছিলেন আর তাঁর সৈন্যদের শৃঙ্খলাবদ্ধভাবে অনুশীলন করাচ্ছিলেন। অলিভারোত্তোর দায়িত্ব যাকে দেওয়া হয়েছিল সেই ডন মিচেলকে চোখের ইশারায় ডিউক নির্দেশ দিলেন অলিভারোত্তো যাতে পালাতে না পারে সে ব্যাপারে নজর রাখতে। তাই ডন মিচেল ঘোড়া ছুটিয়ে অলিভারোত্তোর কাছে গেলেন এবং বললেন যে তাঁর সৈন্যদের আবাসের বাইরে রাখা ঠিক নয় কারণ তারা ডিউকের সৈন্যদের সঙ্গে যোগ দিতে পারে। তিনি উপদেশ দিলেন, সৈন্যদের ব্যারাকের মধ্যে রেখে তাঁর নিজের যাওয়া উচিত ডিউকের সঙ্গে দেখা করতে। সেই উপদেশ মেনে

অলিভারোত্তো ডিউকের সামনে গেলেন এবং তাঁকে অভিবাদন জানিয়ে অন্যদের সঙ্গে যোগ দিলেন।

এইভাবে গোটা দল সিনিগালিয়া প্রবেশ করল, ডিউকের বাসস্থানে ঘোড়া থেকে নামল এবং তাঁর সঙ্গে একটি গোপন কক্ষে প্রবেশ করল যেখানে ডিউক তাঁদের বন্দী করলেন। তারপর তিনি ঘোড়ায় চড়ে আদেশ দিলেন অলিভারোত্তো ও অরসিনির সৈন্যদের নিরস্ত্র করতে। অলিভারোত্তোর সৈন্যরা হাতের কাছেই থাকায় সহজেই তাদের ব্যবস্থা করা গেল কিন্তু অরসিনি আর ভিতেল্লির সৈন্যরা দূরে ছিল এবং তাদের প্রভুদের মৃত্যু পূর্বানুমান করে আর তাদের বংশের বীরত্ব ও শৃঙ্খলার কথা মাথায় রেখে তারা সমবেতভাবে প্রতিকূল রাষ্ট্রীয় সৈন্যবাহিনীর বিপক্ষে দাঁড়াল ও নিজেদের রক্ষা করল।

কিন্তু ডিউকের সৈন্যরা শুধু অলিভারোত্তোর লোকজনকে লুঠ করেই সন্তুষ্ট না থেকে গোটা সিনিগালিয়াতে লুঠতরাজ ও ধ্বংসলীলা চালাতে লাগল এবং যদি ডিউক তাদের কয়েকজনকে হত্যা করে এই দৌরাত্ম্য দমন না করতেন তারা নগরটি সম্পুর্ণ ধ্বংস করে ফেলত।

রাত্রিবেলা বিক্ষোভ স্তিমিত হলে ডিউক ভিতেল্লোজ্জো আর অলিভারোত্তোকে হত্যার জন্য প্রস্তুত হলেন; তাঁদের একটি ঘরে নিয়ে গিয়ে ফাঁসিতে ঝুলিয়ে দেওয়া হল। উভয়ের কেউই তাঁদের অতীত জীবনের সঙ্গে তাল মিলিয়ে কোনো কথা বলেনি; ভিতেল্লোজ্জো প্রার্থনা করেছিলেন যে তিনি তাঁর পাপের জন্য পোপের কাছে নিঃশর্ত ক্ষমা চাইবেন; অলিভারোত্তো নতমস্তকে ডিউকের যাবতীয় ক্ষতির জন্য ভিতেল্লোজ্জোকে দোষারোপ করলেন। পাগোলো ও ডিউক দি গ্র্যাভিনা অরসিনিকে ততদিন বাঁচিয়ে রাখা হল যতদিন না ডিউক রোম থেকে খবর পেলেন যে, ফ্লোরেন্সের আর্চবিশপ কার্ডিনাল অর্সিনো ও মেসার জ্যাকোপো দা সান্টা ক্লোস-কে পোপ করায়ত্ব করেছেন। এই খবর পেয়ে ১৮ জানুয়ারি, ১৫০২ পিয়েভ দুর্গে তাঁদের একইভাবে ফাঁসি দেওয়া হল।

নিকোলো ম্যাকিয়াভেলি রচিত ক্যাস্ত্রুশিও ক্যাস্ত্রাকেনির জীবন

এবং তাঁর বন্ধু জানোবি বুয়োন্‌ডেলমন্টি ও লুইজি আলামানিকে প্রেরিত

ক্যাস্ত্রুশিও ক্যাস্ত্রাকেনি ১২৮৪-১৩২৮

প্রিয় জানোবি ও লুইজি, এটা একটা চমকপ্রদ ব্যাপার যে, সমস্ত মানুষ বা বেশিরভাগ মানুষ যাঁরা পৃথিবীতে মহান কর্ম করে গেছেন এবং তাঁদের সময়কার অন্য সকলের চেয়ে বেশি ভালো কাজ করেছেন তাঁদের জন্ম হয়েছে আর প্রথম জীবন কেটেছে ক্ষুদ্রতা ও অখ্যাতির মধ্যে অথবা তাঁরা চূড়ান্তভাবে ভাগ্যের বিড়ম্বনা সহ্য করেছেন। তাঁরা এত বেশি বন্য পশুদের মুখোমুখি হয়েছেন বা এত সামান্য সুবিধা পেয়েছেন যে লজ্জায় তাঁরা নিজেদের দেবরাজ জুপিটার বা অন্য কোনো দেবতার সন্তান বলে পরিচয় দিয়েছেন। তাঁরা কারা হতে পারেন তা বর্ণনা করা অদ্ভুত শোনাতে পারে কারণ তাঁরা সকলের কাছে সুপরিচিত আর তাই তাঁদের কাহিনী পাঠকদের কোনো মানসিক উন্নতি ঘটাতে পারবে না বলে তা পরিহার করা হল। আমার বিশ্বাস, মহামানবদের এই হীন সূচনা ঘটে কারণ ভাগ্যদেবী বিশ্বকে দেখাতে চান যে এই ব্যক্তিরা প্রজ্ঞার প্রতি কম তাঁর প্রতি বেশি ঋণী যেহেতু প্রজ্ঞা তাঁদের কর্মজীবনে প্রভাব ফেলতে ব্যর্থ হলে তিনি হাত বাড়িয়ে দেন, আর তাই সব সফলতার কৃতিত্ব তাঁরই প্রাপ্য। যে সময়ে তিনি জীবন কাটিয়েছেন আর যে শহরে তাঁর জন্ম হয়েছে তা বিবেচনা করলে লুকা নগরের ক্যাস্ত্রুশিও ক্যাস্ত্রাকেনিকে তেমন একজন মানুষ বলা যায় যিনি কিছু মহান কাজ করেছেন কিন্তু অন্য অনেকের মতো তিনিও

সৌভাগ্যশালী ছিলেন না বা বিশেষ জন্মের অধিকারী ছিলেন না যা এই ইতিহাসের ঘটনাবলি দেখিয়ে দেবে। তাঁর কথা স্মরণ করা বাঞ্ছনীয় কারণ আমি তাঁর মধ্যে বীরত্ব ও সমৃদ্ধির এমন কিছু লক্ষণ দেখতে পেয়েছি যা তাঁকে মানুষের কাছে আদর্শ করে তুলতে পারে। আমি এও মনে করি যে তাঁর কর্মধারার প্রতি তোমাদের মনোযোগ আকর্ষণ করা আমার উচিত কারণ তোমরা যারা আমার পরিচিত তারা মহান কর্ম সম্পর্কে আগ্রহী।

অতীতে ক্যাস্ত্রাকেনির পরিবার লুকা নগরের অভিজাত পরিবারগুলির মধ্যে গণ্য হত, কিন্তু আমি যে সময়ের কথা বলছি তখন তাদের সম্পত্তি কমে এসেছিল, যেমন প্রায়শই হয়ে থাকে। এই পরিবারের এক পুত্র অ্যান্টোনিও লুকার স্যান মিশেল গির্জায় যাজক হয়েছিলেন এবং সেই কারণে সম্মানসূচক মেসার অ্যান্টোনিও উপাধি লাভ করেছিলেন। তাঁর একমাত্র ভগ্নির বিবাহ হয়েছিল বুওনাকোর্সো সেনামির সঙ্গে, কিন্তু বুওনাকোর্সো মারা যাওয়ায় তিনি বিধবা হন এবং আবার বিবাহবন্ধনে আবদ্ধ হতে ইচ্ছুক না হওয়ায় তাঁর ভাইয়ের সঙ্গে বাস করতে থাকেন। মেসার অ্যান্টোনিওর বাসভবনের পিছনে একটি আঙুর খেত ছিল এবং যেহেতু বাড়ির চারপাশ বগান দিয়ে ঘেরা ছিল তাই যে কোনো ব্যক্তি বিনা বাধায় সেখানে প্রবেশ করতে পারত। একদিন সকালে সূর্যোদয়ের কিছু পরে অ্যান্টোনিওর বোন ম্যাডোনা ডায়ানোরা রোজকার মতো আঙুর খেতে গিয়েছিলেন আহার সুস্বাদুকারী লতাগুল্ম সংগ্রহের জন্য এবং সেখানে একটি আঙুরগাছের পাতায় মৃদু মর্মর ধ্বনি শুনে তিনি সেদিকে তাকিয়ে একটি শিশুর কান্নার মতো শব্দ শুনতে পেলেন। সেদিকে এগিয়েই তিনি পাতায় জড়ানো একটি শিশুর মুখ ও দুই হাত দেখতে পেলেন যে হয়তো তার মায়ের জন্য কাঁদছিল। কিছুটা বিস্ময়ে, কিছুটা ভয়ে কিন্তু বেশিটাই করুণায় তিনি শিশুটিকে কোলে তুলে বাড়ি নিয়ে এসে পরিষ্কার করে দস্তুরমতো পরিচ্ছন্ন পোশাক পরালেন এবং মেসার অ্যান্টোনিও ফিরলে তাঁকে দেখালেন। সব শুনে এবং শিশুটিকে দেখে তিনি তাঁর বোনের মতোই বিস্মিত ও সহানুভূতিশীল হয়ে পড়েলন। এমতাবস্থায় কী করা উচিত সে বিষয়ে তাঁরা নিজেদের মধ্যে আলোচনা করলেন এবং ভাই একজন যাজক আর বোনের কোনো সন্তান নেই সে কথা বিবেচনা করে তাঁরা নিজেরাই শিশুটিকে পালন করবেন বলে স্থির করলেন। তাঁরা একজন সেবিকা নিযুক্ত করলেন এবং শিশুটিকে তাঁদের নিজেদের সন্তানের মতো স্নেহে লালন পালন করতে থাকলেন। তাঁরা আনুষ্ঠানিকভাবে শিশুটিকে খ্রিষ্টধর্মে দীক্ষিত করলেন এবং তাঁদের

পিতার নামানুসারে নাম দিলেন ক্যাস্ত্রুশিও। সময়ের সঙ্গে সঙ্গে ক্যাস্ত্রুশিও সুদর্শন হয়ে উঠল, বুদ্ধি ও বিবেচনা বোধের পরিচয় দিল এবং তাঁর বয়সের অনুপাতে অধিকতর দ্রুততার সঙ্গে মেসার অ্যান্টোনিও কর্তৃক প্রদত্ত শিক্ষা গ্রহণ করতে থাকল। মেসার অ্যান্টোনিও তাকে যাজক বানাতে চেয়েছিলেন এবং যথাসময়ে তাকে নিজের যাজকীয় সম্পত্তি দিয়ে যাজকত্বে অভিষিক্ত করতে চেয়েছিলেন এবং সেই লক্ষ্যেই তিনি যাবতীয় নির্দেশ দিতেন, কিন্তু অ্যান্টোনিও একসময় বুঝলেন যে ক্যাস্ত্রুশিওর চরিত্র যাজক পদের উপযুক্ত নয়। চোদ্দো বছর বয়সে পৌঁছেই ক্যাস্ত্রুশিও আর মেসার অ্যান্টোনিও বা ম্যাডোনা ডায়ানোরার বকুনি গ্রাহ্য করত না, তাঁদের ভয়ও পেত না। সে যাজক সংক্রান্ত বই পড়া ছেড়ে অস্ত্রশস্ত্র নিয়ে খেলা শুরু করল। তার সবচেয়ে ভালো লাগত অস্ত্র ব্যবহার শিখতে, দৌড়তে, লাফাতে আর অন্য ছেলেদের সঙ্গে কুস্তি লড়তে। সব ধরনের অনুশীলনে সে সঙ্গীদের ছাপিয়ে যেত সাহস আর শারীরিক শক্তিতে এবং কখনো যদি সে বই পড়ত তবে তাকে সবচেয়ে আনন্দ দিত সেই বই যাতে যুদ্ধের কাহিনী আছে, মানুষের বীরত্বের গল্প আছে। মেসার অ্যান্টোনিও দুঃখ ও বিরক্তির সঙ্গে সব দেখতেন।

লুকা নগরে গুইনিগি পরিবারের এক ব্যক্তি থাকতেন যাঁর নাম ছিল মেসার ফ্রান্সেস্কো, যিনি পেশায় ছিলেন অস্ত্রজীবী এবং যাঁর সম্পত্তি, শারীরিক ক্ষমতা আর বীরত্ব লুকার যে কোনো মানুষের চেয়ে বেশি ছিল। তিনি প্রায়ই মিলানের ভিস্‌কন্তি-র অধীনে যুদ্ধ করতেন এবং একজন গিবেলাইন হিসেবে লুকাতে সেই দলের নেতার সম্মান পেতেন। এই ভদ্রলোক লুকাতে বাস করতেন এবং স্যান মিশেল গির্জার দর্শনীয় চকের ওপর অবস্থিত পোডেস্টা (সর্বোচ্চ বিচারালয়) ভবনের অলিন্দের নিচে বেশিরভাগ সকাল সন্ধ্যায় অন্যদের সঙ্গে মিলিত হতেন। তিনি প্রায়ই দেখতেন ক্যাস্ত্রুশিও সেই রাস্তার অন্য বালকদের সঙ্গে পূর্বোল্লিখিত খেলাগুলিতে অংশ নিচ্ছে। ক্যাস্ত্রুশিওকে অন্যদের তুলনায় অনেক বেশি পারদর্শী দেখে এবং তাঁকে অন্যদের ওপর একটা রাজকীয় কর্তৃত্ব করতে আর অন্যদের তাঁকে ভালবাসতে ও তাঁর কর্তৃত্ব মেনে নিতে দেখে মেসার ফ্রান্সেস্কো তাঁর পরিচয় জানতে আগ্রহী হলেন। ক্যাস্ত্রুশিওর বড়ো হয়ে ওঠার কাহিনী জানতে পেরে তিনি আরো উৎসাহী হলেন তাঁকে কাছে পেতে। তাই তিনি একদিন ক্যাস্ত্রুশিওকে ডেকে জিজ্ঞাসা করলেন সে এমন একজন ভদ্রলোকের বাড়িতে থাকতে বেশি ইচ্ছুক যেখানে ঘোড়ায় চড়া, অস্ত্র চালনা শিখতে পারবে, না কি একজন যাজকের বাড়িতে থাকতে ইচ্ছুক যেখানে

উপাসনা গীতি বা গির্জার আচার অনুষ্ঠান ছাড়া কিছুই শিখতে পারবে না। মেসার ফ্রান্সেস্কো দেখতে পেলেন যে ঘোড়া আর অস্ত্রের কথা শুনে ক্যাস্ত্রুশিও অত্যন্ত খুশি হয়েছে যদিও সে লজ্জায় নতমস্তকে দাঁড়িয়ে ছিল। তিনি তাকে মত জানাতে উৎসাহিত করলে সে উত্তর দিল যে, যদি তার অভিভাবক রাজি হয় তবে যাজক সংক্রান্ত পড়াশোনা ছেড়ে একজন সৈনিকের অনুশীলন অভ্যাস করতে পারলে সে সব থেকে বেশি আনন্দ পাবে। এই উত্তরে মেসার ফ্রান্সেস্কো খুশি হলেন এবং অল্প সময়েই মেসার অ্যান্টোনিও সেই বালকের চরিত্র বুঝে এবং তাকে বেশি দিন ধরে রাখতে পারবেন না বলে ভয় পেয়ে সম্মত হতে বাধ্য হলেন।

এইভাবে ক্যাস্ত্রুশিও যাজক মেসার অ্যান্টোনিওর বাড়ি থেকে সৈনিক মেসার ফ্রান্সেস্কো গুইনিগির বাড়িতে গেলেন এবং বিস্ময়ভাবে কিছুদিনের মধ্যেই তাঁর মধ্যে একজন প্রকৃত ভদ্রলোকের সকল গুণাবলি ও হাবভাব প্রকাশিত হতে দেখা গেল। প্রথমেই তিনি একজন দক্ষ ঘোড়সওয়ার হয়ে উঠলেন আর সবচেয়ে ক্রোধী যুদ্ধ ঘোটককেও সামলাতে সক্ষম হলেন এবং তখনও তরুণ হওয়া সত্ত্বেও তাঁকে সবার মধ্যে আলাদা করে চেনা যেতে লাগল আর শক্তি ও নৈপুণ্যের যাবতীয় অনুশীলনে তিনি শ্রেষ্ঠ প্রতিপন্ন হলেন। কিন্তু এইসব দক্ষতার আকর্ষণকে বাড়িয়ে দিয়েছিল তাঁর চমৎকার শালীনতা যার বলে তিনি অন্যের প্রতি আচরণে বা কথায় বিরূপতা এড়িয়ে যেতে পারতেন। তিনি মহান ব্যক্তিদের প্রতি শ্রদ্ধাবনত, সমকক্ষদের প্রতি বিনয়ী এবং কম যোগ্যদের প্রতি মার্জিত থাকতেন। এই গুণাবলি তাঁকে শুধু গুইনিগি পরিবার নয় গোটা লুকা নগরেরই প্রিয়জন করে তুলেছিল। তাঁর আঠারো বছর বয়সের সময় গুয়েল্ফ-রা পাভিয়া থেকে গিবেলাইনদের হঠিয়ে দিয়েছিল এবং ভিসকন্তি গিবেলাইনদের সাহায্যার্থে যখন মেসার ফ্রান্সেস্কোকে পাঠালেন তখন তাঁর সেনা নায়ক হয়ে ক্যাস্ত্রুশিও যুদ্ধে গেলেন। এই অভিযানে বিচক্ষণতা আর সাহসের যথেষ্ট পরিচয় দিয়ে ক্যাস্ত্রুশিও অন্য সেনাপতিদের চেয়ে বেশি খ্যাতি অর্জন করলেন এবং শুধু পাভিয়া নয়, গোটা লম্বার্ডিতে তাঁর নামযশ ছড়িয়ে পড়ল।

ক্যাস্ত্রুশিও যখন লুকাতে ফিরলেন তখন আগের চেয়ে অনেক বেশি শ্রদ্ধা পেতে থাকলেন এবং যথাসম্ভব বেশি মানুষের বন্ধুত্ব অর্জনে কোনো পন্থা বাদ রাখলেন না। এই সময়ে মেসার ফ্রান্সেস্কো পাগোলো নামে তেরো বছরের একটি পুত্রসন্তান রেখে মারা গেলেন এবং মৃত্যুর আগে ক্যাস্ত্রুশিওকে তাঁর সন্তানের গৃহশিক্ষক ও তাঁর ভূসম্পত্তির প্রশাসক নিয়োগ করে গেলেন। মৃত্যুর সময়

ফ্রান্সেস্কো ক্যাস্ত্রুশিওকে অনুরোধ করে গেলেন পাগোলোর প্রতি সেই উদারতা দেখাতে যা তিনি ক্যাস্ত্রুশিওর প্রতি দেখিয়েছিলেন এবং তাঁর সন্তান প্রতি সেই কৃতজ্ঞতা প্রত্যর্পণ করতে যা তাঁর বাবাকে ক্যাস্ত্রুশিও ফিরিয়ে দিতে পারতেন। ফ্রান্সেস্কোর মৃত্যুর পর ক্যাস্ত্রুশিও পাগোলোর গৃহশিক্ষক ও নিয়ন্ত্রক হলেন যা তাঁর ক্ষমতা ও পদমর্যাদা অনেক গুণ বাড়িয়ে দিল এবং লুকা নগরে সর্বজনীন জনপ্রিয়তার বদলে তাঁর প্রতি কিছু মাত্রায় ঈর্ষা জন্ম নিল কারণ অনেকেই সন্দেহ করল যে তিনি অত্যাচারী মানসিকতা পোষণ করছেন। তাদের মধ্যে নেতৃস্থানীয় ছিলেন গুয়েল্ফ্ দলের প্রধান জিওরজিও ভেগ্‌লি ওপিজি। তিনি ভেবেছিলেন মেসার ফ্রান্সেস্কোর মৃত্যুর পর তিনিই লুকার প্রধান ব্যক্তি হবেন কিন্তু তাঁর মনে হল ইতিমধ্যেই প্রদর্শিত সামর্থ্য এবং প্রশাসকের পদমর্যাদার বলে ক্যাস্ত্রুশিও তাঁর সুযোগ কেড়ে নিয়েছেন এবং প্রশাসকের পদমর্যাদার বলে ক্যাস্ত্রুশিও ব্যাপারটা অবজ্ঞা করেছিলেন কিন্তু পরে এই ভেবে তিনি সতর্ক হলেন যে, মেসার জিওরজিও নেপল্‌স্-এর রাজা রুবার্তোর প্রতিনিধির কাছে তাঁর মর্যাদাহানি করে তাঁকে লুকা থেকে বিতাড়িত করতে পারেন।

পিসার শাসক তখন ছিলেন অ্যারোজ্জো নগরের ফ্যাগিউওলা পরিবারের উগুসিওনে, যিনি প্রথমে তাদের সেনাধিনায়ক নির্বাচিত হন এবং পরে শাসক। লুকা থেকে নির্বাসিত কিছু গিবেলিন তখন প্যারিসে বাস করছিলেন যাঁদের সঙ্গে ক্যাস্ত্রুশিও যোগাযোগ করেন যাঁরা ওপিজির আধিপত্য সহ্য করতেন না। তাঁর নির্দিষ্ট পরিকল্পনা অনুযায়ী ক্যাস্ত্রুশিও ওনেস্টির দুর্গ আরও মজবুত করলেন এবং সেখানে খাদ্যসামগ্রী ও যুদ্ধাস্ত্র মজুত করলেন যাতে প্রয়োজনে সেটি কিছুদিনের জন্য অবরোধ গড়ে তুলতে পারে। উগুসিওনে, যিনি পাহাড় ও পিসা নগরীর মধ্যবর্তী সমতলভূমি দখল করে রেখেছিলেন, পূর্বনির্দিষ্ট রাত্রে সংকেত পাওয়া মাত্র অলক্ষে স্যান পিয়েরো-র প্রবেশদ্বারের দিকে এগোলেন এবং লৌহকপাটে আগুন ধরিয়ে দিলেন। ক্যাস্ত্রুশিও নগরের মধ্যে একটা কোলাহল সৃষ্টি করে সকলকে অস্ত্র হাতে নিতে বললেন এবং নগরীর ভিতর দিক থেকে প্রধান দরজা খুলে দিতে বাধ্য করলেন। উগুসিওনে তাঁর লোকজন নিয়ে প্রবেশ করে গোটা শহর দাপিয়ে বেড়ালেন এবং মেসার জিওরজিওকে পরিবার, বন্ধুবান্ধব ও সমর্থকগণ সমেত হত্যা করলেন। প্রশাসককে তাড়িয়ে দেওয়া হল এবং উগুসিওনের ইচ্ছা অনুসারে সরকার পরিবর্তন করা হল যাতে নগরীর ক্ষতিই হয়েছিল কারণ শতাধিক পরিবারকে নির্বাসিত হতে হয়েছিল। যারা পালিয়ে

গিয়েছিল তাদের একাংশ গিয়েছিল ফ্লোরেন্সে আর অন্যরা পিসতোইয়াতে, যে শহরটি ছিল গুয়েল্ফ্ দলের প্রধান কার্যালয় এবং সেই কারণে সেটি উগুসিওনে ও লুচিজদের শত্রু হয়ে উঠেছিল।

ফ্লোরেন্সীয়দের ও গুয়েল্ফ্ দলের অন্যদের মনে হল যে গিবেলিনরা তাসক্যানিতে অত্যন্ত শক্তিশালী হয়ে উঠেছে এবং সেই কারণে তারা নির্বাসিত গুয়েল্ফ্দের লুকাতে পুনর্বাসন দেবে বলে স্থির করল। তারা ভাল দি নিভোলে-তে এক বিশাল সৈন্যসমাবেশ করল এবং মন্টেকাটেনি অবরোধ করল এবং সেখান থেকে তারা মন্টিকার্লোর দিকে যাত্রা করল যাতে বিনা বাধায় লুকাতে প্রবেশ করতে পারে। এর ফলে উগুসিওনে তাঁর পিসা নাগরিক ও লুচিজ সৈন্যদের একত্রিত করলেন এবং লম্বার্ডি থেকে আনীত একদল জার্মান অশ্বারোহী নিয়ে ফ্লোরেন্সীয়দের আবাসের দিকে রওনা হলেন যারা শত্রুকে আসতে দেখে মন্টিকার্লো থেকে সরে এসে মন্টেকাটিনি ও পেস্সিয়ার মধ্যে অবস্থান করল। তখন উগুসিওনে মন্টিকার্লোর কাছে এক জায়গায় শত্রুর প্রায় দুই মাইলের মধ্যে ঘাঁটি গড়লেন এবং দু-দলের অশ্বারোহীদের মধ্যে প্রতিদিনই ছোটোখাটো সংঘর্ষ চলতে থাকল। উগুসিওনের অসুস্থতার কারণে পিসার সৈন্য ও লুচিজরা যুদ্ধে যেতে দেরি করেছিল। অবস্থা আরও শঙ্কাজনক হতে দেখে উগুসিওনে মন্টিকার্লোতে গেলেন চিকিৎসার জন্য আর সৈন্যভার দিয়ে গেলেন ক্যাস্ত্রুশিওর হাতে। এই পরিবর্তনই গুয়েল্ফ্দের পতন ডেকে আনল কারণ শত্রুসৈন্যকে অধিনায়কহীন হতে দেখে তারা অতিরিক্ত আত্মবিশ্বাসী হয়ে পড়েছিল। ক্যাস্ত্রুশিও তা লক্ষ করলেন এবং আরো কিছুদিন যেতে দিলেন যাতে শত্রুর বিশ্বাস দৃঢ় হয়। তিনি ভয় পাওয়ার কিছু নিদর্শনও রাখলেন এবং শিবিরের একটি অস্ত্রও ব্যবহার করতে দিলেন না। অন্যদিকে গুয়েল্ফ্রা শত্রুর ভয় পাওয়ার নিদর্শন দেখে ক্রমশ আরো উদ্ধত হতে লাগল এবং প্রতিদিনই ক্যাস্ত্রুশিওর সৈন্যদের সামনে যুদ্ধসাজে অনেকটা সময় কাটাতে লাগল। শত্রুকে যথেষ্ট উৎসাহিত দেখে এবং তাদের কৌশল আয়ত্ত করতে সক্ষম হয়ে ক্যাস্ত্রুশিও স্থির করলেন শত্রুর সঙ্গে সম্মুখ যুদ্ধে লিপ্ত হবেন। প্রথমে তিনি সৈন্যদের উদ্দেশে উৎসাহবর্ধক কিছু কথা বললেন এবং তাদের বুঝিয়ে দিলেন যে তাঁর নির্দেশ মান্য করে চললে জয় নিশ্চিত। ক্যাস্ত্রুশিও লক্ষ করেছিলেন যে শত্রুপক্ষ তাদের সর্বোত্তম বাহিনীগুলিকে যুদ্ধরেখার মাঝখানে রেখেছে। তিনি সম্পূর্ণ বিপরীত পন্থা অবলম্বন করে তাঁর সর্বাধিক সাহসী সৈন্যদের পার্শ্বদেশে রেখে আর তুলনায় কম বিশ্বাসযোগ্য সৈন্যদের

মাঝখানে রেখে বাহিনী সাজালেন। এই যুদ্ধসজ্জা রচনা করে তিনি বাহিনী থেকে বেরিয়ে শত্রুপক্ষের দৃষ্টির মধ্যে এসে পড়লেন এবং তারা স্বভাবতই উদ্ধত ভঙ্গিতে তাঁকে প্রতিহত করতে এগিয়ে এল। তখন তিনি তাঁর মধ্যাঞ্চলের সৈন্যদের বললেন ধীরে অগ্রসর হতে এবং পার্শ্ববর্তী সৈন্যদের দ্রুত এগিয়ে যেতে নির্দেশ দিলেন। এইভাবে, দু-পক্ষ যখন কাছাকাছি এল তখন পার্শ্ববর্তী সৈন্যরাই শুধু সরাসরি যুদ্ধে রত হল এবং মধ্যবর্তী সৈন্যরা বিরত থাকল কারণ তাদের মধ্যে ব্যবধান এতটাই ছিল যে তারা পরস্পরের মুখোমুখি হতে পারছিল না। এই কৌশলের ফলে ক্যাস্ত্রুশিওর অপেক্ষাকৃত সাহসী যোদ্ধারা শত্রুপক্ষের দুর্বল সৈন্যদের সামনে পড়ল আর শত্রুপক্ষের যোগ্যতম সৈন্যদল যুদ্ধে বিরত থাকল এবং এইভাবে ফ্লোরেন্সীয়রা সম্মুখে বিন্যস্ত শত্রুবাহিনীর সঙ্গে যুদ্ধ করতেও পারল না আবার পার্শ্ববর্তী দলীয় সৈন্যদের সাহায্য করতেও অক্ষম হল। তাই অনায়াসে ক্যাস্ত্রুশিও শত্রুবাহিনীর পার্শ্ববর্তী সৈন্যদের পালিয়ে যেতে বাধ্য করলেন এবং মধ্যবর্তী বাহিনীও আক্রমণের মুখে পড়ে বীরত্ব দেখানোর সুযোগ না পেয়ে পালিয়ে গেল। জয় সম্পূর্ণ হল এবং বহু মানুষের প্রাণ গেল কারণ দশ সহস্রাধিক মানুষ সেই যুদ্ধে নিহত হয়েছিলেন যাঁদের মধ্যে ছিলেন তাসক্যানিতে থাকা গুয়েল্ফ্ দলের বহু সৈন্যাধ্যক্ষ ও নাইট এবং সাহায্য করতে আসা কিছু রাজা যেমন রাজা রুবের্তোর ভাই পিয়েরো, তাঁর ভ্রাতুষ্পুত্র কার্লো আর টারান্টো-র শাসক ফিলিপ্পো। ক্যাস্ত্রুশিওর পক্ষে তিনশোর বেশি মানুষ নিহত হয়নি কিন্তু তাদের মধ্যে ছিল উগুসিওনের পুত্র ফ্রান্সেস্কো, অল্পবয়সি ও হঠকারী হওয়ায় প্রথম আক্রমণের সময়েই যার মৃত্যু হয়েছিল।

এই জয় ক্যাস্ত্রুশিও-র খ্যাতি এতটাই বাড়িয়ে তুলেছিল যে, উগুসিওনের মনে কিছুটা ঈর্ষা ও সন্দেহ জেগেছিল কারণ উগুসিওনের মনে হয়েছিল এই জয়ে তাঁর কোনো শক্তিবৃদ্ধি হয়নি বরং কিছুটা কমেছে। এই ভেবে তিনি এ ব্যাপারে কিছু করার সুযোগের অপেক্ষায় থাকলেন। সেই সুযোগ এল লুকার খ্যাতিমান ও যোগ্য ব্যক্তি পিয়ের অ্যাগনোলো মিশেলি-র মৃত্যুতে, কারণ হত্যাকারী পালিয়ে ক্যাস্ত্রুশিওর বাড়িতে আশ্রয় নিয়েছিল। অধ্যক্ষের সার্জেন্টরা হত্যাকারীকে গ্রেপ্তার করতে গেলে ক্যাস্ত্রুশিও তাদের তাড়িয়ে দিলেন এবং হত্যাকারী পালিয়ে গেল। এই ঘটনা তখন পিসাতে থাকা উগুসিওনের কানে গেলে তাঁর মনে হল ক্যাস্ত্রুশিওকে শাস্তি দেওয়ার এই প্রকৃষ্ট সুযোগ। তিনি তাই লুকার প্রশাসক তাঁর পুত্র নেরির কাছে দূত পাঠালেন এবং নির্দেশ দিলেন ক্যাস্ত্রুশিওকে ভোজসভায় ডেকে বন্দী করে মৃত্যুদণ্ড দিতে।

ক্যাস্ত্রুশিও কোনো বিপদের ভয় না পেয়ে বন্ধুত্বপূর্ণভাবে প্রশাসকের কাছে গেলেন, সান্ধ্যভোজে যোগ দিলেন এবং জেলবন্দী হলেন। কিন্তু জনগণের কোপের মুখে পড়ার ভয়ে নেরি তাঁকে হত্যা না করে বাঁচিয়ে রাখলেন এবং পিতার অভিপ্রায় জানার অপেক্ষায় থাকলেন। উগুসিওনে পুত্রের দ্বিধা ও কাপুরুষতায় বিরক্ত হয়ে তৎক্ষণাৎ চারশো অশ্বারোহী নিয়ে পিসা থেকে লুকার উদ্দেশে রওনা হলেন নিজের হাতে কাজ শেষ করতে কিন্তু পিসার অধিবাসীরা সেই সময়েই বিদ্রোহ ঘোষণা করল এবং তাঁর প্রতিনিধিকে হত্যা করে কাউন্ট গ্যাডো ডেলা ঘেরারডেসকাকে তাদের শাসক নির্বাচিত করল। উগুসিওনে লুকা পৌঁছোবার আগেই পিসার ঘটনাবলি শুনেছিলেন কিন্তু ফিরে যাওয়া তাঁর কাছে উচিত বিবেচিত হল না কারণ তাহলে পিসার উদাহরণ অনুসরণ করে লুচিজরা তাঁর সামনে দরজা বন্ধ করে দিত। কিন্তু লুচিজরা পিসার খবর পেয়ে উগুসিওনে যে নগরে এসেছেন তার তোয়াক্কা না করে ক্যাস্ত্রুশিওর মুক্তি চাওয়ার সুযোগ কাজে লাগাল। তারা প্রথমে ব্যক্তিগত পরিসরে কথা বলতে শুরু করল, তারপর চক ও রাজপথে খোলাখুলি বলতে লাগল এবং শেষে গোলমাল বাধিয়ে অস্ত্র হাতে নিয়ে উগুসিওনের কাছে গেল আর ক্যাস্ত্রুশিওর মুক্তি চাইল। উগুসিওনে বিপদের আশঙ্কা করে তাঁকে কারাগার থেকে মুক্ত করলেন। এই ঘটনার পর ক্যাস্ত্রুশিও তাঁর বন্ধুবান্ধবদের জড়ো করলেন এবং জনগণকে সঙ্গে নিয়ে উগুসিওনেকে আক্রমণ করলেন, যিনি পালিয়ে যাওয়া ছাড়া কোনো উপায় না দেখে সবান্ধবে লম্বার্ডি চলে গেলেন স্কেল-এর সামন্ত প্রভুদের কাছে, যেখানে দারিদ্র্যজনিত কারণে তাঁর মৃত্যু হয়েছিল।

কিন্তু ক্যাসস্ত্রুশিও বন্দীদশা থেকে প্রায় লুকার রাজপুত্র হয়ে গিয়েছিলেন এবং তিনি বন্ধুবান্ধব ও জনতার সঙ্গে এমন বিচক্ষণতার সঙ্গে আচরণ করতে লাগলেন যে তারা এক বছরের জন্য তাঁকে তাদের সেনাধিনায়ক নির্বাচিত করল। এই পদ পেয়ে আর যুদ্ধে খ্যাতি অর্জনের অভিপ্রায়ে তিনি অনেক শহর পুনরুদ্ধারের পরিকল্পনা করলেন যেগুলি উগুসিওনের প্রস্থানের পর বিদ্রোহ করেছিল এবং পিসার অধিবাসীদের সঙ্গে চুক্তি করার পর তাদের সাহায্যে তিনি সেরেজানার দিকে সৈন্যাভিযান করলেন। সেই স্থানটিকে দখল করার উদ্দেশ্যে তিনি তার সামনে একটি দুর্গ নির্মাণ করলেন যা আজ জেরেজানেলো নামে পরিচিত এবং দু-মাসের মধ্যে তিনি শহরটি করায়ত্ব করলেন। এই সাফল্যের পর তিনি দ্রুত মাসা, ক্যারারা আর লাভেঞ্জো দখল করলেন এবং অল্পদিনের মধ্যেই গোটা লুনিগিয়ানা বিধ্বস্ত

করলেন। লম্বার্ডি থেকে লুনিগিয়ানা যাওয়ার পথ বন্ধ করতে তিনি পন্ট্রিমোলি অবরুদ্ধ করলেন এবং সেটি তৎকালীন শাসক মেসার অ্যানাস্টাজিও প্যালাভিসিন-এর হাত থেকে ছিনিয়ে নিলেন। এই বিজয় অভিযান সেরে যখন তিনি লুকা ফিরলেন সেখানকার জনগণ তাঁকে সাদরে বরণ করে নিল। নিজেকে শাসক হিসেবে প্রতিষ্ঠিত করতে দেরি করা অবিবেচকের কাজ হবে মনে করে তখন প্যাজিনো দেল পোজিও, পুসিনেল্লো দাল পোর্টিকো, ফ্রান্সেস্কো বোকান্সাচ্চি আর সেসিও গুইনিগি-র সহায়তায় ক্যাস্ত্রুশিও নিজেকে লুকার শাসক হিসেবে অধিষ্ঠিত করলেন এবং পরে জনগণের দ্বারা একচ্ছত্র অধিপতি হিসেবে নির্বাচিত হলেন। এই সময় রোমানদের রাজা বাভারিয়ার ফ্রেডরিক রাজমুকুট ধারণের জন্য ইতালিতে এলে ক্যাস্ত্রুশিও বন্ধুত্ব পাতানোর উদ্দেশ্যে পাঁচশো অশ্বারোহী নিয়ে তাঁর সঙ্গে দেখা করলেন। ক্যাস্ত্রুশিও তাঁর প্রতিনিধি হিসেবে লুকাতে রেখে গিয়েছিলেন পাগোলো গুইনিগিকে যিনি তাঁর পিতার প্রতি জনগণের ভালোবাসার কারণে অত্যন্ত শ্রদ্ধার পাত্র ছিলেন। ফ্রেডরিক সাদরে ক্যাস্ত্রুশিওকে অভ্যর্থনা জানালেন এবং তাসক্যানিতে সম্রাটের লেফটেন্যান্ট হিসেবে নিযুক্ত করলেন। এই সময় পিসাবাসীরা গ্যাডো দেলা ঘেরারডেসকা, যাঁকে তারা পিসা থেকে একসময় তাড়িয়ে দিয়েছিল, তাঁর ভয়ে ভীত হয়ে পড়েছিল এবং ফ্রেডরিকের কাছে সাহায্যের জন্য অনুরোধ করেছিল। ফ্রেডরিক ক্যাস্ত্রুশিওকে পিসার সামন্তপ্রভু নিযুক্ত করলেন এবং পিসাবাসীরা গুয়েল্ফ্ দলের ভয়ে, বিশেষত ফ্লোরেন্সীয়দের ভয়ে, তাঁকে শাসক হিসেবে মেনে নিতে বাধ্য হল।

ফ্রেডরিক তাঁর ইতালির কাজকর্ম দেখাশোনার জন্য রোমে একজন প্রশাসক নিযুক্ত করে জার্মানিতে ফিরে গেলেন। সকল তাসক্যানীয় আর লম্বার্ডির গিবেলিয়ানরা, যারা সম্রাটের গতিবিধির ওপর নজর রাখছিল, এখন ক্যাস্ত্রুশিওর কাছে সাহায্য ও পরামর্শ চাইল এবং প্রতিজ্ঞা করল যে তাঁর সাহায্যে তারা দেশ পুনরুদ্ধার করতে পারলে তাঁকেই দেশের প্রশাসকের আসনে বসাবে। এই নির্বাসিতদের মধ্যে ছিলেন ম্যাটিও গুইডি, নারডো স্কোলারি, ল্যাপো উবের্তি, জেরোজ্জো নার্দি আর পিয়েরো বুয়োনাকোর্সি যাঁরা সকলেই ছিলেন নির্বাসিত ফ্লোরেন্সীয় বা গিবেলিন। এই ব্যক্তিদের সাহায্যে আর নিজের বাহিনীর বলে গোটা তাসক্যানির প্রভু হওয়া আর শাসনকার্যে অধিকতর গুরুত্ব পাওয়ার সুপ্ত ইচ্ছার বশে ক্যাস্ত্রুশিও মিলানের শাসক মেসার ম্যাটিও ভিসকন্তি-র সঙ্গে একটি সন্ধি করলেন এবং তাঁর শহর ও গ্রামাঞ্চলে বাহিনী গড়ে তুললেন। যেহেতু লুকা শহরের পাঁচটি

ফটক ছিল, তিনি তাঁর অধীনস্থ গ্রামাঞ্চলকে পাঁচটি অংশে ভাগ করে সেখানে অস্ত্র সরবরাহ করলেন এবং যোদ্ধাদের নির্দিষ্ট অধিনায়কবর্গ ও তাদের সহকারীদের অধীনে রাখলেন যাতে পিসা থেকে আনীত সৈন্য ছাড়াও তিনি কুড়ি হাজার যোদ্ধাকে দ্রুত যুদ্ধের ময়দানে নামিয়ে দিতে পারেন। এইভাবে যখন তিনি নিজেকে সৈন্যবাহিনী ও মিত্রদের দ্বারা ঘিরে ফেললেন তখন ঘটনাচক্রে মেসার ম্যাটিও ভিসকন্তি পিয়াসেন্‌জা-র সেই গুয়েল্‌ফ্‌দের দ্বারা আক্রান্ত হলেন যারা ফ্লোরেন্সীয় সৈন্য ও রাজা রুবের্তোর সহায়তায় গিবেলিনদের তাড়িয়ে দিয়েছিল। মেসার ম্যাটিও ক্যাস্ত্রুশিওর কাছে খবর পাঠালেন ফ্লোরেন্সীয়দের নিজস্ব এলাকা আক্রমণ করার জন্য যাতে স্বদেশে আক্রান্ত হয়ে তারা নিজেদের রক্ষাকল্পে লম্বার্ডি থেকে সৈন্য প্রত্যাহারে বাধ্য হয়। ক্যাস্ত্রুশিও ভালদার্নোতে হানা দিলেন এবং ফুসেচিনো ও স্যান মিনিয়াতো দখল করে সেই দেশের অপরিমেয় ক্ষতিসাধন করলেন। এর ফলে ফ্লোরেন্সীয়রা তাদের সৈন্যবাহিনীকে তাসক্যানি পৌঁছবার আগেই ফিরিয়ে নিয়ে এল কিন্তু ক্যাস্ত্রুশিও অন্য কারণে লুকা ফিরে যেতে বাধ্য হলেন।

লুকা শহরে বাস করত পোজ্জিও পরিবার, যারা এতটাই ক্ষমতাশালী ছিল যে ক্যাস্ত্রুশিওকে শুধু উত্থানেই সাহায্য করেনি তাঁকে শাসকের মর্যাদা পেতে এগিয়ে দিয়েছিল, কিন্তু তাদের মনে হয়েছিল যে তারা তাদের অবদানের যথাযোগ্য পুরস্কার পায়নি আর তাই তারা অন্য পরিবারগুলিকে বিদ্রোহ করতে এবং ক্যাস্ত্রুশিওকে লুকা থেকে বিতাড়িত করতে প্ররোচিত করেছিল। একদিন তারা সুযোগ পেয়ে গেল এবং ক্যাস্ত্রুশিও যাঁকে শান্তিশৃঙ্খলা বজায় রাখতে তাঁর লেফটেন্যান্ট নিযুক্ত করে গিয়েছিলেন তাঁকে সশস্ত্র আক্রমণ করে হত্যা করল। তারা জনগণকে বিদ্রোহ করতে উৎসাহিত করতে লাগল, কিন্তু স্তেফানো ডি পোজিও নামে এক শান্তিপ্রিয় বৃদ্ধ ব্যক্তি, যিনি বিদ্রোহের সঙ্গে যুক্ত ছিলেন না, তিনি বাধা দিলেন এবং তাঁর কর্তৃত্বের বলে তাদের অস্ত্রত্যাগ করতে বাধ্য করলেন। যা তারা চায় তা আদায় করার উদ্দেশ্যে ক্যাস্ত্রুশিওর সঙ্গে মধ্যস্থতাকারী হিসেবে তিনি কথা বলবেন বলে প্রস্তাব দিলেন। যে নির্বুদ্ধিতার বশে তারা অস্ত্র হাতে নিয়েছিল সেই নির্বুদ্ধিতার বশেই তারা অস্ত্র ত্যাগ করল। লুকার ঘটনাবলি সম্পর্কে জানতে পেরে ক্যাস্ত্রুশিও পাগোলো গুইনিগিকে সৈন্যাধ্যক্ষ নিযুক্ত করে একদল অশ্বারোহী নিয়ে স্বদেশের দিকে যাত্রা করলেন। তাঁর আশঙ্কার বিপরীতে তিনি দেখলেন বিদ্রোহ থেমে গেছে, তবুও গোটা শহর জুড়ে সুবিধাজনক জায়গায় তিনি তাঁর সৈন্য মোতায়েন করে দিলেন। স্তেফানোর

মনে হয়েছিল যে ক্যাস্ত্রুশিওর তাঁর প্রতি কৃতজ্ঞ থাকা উচিত, তাই তিনি তাঁর সঙ্গে দেখা করলেন, কিন্তু নিজের সমর্থনে কোনো কথা বললেন না, কারণ তিনি বুঝেছিলেন তার প্রয়োজন নেই, তিনি শুধু তাঁর পরিবারের অন্য সদস্যদের যুবাবয়সের দোহাই দিয়ে তাদের ক্ষমা করতে অনুরোধ করলেন, তাঁদের পূর্ববর্তী সুসম্পর্ক আর ক্যাস্ত্রুশিওর প্রতি তাঁদের পরিবারের অনুগ্রহের কথা স্মরণ করিয়ে দিলেন। ক্যাস্ত্রুশিও অত্যন্ত ভদ্রভাবে তাঁর প্রতিক্রিয়া জানালেন এবং তাঁকে আশ্বস্ত করলেন এই বলে যে, গোলমাল শুরু হওয়ার খবর পেয়ে তিনি যতটা উদ্বিগ্ন হয়ে পড়েছিলেন তা থেমে গেছে দেখে তিনি ততোধিক আনন্দ পেয়েছেন। তিনি স্তেফানোকে উৎসাহিত করলেন তাঁর পরিবারের সদস্যদের নিয়ে আসতে যাতে তিনি ঈশ্বরের অনুগ্রহে ক্ষমাশীলতা ও ঔদার্য প্রদর্শনের একটা সুযোগ পান। স্তেফানো ও ক্যাস্ত্রুশিওর কথায় সকলে আত্মসমর্পণ করল এবং স্তেফানো সমেত সকলে কারাগারে নিক্ষিপ্ত হয়ে নিহত হল। ইতিমধ্যে ফ্লোরেন্সীয়রা স্যান মিনিয়াতো পুনরুদ্ধার করে নিয়েছিল যার ফলে ক্যাস্ত্রুশিও ভাবলেন এবার শান্তি স্থাপন করা উচিত কারণ তিনি নিজেকে লুকাতে সুরক্ষিত মনে করছিলেন না। তিনি ফ্লোরেন্সীয়দের কাছে যুদ্ধবিরতির প্রস্তাব পাঠালেন যা তারা তৎক্ষণাৎ মেনে নিল কারণ তারা অতিরিক্ত যুদ্ধে ক্লান্ত হয়ে পড়েছিল এবং যুদ্ধের ব্যয় থেকে অব্যাহতি চাইছিল। দু-বছরের জন্য একটি চুক্তি স্থাপিত হল যাতে দু-পক্ষই তাদের অধিকৃত স্থান দখলে রাখতে সম্মত হল। এইভাবে সমস্যামুক্ত হয়ে ক্যাস্ত্রুশিও লুকার শাসনব্যবস্থার দিকে মনোযোগ দিলেন এবং যাতে সদ্য দূরীভূত বিপদে তাঁকে আবার না পড়তে হয় তাই বিভিন্ন যুক্তিতে ও ছলে যাদের থেকে রাজত্বের ক্ষতি হতে পারে তাদের সমূলে বিনাশ করলেন, তাদের কাউকে বাদ দিলেন না, তাদের জমিজমা ও সম্পত্তি কেড়ে নিলেন এবং হত্যাও করলেন এই বলে যে তাঁর অভিজ্ঞতা অনুসারে তারা কেউই বিশ্বাসযোগ্য নয়। তারপর নিজেকে আরো সুরক্ষিত করতে নিহত ও রাজ্য থেকে বিতাড়িত পরিবারগুলির ভবনের পাথর দিয়ে তিনি লুকাতে একটি দুর্গ নির্মাণ করলেন।

ক্যাস্ত্রুশিও যখন ফ্লোরেন্সীয়দের সঙ্গে শান্তিচুক্তি করছেন এবং লুকাতে তাঁর অবস্থান আরো শক্তিশালী করছেন, তখনও যুদ্ধের মাধ্যমে অন্যত্র তাঁর প্রতিপত্তি বাড়ানোর সুযোগ ছাড়েননি। তাঁর মনে হয়েছিল, যদি তিনি পিসতোইয়া অধিকার করতে পারেন তবে ফ্লোরেন্সে পা রাখতে পারবেন যা তাঁর একান্ত বাসনা ছিল। তাই তিনি বিভিন্নভাবে পাহাড় অঞ্চলের অধিবাসীদের সঙ্গে বন্ধুত্ব স্থাপন করলেন এবং

পিসতোইয়াতেও তাই করলেন যাতে দু-পক্ষই তাদের গোপন খবর তাঁকে দেয়। পিসতোইয়া বরাবরই বিয়ান্‌চি ও নেরি দলের মধ্যে বিভক্ত ছিল, বিয়ান্‌চিদের প্রধান ছিলেন বাস্তিয়ানো দি পসেন্তে আর নেরিদের প্রধান ছিলেন জ্যাকোপে দা জিয়া। এই দুই ব্যক্তিই ক্যাস্ত্রুশিওর সঙ্গে গোপনে যোগাযোগ রেখেছিলেন আর একে অন্যকে শহর থেকে দূর করতে চাইছিলেন এবং অনেক হুমকি দেওয়ার পর দুই দল লড়াইতে জড়িয়ে পড়েছিল। জ্যাকোপো ফ্লোরেন্সীয় দরজার কাছে ঘাঁটি গাড়লেন আর ব্যাস্তিয়ানো লুচিজদের অঞ্চলের দিকে; উভয়েই ফ্লোরেন্সীয়দের থেকে ক্যাস্ত্রুশিওর ওপর বেশি আস্থা রেখেছিলেন কারণ তাঁরা বিশ্বাস করতেন ফ্লোরেন্সীয়দের চেয়ে ক্যাস্ত্রুশিও যুদ্ধের জন্য বেশি প্রস্তুত এবং তারা উভয়েই তাঁর কাছে সাহায্যের জন্য দূত পাঠালেন। তিনি উভয়কেই আশ্বস্ত করলেন, ব্যাস্তিয়ানোকে বললেন যে তিনি নিজে যাবেন আর জ্যাকোপোকে বললেন যে তাঁর শিষ্য পাগোলো গুইনিগিকে পাঠাবেন। নির্দিষ্ট সময়ে তিনি আগে পাগোলোকে পাঠালেন পিসার দিক দিয়ে আর নিজে সরাসরি পিসতোইয়া পৌঁছলেন; মধ্যরাত্রে উভয়ে শহরের বাইরে মিলিত হলেন এবং উভয়কেই বন্ধু হিসেবে শহরে প্রবেশ করতে দেওয়া হল। এইভাবে দুই নেতাই শহরে প্রবিষ্ট হলেন আর ক্যাস্ত্রুশিও ইঙ্গিত করা মাত্র একজন জ্যাকোপো দা জিয়াকে আর অন্যজন বাস্তিয়ানো দি পসেন্তেকে হত্যা করলেন এবং দুই দলের অনুগামীদেরই বন্দী করলেন বা হত্যা করলেন। বিনা বাধায় পিসতোইয়া ক্যাস্ত্রুশিওর হাতে চলে এল এবং তিনি সিগনোরিয়াকে (প্রশাসক) রাজপ্রাসাদ ত্যাগ করতে বাধ্য করলেন, জনগণকে বাধ্য করলেন বশ্যতা স্বীকারে, তাদের প্রচুর প্রতিশ্রুতি দিলেন আর তাদের পুরোনো দেনা মকুব করে দিলেন। গ্রামাঞ্চল থেকে লোকে শহরে ছুটে এল নতুন শাসককে দেখতে, তারা আশান্বিত ছিল এবং দ্রুত শান্ত হয়ে গেল কারণ ক্যাস্ত্রুশিওর বীরত্ব তাদের প্রভাবিত করেছিল।

এই সময় রোমে মহা শোরগোল পড়ে গেল, কারণ পোপের অনুপস্থিতির ফলে জীবনযাপন মহার্ঘ হয়ে উঠেছিল। হত্যা আর বিক্ষোভ নিত্যনৈমিত্তিক ব্যাপার হয়ে গিয়েছিল এবং তা সামলাতে না পারার জন্য জার্মান প্রশাসক এনরিকো-কে সকলে দোষারোপ করছিল। এনরিকো অত্যন্ত উদ্বিগ্ন হয়ে পড়েছিলেন পাছে রোমানরা নেপল্‌স্ এর রাজা রুবার্তো-কে ডেকে আনে এবং তিনি জার্মানদের তাড়িয়ে পোপকে শহরে ফিরিয়ে আনেন। তাঁকে সাহায্য করার মতো অন্য কোনো মিত্র কাছাকাছি না থাকায় তিনি ক্যাস্ত্রুশিওর কাছেই আবেদন জানালেন, শুধু তাঁকে সাহায্য

করতেই নয়, সশরীরে রোমে আসার জন্যও। ক্যাস্ত্রুশিও বিবেচনা করলেন, সম্রাটকে সেবা করার এই সুযোগ ছাড়া উচিত নয় কারণ তাঁর বিশ্বাস ছিল যে, সম্রাট রোমের দখল হারালে তিনি নিজেও নিরাপদ থাকবেন না। পাগোলো গুইনিগির হাতে লুকার দায়িত্ব অর্পণ করে ক্যাস্ত্রুশিও ছয়শো অশ্বারোহী নিয়ে রোমের উদ্দেশে যাত্রা করলেন এবং সেখানে পৌঁছলে এনরিকো তাঁকে সসম্মানে স্বাগত জানালেন। ক্যাস্ত্রুশিওর উপস্থিতি কিছুদিনের মধ্যেই সম্রাটকে সকলের কাছে এমন শ্রদ্ধার পাত্র করে তুলল যে, রক্তপাত বা হিংসা ছাড়াই শান্তি পুনস্থাপিত হল যার প্রধান কারণ ছিল ক্যাস্ত্রুশিও কর্তৃক পিসার চারিদিকের গ্রামাঞ্চল থেকে সমুদ্রপথে প্রচুর ভুট্টা প্রেরণ যা সমস্যার মূলটিকেই দূর করেছিল। যেই এনরিকো কিছু রোমান নেতাকে শাস্তি দিলেন আর অন্য কয়েকজনকে সতর্ক করলেন, স্বতস্ফূর্ত বশ্যতা পেতে তাঁর দেরি হল না। ক্যাস্ত্রুশিও প্রভূত সম্মান পেলেন এবং রোমান সেনেটের সদস্য নির্বাচিত হলেন। অত্যন্ত ধুমধাম করে তাঁকে এই সম্মানে ভূষিত করা হল, ক্যাস্ত্রুশিও একটি জরিদার টোগা (আলখাল্লা) পরিধান করলেন যার সম্মুখভাগে সূচিকর্মে লেখা ছিল, 'ঈশ্বর যা চান, আমি তাই' আর পশ্চাদভাগে লেখা ছিল, 'ঈশ্বর যা চান তাই হবে।'

ক্যাস্ত্রুশিও চুক্তিকালের মধ্যেই পিসতোইয়া দখল করেছেন বলে ফ্লোরেন্সীয়রা অত্যন্ত ক্রুদ্ধ হয়ে উঠেছিল এবং ভাবতে শুরু করেছিল কীভাবে সেই শহরে বিদ্রোহ জাগিয়ে তোলা যায় যা ক্যাস্ত্রুশিওর অনুপস্থিতিতে খুব কঠিন কাজ মনে হয়নি। পিস্‌তোইয়া থেকে ফ্লোরেন্সে নির্বাসিতদের মধ্যে ছিলেন বালদো কেচ্চি আর জ্যাকোপো বালদিনি যে দুজনই ছিলেন নেতৃস্থানীয় এবং বিপদের মুখোমুখি হতে প্রস্তুত। তাঁরা পিসতোইয়াতে তাঁদের সুহৃদদের সঙ্গে যোগাযোগ রাখছিলেন এবং ফ্লোরেন্সীয়দের সহায়তায় এক রাত্রে তাঁরা শহরে প্রবেশ করলেন আর ক্যাস্ত্রুশিওর কিছু আধিকারিক ও অনুগামীকে তাড়িয়ে দিয়ে এবং অন্যদের হত্যা করে শহরকে পরাধীনতামুক্ত করলেন। এই খবর পেয়ে ক্যাস্ত্রুশিও অত্যন্ত রেগে গেলেন এবং এনরিকোর কাছে ছুটি নিয়ে দ্রুত পিস্‌তোইয়া রওনা হলেন। ফ্লোরেন্সীয়রা তাঁর প্রত্যাবর্তনের সংবাদ পেয়ে এবং তিনি যে সময় নষ্ট করবেন না তা বুঝতে পেরে স্থির করল তাদের বাহিনী নিয়ে ভালদি নিভোলেতেই তাঁকে বাধা দেবেন যাতে তাঁর পিসতোইয়া যাওয়ার পথ বন্ধ হয়। গুয়েল্ফ্ দলের সমর্থকদের এক বিশাল বাহিনী তৈরি করে ফ্লোরেন্সীয়রা পিস্‌তোইয়া এলাকায় প্রবেশ করল। অন্যদিকে ক্যাস্ত্রুশিও তাঁর বাহিনী নিয়ে মন্টিকার্লো পৌঁছলেন এবং ফ্লোরেন্সীয়দের অবস্থানের কথা শুনে

স্থির করলেন পিসতোইয়ার সমতল অঞ্চলে তাদের মোকাবিলা করবেন না বা পেসিয়ার সমতলভূমিতেও করবেন না বরং সম্ভব হলে সেরাভালের গিরিপথে তাদের বীরবিক্রমে আক্রমণ করবেন। তাঁর বিশ্বাস ছিল যে যদি তিনি এই পরিকল্পনায় সফল হন তবে বিজয় সুনিশ্চিত হবে যদিও তিনি খবর পেয়েছিলেন যে, ফ্লোরেন্সীয় বাহিনীতে ত্রিশ হাজার সৈন্য ছিল যখন তাঁর কাছে ছিল মাত্র বারো হাজার। যদিও নিজের সামর্থ্য ও অনুগামী সৈন্যদের বীরত্বের ওপর তাঁর সম্পূর্ণ ভরসা ছিল তবু তিনি শত্রুর সঙ্গে সম্মুখসমরে যেতে ইতস্তত করছিলেন পাছে তাদের সংখ্যাধিক্যের কারণে তিনি পর্যুদস্ত হন। সেরাভালে ছিল পেসিয়া ও পিসতোইয়া-র মধ্যবর্তী অঞ্চলের একটি দুর্গ যা ভাল দি নিভোলে যাওয়ার পথে অন্তরায় সৃষ্টিকারী একটি পাহাড়ের ওপর অবস্থিত ছিল, ঠিক গিরিপথের ওপর নয় কিন্তু মাত্র তীর ছোড়া দূরত্বে। গিরিপথটির উৎরাই ঢালু হলেও স্থানে স্থানে এটি সংকীর্ণ ও খাড়াইযুক্ত, বিশেষত জলধারাবিভক্ত চূড়াটিতে কষ্টেসৃষ্টে কুড়িজন মানুষ পাশাপাশি দাঁড়াতে পারে। সেরাভালের অধ্যক্ষ ছিলেন ম্যানফ্রেড নামে এক জার্মান ব্যক্তি যিনি ক্যাস্ত্রুশিও পিসতোইয়া অধিকার করার আগেই এই দুর্গের অধিকার পেয়েছিলেন কারণ এটি লুচিজ ও পিসতোইয়াবাসীদের সাধারণ সম্পত্তি হলেও কেউই এটি দখল করেনি এবং যেহেতু ম্যানফ্রেড তাঁর নিরপেক্ষতার প্রতিজ্ঞা রক্ষা করেছেন আর কোনো পক্ষই অবলম্বন করেননি তাই কেউ তাঁকে সরাতেও চায়নি। এইসব কারণে এবং দুর্গটি যথেষ্ট মজবুত হওয়ায় তিনি তাঁর পদ রক্ষা করতে সক্ষম হয়েছিলেন। ক্যাস্ত্রুশিও স্থির করলেন এই স্থানেই শত্রুপক্ষের ওপর আক্রমণ হানবেন কারণ এখানে তাঁর স্বল্পসংখ্যক সৈন্য সুবিধাজনক অবস্থান পাবে এবং কোনো ভয় থাকবে না যদি না বিশাল শত্রুবাহিনী দেখে তারা অস্থির হয়ে পড়ে। ফ্লোরেন্সের এই সমস্যা দেখা দেওয়ার সঙ্গে সঙ্গেই ক্যাস্ত্রুশিও বুঝেছিলেন যে এই দুর্গ অধিকার করতে পারলে তিনি যথেষ্ট সুবিধা পাবেন এবং দুর্গের এক অধিবাসীর সঙ্গে তাঁর ঘনিষ্ঠ বন্ধুত্ব থাকায় তিনি ব্যবস্থা করতে পারলেন যাতে ফ্লোরেন্সীয়রা আক্রমণ করার আগের রাতে তাঁর চারশো সৈন্য দুর্গে প্রবেশ করে দুর্গাধ্যক্ষকে হত্যা করতে পারে।

সব রকম প্রস্তুতি সেরে ফেলার পর ক্যাস্ত্রুশিও চাইলেন ফ্লোরেন্সীয়রা পিসতোইয়া থেকে দূরে ভাল দি নিভোলেতে যুদ্ধ করার জন্য এগিয়ে আসুক আর তাই তিনি মন্টিকার্লো থেকে তাঁর সৈন্যবাহিনী নিয়ে অগ্রসর হলেন না।

ফ্লোরেন্সীয়রা দ্রুত সেরাভালের নিচে তাদের শিবিরে পৌঁছল যাতে পরদিন সকালে তারা পাহাড় অতিক্রম করতে পারে। ইতিমধ্যে রাত্রিবেলাতেই ক্যাস্ত্রুশিও দুর্গ দখল করে নিলেন, তাঁর সৈন্যবাহিনীকে মন্টিকার্লো থেকে যাত্রা করালেন এবং মধ্যরাত্রে নিঃশব্দ পদসঞ্চারে তারা সেরাভালের পাদদেশে উপনীত হল। সকালে একই সময়ে দু-পক্ষের সৈন্য পর্বতারোহণ শুরু করল। ক্যাস্ত্রুশিও তাঁর পদাতিক বাহিনীকে রাজপথ ধরে এগিয়ে দিলেন আর চারশো অশ্বারোহী সৈন্য পাঠালেন বাঁ দিকের পথ ধরে দুর্গের দিকে। চারশো অশ্বারোহীকে সামনে রেখে এগিয়ে চলা ফ্লোরেন্সীয় বাহিনী আশা করেনি যে ক্যাস্ত্রুশিও পাহাড়ের দখল নিয়ে নেবেন, তারা জানতেও পারেনি যে তিনি দুর্গ অধিকার করে নিয়েছেন। তাই পর্বতারোহী ফ্লোরেন্সীয় অশ্বারোহী বাহিনী সম্পূর্ণ বিস্মিত হয়ে গেল ক্যাস্ত্রুশিওর পদাতিক বাহিনীকে সামনে দেখে এবং তারা এতটাই কাছে গিয়ে পড়েছিল যে শিরস্ত্রাণের মুখাবরণ নামানোরও সময় ছিল না। এটা ছিল অপ্রস্তুত বাহিনীর প্রস্তুত বাহিনী দ্বারা আক্রান্ত হওয়ার মতো ঘটনা এবং তারা এত তীব্র আক্রমণের মুখে পড়ল যে তাদের মধ্যে কয়েকজন এগোতে পারলেও বাকিরা দাঁড়াতেই পারল না। যুদ্ধের শোরগোলের শব্দ নিচে ফ্লোরেন্সীয় শিবিরে পৌঁছলে তারা দ্বিধাগ্রস্ত হয়ে পড়ল। অশ্বারোহী ও পদাতিক বাহিনীর মধ্যে এমন জটিলতা দেখা দিল যে তাদের সেনাপতিরা তাদের এগোতে বা পেছোতে পারছিল না এবং গিরিপথের সংকীর্ণতার কারণে আর এই গোলমালের মধ্যে কেউ বুঝেই পাচ্ছিল না কী করা উচিত বা কী করা যেতে পারে। ওদিকে শত্রুপক্ষের পদাতিক বাহিনীর সামনে অশ্বারোহী সৈন্যরা মরিয়া হয়ে কিছুটা প্রতিরোধ করলেও তাদের দুর্ভাগ্যজনক অবস্থানের জন্য অধিকাংশই ছত্রভঙ্গ হয়ে গেল বা নিহত হল। পিছিয়ে যাওয়া অসম্ভব ছিল কারণ দু-পাশেই ছিল পাহাড় এবং সামনে শত্রু আর পিছনে মিত্রবাহিনী। ক্যাস্ত্রুশিও যখন দেখলেন যে তাঁর সৈন্যরা চূড়ান্ত আঘাত হেনে শত্রুপক্ষকে তাড়িয়ে দিতে পারছে না, তিনি এক হাজার পদাতিক সৈন্য পাঠালেন আগে থেকে দুর্গে থাকা চারশো অশ্বারোহীর সঙ্গে যোগ দিতে এবং আদেশ দিলেন সম্মিলিতভাবে শত্রুর ওপর ঝাঁপিয়ে পড়তে। এই আদেশ পেয়ে তারা এমন প্রমত্তবিক্রমে আক্রমণ শানাল যে ফ্লোরেন্সীয়রা আঘাত সামলাতে না পেরে পশ্চাদপসরণে বাধ্য হল; অবস্থানগত দুর্ভাগ্যের চেয়ে বিপক্ষের বীরত্বের কারণেই তাদের পরাজয় হল। পিছন দিকে থাকা সৈন্যরা পিসতোইয়ার দিকে ফিরে গেল

এবং সমতল অঞ্চলে ছড়িয়ে পড়ল কারণ প্রত্যেকেই নিজস্ব নিরাপত্তা চাইছিল। রক্তক্ষয়ী পরাজয় সম্পূর্ণ হলে অনেক সেনানায়ক বন্দী হলেন যাঁদের মধ্যে ছিলেন বান্দিনি দেই রোসি, ফ্রান্সেস্কো ব্রুনেলেসচি আর জিওভান্নি দেলা তোসা যারা সকলেই ছিলেন ফ্লোরেন্সীয় অভিজাত শ্রেণীর। এছাড়াও অনেক তাসক্যান ও নেপোলিটান বন্দী হল যারা রাজা রুবার্তোর দ্বারা প্রেরিত হয়ে গুয়েল্ফ্‌দের সাহায্যার্থে ফ্লোরেন্সীয় পক্ষে যুদ্ধ করেছিল। পরাজয়ের খবর শুনেই পিসতোইয়াবাসীরা গুয়েল্ফ্‌দের মিত্রদের বিতাড়িত করল এবং ক্যাস্ত্রুশিওর কাছে আত্মসমর্পণ করল। তিনি প্র্যাটো দখল করে এবং আর্নোর দু-পাশের সমতলভূমিতে থাকা সব দুর্গ অধিকার করেই সন্তুষ্ট হলেন না বরং ফ্লোরেন্সের দু-মাইলের মধ্যে থাকা পেরেতোলার সমতল অঞ্চলে তাঁর বাহিনীকে প্রবিষ্ট করলেন। এখানে বেশ কিছুদিন থেকে তিনি লুণ্ঠনজাত সামগ্রী বণ্টন করলেন আর ভূরিভোজ ও ক্রীড়া প্রতিযোগিতার মাধ্যমে বিজয়োৎসব করলেন যার মধ্যে ছিল ঘোড়দৌড় এবং পুরুষ ও নারীদের দৌড় প্রতিযোগিতা। ফ্লোরেন্সীয়দের পরাজিত করার স্মারক হিসেবে তিনি পদক নির্মাণও করলেন। তিনি চেষ্টা করেছিলেন কয়েকজন ফ্লোরেন্সীয় নাগরিককে বশ করে রাত্রে নগরের দ্বার খোলানোর ব্যবস্থা করতে কিন্তু ষড়যন্ত্র প্রকাশ হয়ে যায় এবং তাতে অংশগ্রহণকারীদের বন্দী করে শিরচ্ছেদ করা হয় যাদের মধ্যে ছিলেন টোমাসো লুপসি আর ল্যামবারটুসিও ফ্রেসকোবাল্ডি। এই পরাজয়ের ফলে ফ্লোরেন্সীয়রা অত্যন্ত উদ্বিগ্ন হয়ে পড়েছিল এবং তাদের স্বাধীনতা রক্ষা সম্পর্কে হতাশ হয়ে পড়ে নেপল্‌স্‌-এর রাজা রুবার্তোর কাছে দূত পাঠিয়ে তাদের শহরের অধিকার অর্পণ করেছিল আর তিনিও গুয়েল্ফ্‌দের হাতে রাখা কতটা গুরুত্বপূর্ণ তা বুঝে প্রস্তাব গ্রহণ করেছিলেন। তিনি ফ্লোরেন্সীয়দের থেকে শ্রদ্ধার্ঘ হিসেবে বার্ষিক দু-লক্ষ ফ্লোরিন নিতে এবং তাঁর পুত্র কার্লোকে চার হাজার অশ্বারোহী সৈন্যসহ ফ্লোরেন্সে পাঠাতে সম্মত হয়েছিলেন।

এই ঘটনার অল্প কিছুদিন পর ফ্লোরেন্সীয়রা ক্যাস্ত্রুশিওর সৈন্যবাহিনীর চাপ থেকে কিছুটা মুক্ত হয়েছিল কারণ পিসাতে বেনেদেত্তো ল্যানফ্রানচির অধীনে একটি বিদ্রোহ মাথা চাড়া দেওয়ায় ক্যাস্ত্রুশিও ফ্লোরেন্সের সামনে থেকে সরে পিসা যাত্রা করতে বাধ্য হয়েছিলেন। বেনেদেত্তো ল্যানফ্রানচি ছিলেন পিসার এক নেতৃস্থানীয় ব্যক্তি যিনি তাঁর পিতৃভূমি লুচিজদের অধীনে থাকা সহ্য করতে পারছিলেন না।

তিনি ষড়যন্ত্র করে দুর্গ অধিকার করতে চেয়েছিলেন এবং ক্যাস্ত্রুশিওর অনুগামীদের হত্যা করে দুর্গরক্ষাকারী সৈন্যদের হঠিয়ে দেওয়ার পরিকল্পনা করেছিলেন। যেহেতু কোনো ষড়যন্ত্রে গোপনীয়তা রক্ষার কারণে সংখ্যাল্পতা জরুরি কিন্তু তার রূপায়ন অল্প লোকের কাজ নয় তাই ল্যানফ্রানচি অধিক সংখ্যক মানুষকে তাঁর ষড়যন্ত্রে অংশীদার করতে এক ব্যক্তিকে হত্যা করেছিলেন যে ক্যাস্ত্রুশিওর কাছে তাঁর পরিকল্পনা ফাঁস করে দিয়েছিল। দুই নির্বাসিত ফ্লোরেন্সীয় বোনিফেসিও কেরচি আর জিওভান্নি গুইডি যাঁরা পিসাতে নির্বাসনযন্ত্রণা ভোগ করছিলেন তাঁদের পক্ষে এই বিশ্বাসঘাতকতা মেনে নেওয়া সম্ভব হয়নি। এরপর ক্যাস্ত্রুশিও বেনেদেত্তোকে বন্দী করে হত্যা করেন এবং অন্য অনেক অভিজাত নাগরিকের শিরশ্ছেদ করেন আর তাঁদের পরিবারকে নির্বাসনে পাঠিয়ে দেন। পিসা ও পিসতোইয়া উভয় নগরই সম্পূর্ণ আনুগত্যহীন হয়ে পড়েছে মনে করে সেখানে নিজের অবস্থান সুরক্ষিত করতে ক্যাস্ত্রুশিও অনেক পরিকল্পনা করলেন এবং সক্রিয় হয়ে উঠলেন যা ফ্লোরেন্সীয়দের সুযোগ করে দিল নিজেদের সৈন্যবাহিনী পুনর্গঠিত করতে এবং নেপলস-এর রাজার পুত্র কার্লোর আগমনের জন্য অপেক্ষা করতে। কার্লো এসে উপস্থিত হতেই তারা সময় নষ্ট না করে তাদের সাহায্যার্থে ইতালিতে থাকা সব গুয়েল্ফ্‌কে ডেকে একটি বিশাল বাহিনী তৈরি করল যাতে ছিল ত্রিশ সহস্রাধিক পদাতিক ও দশ হাজার অশ্বারোহী। পিসতোইয়া অথবা পিসা, কোনটিকে তাদের প্রথম আক্রমণ করা উচিত সে বিষয়ে আলোচনা করে তারা স্থির করল শেষোক্ত স্থানের উদ্দেশে যাত্রা করাই শ্রেয় কারণ সেখানকার সাম্প্রতিক ষড়যন্ত্রের ফলে সেখানে সাফল্য পেতে সুবিধা হবে আর তাদের বিশ্বাস ছিল যে পিসা দখল করতে পারলে পিসতোইয়া অবশ্যই আত্মসমর্পণ করবে।

১৩২৮ খ্রিষ্টাব্দের মে মাসের প্রথম দিকে ফ্লোরেন্সীয়রা এই সৈন্যবাহিনী নিয়ে দ্রুত লাস্ত্রা, সিগ্‌না, মন্টিলুপো ও এমপোলি দখল করে মিনিয়াতোর দিকে যাত্রা করল। ফ্লোরেন্সীয়রা এই বিশাল বাহিনী তাঁর বিরুদ্ধে পাঠিয়েছে জেনে ক্যাস্ত্রুশিও একটুও ভীত হলেন না। তাঁর বিশ্বাস ছিল যে, এই সুযোগে ভাগ্যদেবী তাঁর হাতে গোটা তাসক্যানি সাম্রাজ্য তুলে দেবেন, কারণ পিসা বা সেরাভ্যালেতে যা ঘটেছিল তার থেকে বেশি লড়াই এই শত্রুপক্ষ দিতে পারবে বা তার থেকে বেশি সফলতা পাবে এমন ভাবার কোনো কারণ নেই। তিনি কুড়ি হাজার পদাতিক আর চার হাজার অশ্বারোহী সৈন্য নিয়ে ফুশেচিও গেলেন এবং পাঁচ হাজার পদাতিক সহ পাগোলো

গুইনিগিকে পিসাতে পাঠালেন। আর্নো ও গুসকিয়ানা নদীর মধ্যবর্তী স্থানে অবস্থানের জন্য এবং চারদিকের সমতল ভূমি থেকে কিছুটা উপরে থাকার কারণে ফুশেচিও পিসা অঞ্চলের অন্য শহরগুলির তুলনায় বেশি সুরক্ষিত ছিল। উপরন্তু শত্রুপক্ষ তাদের সৈন্যদের বিভিন্ন ভাগে বিভক্ত না করে দিলে এখানে খাদ্য সরবরাহে বাধা সৃষ্টি করতে পারত না এবং লুকা বা পিসার দিক থেকে এখানে আসতে কিংবা পিসাতে যেতে বা ক্যাস্ত্রুশিওর সৈন্যবাহিনীকে আক্রমণ করতে তারা অসুবিধায় পড়ত। একদিকে তারা ক্যাস্ত্রুশিও ও পাগোলোর বাহিনীর মাঝখানে পড়ত আর অন্যথায় শত্রুর মোকাবিলা করতে তাদের বিপদসংকুল আর্নো নদী পার হতে হত। ফ্লোরেন্সীয়দের এই দ্বিতীয় পন্থা অবলম্বনে লুব্ধ করতে ক্যাস্ত্রুশিও নদীর ধার থেকে তাঁর সৈন্যদের সরিয়ে এনে ফুশেচিওর প্রাচীরের নিচে রাখলেন যাতে নদী ও তাদের মধ্যে একটি বিস্তীর্ণ অঞ্চল ফাঁকা থাকে।

ফ্লোরেন্সীয়রা সান মিনিয়াতো অধিকার করার পর একটি যুদ্ধসংক্রান্ত মন্ত্রণাসভা ডাকল তারা পিসা আক্রমণ করবে, না ক্যাস্ত্রুশিওর বাহিনীকে, তা স্থির করতে এবং দুটি অভিযানের সমস্যাদি বিচার করে তারা দ্বিতীয়টিতেই সায় দিল। সেই সময় আর্নো নদীর জলস্তর হেঁটে পার হওয়ার মতো অগভীর থাকলেও জল পদাতিকদের কাঁধ এবং অশ্বারোহীদের জিন স্পর্শ করছিল। ১৩২৮ খ্রিষ্টাব্দের ১০ জুন সকালে ফ্লোরেন্সীয়রা বেশ কিছু অশ্বারোহী আর দশ হাজার পদাতিক সৈন্য পাঠিয়ে যুদ্ধ শুরু করল। ক্যাস্ত্রুশিও পূর্বপরিকল্পনামাফিক তৎক্ষণাৎ পাঁচ হাজার পদাতিক ও তিন হাজার অশ্বারোহী পাঠিয়ে ফ্লোরেন্সীয়রা জল থেকে ওঠার আগেই তাদের ওপর আক্রমণ হানলেন এবং সেই সঙ্গে হালকা অস্ত্রবাহী এক হাজার পদাতিককে নদীর পার ধরে উজানের দিকে আর সমসংখ্যক সৈন্যকে বিপরীত দিকে পাঠালেন। বিপক্ষের অস্ত্র ও নদীর জলের বাধা অতিক্রম করে ফ্লোরেন্সীয় পদাতিকরা পারে উঠতেই পারছিল না আর অশ্বারোহীরা আরো অসুবিধায় পড়েছিল কারণ যে কজন নদী পার হতে পেরেছিল তাদের পায়ের চাপে নদীর তলদেশ মথিত হয়ে গিয়েছিল এবং নদী গভীর ও কর্দমাক্ত হয়ে যাওয়ায় ঘোড়াগুলি আরোহীসহ গড়িয়ে পড়ছিল বা কাদায় পা আটকে নড়তেই পারছিল না। সৈন্যদের অসুবিধায় পড়তে দেখে ফ্লোরেন্সীয় সৈন্যাধ্যক্ষরা তাদের ফিরিয়ে এনে নদীর উজানে চালনা করল এই আশায় যে সেখানে নদীর তলদেশ কম বিপজ্জনক হবে এবং নদীর পার পা রাখার পক্ষে সহায়ক হবে। তারা আবার ক্যাস্ত্রুশিওর আগে থেকে পাঠানো সৈন্যের মুখোমুখি হল

যে সৈন্যরা ঢাল ও বর্শার মতো হালকা অস্ত্রবাহী হওয়ায় প্রচণ্ড গর্জনে বিপক্ষীয় অশ্বারোহীদের মুখ ও শরীর লক্ষ করে অস্ত্রবর্ষণ শুরু করল। অশ্বগুলি আওয়াজে ও আঘাতে সন্ত্রস্ত হয়ে এগোতে চাইল না এবং আতঙ্কপীড়িত হয়ে একে অন্যকে পদদলিত করতে লাগল। ক্যাস্ত্রুশিওর বাহিনী ও তীরে ওঠা বিপক্ষীয় সৈন্যদের মধ্যে তুমুল, তীব্র যুদ্ধ হল, দু-পক্ষই মরিয়া হয়ে হার না মানা লড়াই করল। ক্যাস্ত্রুশিওর সৈন্যরা শত্রুপক্ষীয়দের নদীতে ফেরত পাঠাতে চাইছিল যখন ফ্লোরেন্সীয়রা কিছুটা জমি দখল করে পিছনে থাকা সৈন্যদের সুবিধা করে দিতে লড়াই করছিল এবং দু-পক্ষের সেনাপতিরা দূর থেকে এই অনমনীয় লড়াই প্রত্যক্ষ করছিল। ক্যাস্ত্রুশিও চিৎকার করে তাঁর সৈন্যদের বললেন যে, এরা সেই একই শত্রু যাদের তারা সেরাভালেতে পরাস্ত করেছিল আর ফ্লোরেন্সিয়া অল্পসংখ্যকের কাছে অধিকসংখ্যকদের হেরে যাবে বলে একে অন্যকে ভর্ৎসনা করছিল। ক্যাস্ত্রুশিও দূর থেকে দীর্ঘ লড়াই প্রত্যক্ষ করে, দু-পক্ষেরই সৈন্যদের পরিশ্রান্ত দেখে এবং উভয় পক্ষের অনেককে হতাহত হতে দেখে আর এক দল পদাতিককে ঠেলে দিলেন যুদ্ধরত সৈন্যদের পশ্চাদ্‌ভাগে থাকার জন্য এবং তাঁর ক্লান্ত সৈনিকদের কাছে নির্দেশ পাঠালেন অবরোধ সরিয়ে ডান ও বাম দিকে চলে যেতে যা মনে হয় তারা পশ্চাদপসরণ করছে। এতে কিছুটা ফাঁকা জায়গা তৈরি হল যার সুবিধা নিয়ে ফ্লোরেন্সীয়রা তৎক্ষণাৎ যুদ্ধক্ষেত্রের কিছুটা অংশ দখল করে নিল। কিন্তু এই যুদ্ধক্লান্ত সৈন্যদল ক্যাস্ত্রুশিওর সংরক্ষিত বাহিনীর সামনে পড়ে বেশিক্ষণ টিকতে পারল না এবং নদীতে গিয়ে পড়ল। দু-পক্ষের অশ্বারোহীরা এতক্ষণ একে অন্যের ওপর খুব একটা আধিপত্য বিস্তার করতে পারেনি কারণ ক্যাস্ত্রুশিও তাঁর এই বাহিনীর নগণ্যতা অনুধাবন করে তাদের নির্দেশ দিয়েছিলেন শুধুমাত্র রক্ষণাত্মক ভূমিকা পালন করতে যেহেতু তাঁর আশা ছিল বিপক্ষের পদাতিক বাহিনীকে পর্যুদস্ত করতে পারলে অশ্বারোহী বাহিনীর কাজ সহজ হয়ে যাবে। তাঁর আশা মতোই কাজ হল কারণ যখন তিনি দেখলেন ফ্লোরেন্সীয় পদাতিক বাহিনী নদীর অপর পারে চলে গেছে। তিনি তাঁর অবশিষ্ট পদাতিকদের নির্দেশ দিলেন বিপক্ষের অশ্বারোহী সৈন্যের ওপর ঝাঁপিয়ে পড়তে। তারা বর্শা ও বল্লম নিয়ে স্বপক্ষীয় অশ্বারোহীদের সহায়তায় শত্রুকে আক্রমণ করল এবং প্রচণ্ড বিক্রম দেখিয়ে তাদের পালাতে বাধ্য করল। ফ্লোরেন্সীয় সৈন্যাধ্যক্ষরা তাদের অশ্বারোহী বাহিনীর নদী পার হওয়ার অসুবিধা দেখে চেষ্টা করলেন যাতে তাদের পদাতিক বাহিনী নদীর নিম্নগতির দিক দিয়ে পার হয়ে

ক্যাস্ত্রুশিওর বাহিনীকে পাশ থেকে আক্রমণ করতে পারে। কিন্তু এখানেও নদীর পার খাড়াই ছিল আর ক্যাস্ত্রুশিওর বাহিনী সারিবদ্ধভাবে দাঁড়িয়ে ছিল বলে সেই প্রচেষ্টা ব্যর্থ হল। এইভাবে ফ্লোরেন্সীয়রা সব জায়গায় এমন সর্বতোভাবে পরাস্ত হল যে তাদের এক তৃতীয়াংশ মাত্র পালাতে পারল আর ক্যাস্ত্রুশিও আবার মহিমান্বিত হলেন। অনেক ফ্লোরেন্সীয় সৈন্যাধ্যক্ষ বন্দী হলেন এবং রাজা রুবার্তোর পুত্র কার্লো এবং মিশেলাগ্নোলো ফ্যালকনি ও ট্যাডিও দেগলি আলবিজি, দুই ফ্লোরেন্সীয় অধ্যক্ষ, এম্পোলিতে পালিয়ে গেলেন। ক্ষয়ক্ষতি যদি প্রচুর হয়ে থাকে, নিহতের সংখ্যা ছিল বহুগুণ বেশি, যা এই ধরনের যুদ্ধে হয়েই থাকে। ফ্লোরেন্সীয়দের পক্ষে কুড়ি হাজার দুশো একত্রিশ জন প্রাণ হারিয়েছিল আর ক্যাস্ত্রুশিও তাঁর এক হাজার পাঁচশো সত্তরজন সৈনিককে হারিয়েছিলেন।

কিন্তু ভাগ্যদেবী ক্যাস্ত্রুশিওর প্রসিদ্ধিতে ঈর্ষাপরায়ণ হয়ে এমন একটা সময়ে তাঁর প্রাণ কেড়ে নিলেন যখন সে কাজ করা উচিত ছিল না আর এইভাবেই ক্যাস্ত্রুশিওর দীর্ঘমেয়াদী যাবতীয় পরিকল্পনা বাস্তবায়নের পথ বন্ধ হয়ে গেল যা একমাত্র মৃত্যুতেই সম্ভব। ক্যাস্ত্রুশিও সারাদিন যুদ্ধে ব্যস্ত ছিলেন এবং যখন তা শেষ হয়ে গেল, তিনি ক্লান্ত ও উত্তপ্ত শরীরে ফুশেচিওর দরজায় দাঁড়িয়ে ছিলেন তাঁর যুদ্ধফেরত সৈনিকদের স্বাগত জানাতে এবং ব্যক্তিগতভাবে তাদের ধন্যবাদ দিতে। তিনি নজরও রাখছিলেন যাতে কোনো সুযোগে শত্রুপক্ষ ফিরে এসে দিনের বেলা অর্জিত সৌভাগ্য কেড়ে নিতে না পারে কারণ তিনি মনে করতেন যে একজন প্রকৃত সেনানায়কের কর্তব্য প্রথম ঘোড়ায় চড়া এবং সব শেষে ঘোড়া থেকে নামা। এখানে তিনি আর্নো নদীর তীরে প্রায়শই মধ্যদিবসে ওঠা ঝড়ের মুখে দাঁড়িয়ে ছিলেন যা অত্যন্ত অস্বাস্থ্যকর আর এ থেকেই তাঁর ঠান্ডা লেগে গিয়েছিল যা তিনি প্রথমে অগ্রাহ্য করেছিলেন কারণ এই ধরনের সমস্যায় তিনি অভ্যস্ত ছিলেন, কিন্তু এটিই ছিল তাঁর মৃত্যুর কারণ। পরের রাতে তাঁর প্রবল জ্বর এসেছিল এবং তা এত দ্রুত বেড়ে গিয়েছিল যে চিকিৎসকরা বুঝেছিলেন সেটি প্রাণঘাতী হওয়া সম্ভব। ক্যাস্ত্রুশিও তাই পাগোলো গুইনিগিকে ডেকে বললেন:

'যদি আমি বুঝতাম যে ভাগ্যদেবী আমার সম্ভাবনাময় কর্মজীবনের মাঝখানেই আমাকে কেড়ে নেবেন তাহলে আমি একটু কম পরিশ্রম করতাম আর তোমার হাতে একটা ছোটো রাজ্য দিয়ে যেতাম যেখানে শত্রুর ও বিপদের সংখ্যা কম থাকত, আমি লুকা আর পিসার অধিকারী হয়েই সন্তুষ্ট থাকতে পারতাম। পিসতোইয়াবাসীদের

পরাধীন করা বা ফ্লোরেন্সীয়দের এত আঘাত করা আমার উচিত হয়নি। বরং আমি উভয়ের সঙ্গেই মিত্রতা স্থাপন করতে পারতাম এবং তোমার জন্য একটি ছোটো কিন্তু সুরক্ষিত ও দৃঢ়প্রতিষ্ঠ রাষ্ট্র রেখে যেতে পারতাম। কিন্তু ভাগ্যদেবী, যিনি মানবকর্মের চূড়ান্ত নিষ্পত্তি করেন, আগে থেকে বোঝার মতো বিচারবুদ্ধি বা বিপদ কাটিয়ে ওঠার মতো সময় আমার জন্য বরাদ্দ করেননি। তুমি অনেকের মুখেই শুনেছ আর আমিও কখনো গোপন করিনি কীভাবে আমি বাল্যকালে তোমার পিতার সংস্পর্শে এসেছিলাম যখন উচ্চাকাঙ্ক্ষার কোনো অনুভূতি আমার ছিল না এবং কীভাবে তিনি আমাকে বড়ো করেছেন, কীভাবে সন্তানস্নেহে আমাকে লালন পালন করেছেন, কীভাবে তাঁর নিয়ন্ত্রণে আমি সেই বীরত্ব আর খ্যাতি অর্জনের সামর্থ্য তৈরি করতে শিখেছিলাম যার একজন সাক্ষী তুমি স্বয়ং। তোমার মহান পিতা মৃত্যুর সময় সন্তানসহ তাঁর যাবতীয় সম্পত্তি আমার তত্ত্বাবধানে রেখে গিয়েছিলেন এবং আমি তোমাকে সস্নেহে লালন পালন করেছি আর তোমাদের রাজত্ব সযত্নে বাড়িয়ে তুলেছি যা আমার একান্ত কর্তব্য ছিল। তুমি যাতে শুধুমাত্র তোমার পিতার রেখে যাওয়া রাজ্য নয় আমার ভাগ্য ও সামর্থ্যের বলে অর্জিত রাজ্যেরও অধিকারী হও তাই আমি বিবাহ করিনি যাতে সন্তানস্নেহে আমার মন তোমার পিতার সন্তানদের প্রতি আমার কর্তব্য থেকে বিচ্যুত না হয়। আমি তোমার জন্য একটি বিশাল রাজ্য রেখে যাচ্ছি যাতে আমি অত্যন্ত তৃপ্ত কিন্তু আমি এই কারণে উদ্বিগ্ন যে আমি এটি অসুরক্ষিত ও অসুপ্রতিষ্ঠিত অবস্থায় রেখে যাচ্ছি। তোমার হাতে লুকা নগর থাকছে যা কখনোই তোমার শাসনে সন্তুষ্ট থাকবে না। তোমার হাতে পিসাও থাকছে যেখানে মানুষ পরিবর্তনকামী ও অবিশ্বস্ত, যারা নিয়ন্ত্রণে থাকলেও একজন লুচিজের অধীনে থাকা সর্বদাই অপছন্দ করবে। পিসতোইয়াও তোমার অনুগত নয় কারণ সেখানে দলাদলি রয়েছে এবং সাম্প্রতিক অনৈতিক কার্যকলাপের জন্য তারা তোমার পরিবারের উপর কুপিত। প্রতিবেশী হিসেবে তুমি পাবে বিক্ষুব্ধ ফ্লোরেন্সীয়দের যারা আমাদের দ্বারা বহুভাবে ক্ষতিগ্রস্ত হলেও সম্পূর্ণ ধ্বংস হয়নি এবং যারা গোটা তাসক্যানি দখলের চেয়েও বেশি উল্লসিত হবে আমার মৃত্যুসংবাদ পেয়ে। সম্রাট এবং মিলানের রাজার ওপরেও তুমি বেশি ভরসা করতে পার না কারণ তাঁরা বহু দূরবর্তী, ধীর গতিসম্পন্ন আর তাঁদের সাহায্য পেতে সময় লাগবে। সুতরাং নিজের সামর্থ্য, আমার বীরত্বের স্মৃতি আর সাম্প্রতিক যুদ্ধজয়ের গৌরব ছাড়া অন্য কোনো কিছুর ওপর তুমি ভরসা করতে পারবে না। তুমি জানো কীভাবে এই জয়কে কাজে লাগিয়ে

ফ্লোরেন্সীয়দের বাগে আনতে হবে কারণ তারা এই বিধ্বংসী পরাজয়ে ভগ্নপ্রায় দশায় তোমার কথা শুনতে বাধ্য। যদিও আমি যুদ্ধজয়ের মাধ্যমে ক্ষমতা ও গৌরব অর্জনের আশায় তাদের শত্রু বানিয়েছি, তোমার সামনে যথেষ্ট কারণ আছে তাদের সঙ্গে মিত্রতা স্থাপনের যেহেতু তাদের বন্ধুত্ব তোমাকে সুবিধা ও সুরক্ষা যোগাবে। এই পৃথিবীতে একজন ব্যক্তির কাছে সর্বাধিক গুরুত্বপূর্ণ নিজেকে চেনা, নিজের শক্তি ও সাধনের পরিমাপ করা, আর যে জানে তার সমরপ্রতিভা নেই তাকে শিখতেই হবে কীভাবে শান্তির কৌশলে শাসন কায়েম রাখা যায়। আমার পরামর্শ মেনে আচরণ করলে তোমার ভালোই হবে আর আমার কর্ম ও ঝুঁকির মাধ্যমে অর্জিত সম্পত্তি তুমি ভোগ করতে পারবে এবং এই পথে তুমি সহজেই সফল হবে যখন তুমি বিশ্বাস করতে শিখবে যে আমি যা বলেছি তা সত্য। তুমি এই ভেবে আমার প্রতি দ্বিগুণ কৃতজ্ঞ বোধ করবে যে আমি তোমার জন্য এই রাজত্ব রেখে গেছি এবং তা রক্ষা করা কৌশল তোমাকে শিখিয়ে গিয়েছি।'

এরপর ক্যাস্ত্রুশিওর পক্ষে যুদ্ধ করা পিসা, পিস্তোইয়া আর লুকার নাগরিকরা তাঁর কাছে এল এবং তাদের কাছে পাগোলোর নাম সুপারিশ করে আর তাঁর উত্তরাধিকারী হিসেবে পাগোলোর প্রতি তাদের আনুগত্য নিশ্চিত করে তিনি চিরবিদায় নিলেন। তাঁর পরিচিত জনেদের কাছে তাঁর স্মৃতি ছিল সুখকর এবং সেই সময়ের কোনো শাসকই তাঁর মতো জনপ্রিয়তা ও আনুগত্য পাননি। প্রকৃত শোকাতুর পরিবেশে তাঁর শেষকৃত্য সম্পন্ন হয়েছিল এবং লুকার সান ফ্রান্সেস্কোতে তাঁকে সমাহিত করা হয়েছিল। ভাগ্যদেবী যতটা ক্যাস্ত্রুশিওর সহায়ক ছিলেন ততটা পাগোলো গুইনিগির ছিলেন না কারণ তাঁর সামর্থ্য কম ছিল। ক্যাস্ত্রুশিওর মৃত্যুর অব্যবহিত পরেই পাগোলো পিসা হারালেন, তারপর পিসতোইয়া এবং কোনোক্রমে লুকার অধিকার বজায় রাখলেন। পাগোলোর প্রপৌত্রের সময় পর্যন্ত এই নগর গুইনিগিদের অধিকারে ছিল।

এখানে যা বলা হল তাতে দেখা যাবে যে, ক্যাস্ত্রুশিও ছিলেন অসামান্য সামর্থ্যের অধিকারী একজন মানুষ, শুধু তাঁর সমসাময়িকদের পরিপ্রেক্ষিতে নয়, পূর্ববর্তী সময়কালীন ব্যক্তিদের তুলনাতেও। শারীরিক গঠনে তিনি ছিলেন সাধারণ উচ্চতার ঊর্ধ্বে এবং যথার্থ সমানুপাতিক। তিনি পরিশীলিত ব্যক্তিত্বের অধিকারী ছিলেন এবং এমন সৌজন্যের সঙ্গে মানুষকে স্বাগত জানাতেন যে প্রায় সকলেই তাঁর সঙ্গে মধুর ব্যবহার করত। তাঁর চুল ছিল ঈষৎ লাল আর তিনি তা কান পর্যন্ত ছেঁটে রাখতেন

এবং বৃষ্টি বা তুষারপাত যাই হোক তিনি খালি মাথায় বেরোতেন। তিনি বন্ধুদের মাঝে ছিলেন আনন্দময় কিন্তু শত্রুর কাছে ভয়ংকর; প্রজাদের প্রতি ন্যায়পরায়ণ; তিনি অবিশ্বস্তদের সঙ্গে অবৈধ আচরণ করতে দ্বিধা করতেন না এবং যাদের তিনি বশ করতে চাইতেন তাদের শঠতার মাধ্যমে পরাস্ত করতেও প্রস্তুত ছিলেন কারণ তিনি বলতেন যে জয়লাভই গৌরব আনবে, তার পদ্ধতি নয়। বিপদের সামনে তাঁর মতো সাহসী কেউ ছিল না, নিজেকে বন্ধনমুক্ত করতে তাঁর মতো পারদর্শী কেউ নয়। তিনি বলতেন, মানুষের নির্ভয়ে সব কাজে চেষ্টা করা উচিত, ঈশ্বর শক্তিশালীদের ভালোবাসেন কারণ সর্বদাই দেখা যায় দুর্বল সবলের কাছে শাস্তি পায়। তিনি প্রত্যুত্তরেও বিস্ময়কর রকম তীক্ষ্ণ বা বিনয়ী কিন্তু ব্যঙ্গাত্মক ছিলেন এবং যেহেতু অন্যের থেকে এই ধরনের কথা শোনা তিনি পছন্দ করতেন না তাই তাঁর কথাও কেউ অপছন্দ করলে তিনি রেগে যেতেন না। প্রায়শই এমন হত যে অন্যে তাঁর সঙ্গে তীক্ষ্ণ ভাষায় কথা বললেও তিনি ধৈর্য ধরে শুনতেন যেমন হয়েছে নিম্নলিখিত ঘটনাগুলিতে। তাঁর এক বন্ধু একটি তিতিরের জন্য তাঁকে এক ডুক্যাট (ইতালীয় মুদ্রা) দিতে বলায় ক্যাস্ত্রুশিও বন্ধুকে বললেন, 'তুমি হলে এক পেনির বেশি দিতে না।' বন্ধু উত্তর দিয়েছিল, 'সে কথা সত্যি।' তখন ক্যাস্ত্রুশিও তাকে বললেন, 'আমার কাছে এক ডুক্যাট সামান্য অর্থ।' তিরস্কার স্বরূপ এক চাটুকারের মুখে থুতু দেওয়ায় সেই চাটুকার ক্যাস্ত্রুশিওকে বলেছিল, 'মৎস্যজীবীরা চায় সমুদ্র তাদের সুসিক্ত করুক যাতে তারা কিছু বেশি মাছ ধরতে পারে, তেমনই আমি থুতুতে ডুবে যেতে প্রস্তুত যাতে হয়তো একটা তিমি ধরতে পারব।' ক্যাস্ত্রুশিও শুধু ধৈর্য সহকারে শুনলেনই না, তাকে পুরস্কৃত করলেন, যখন একজন যাজক তাঁর বিলাসবহুল জীবনযাপন সম্পর্কে কটাক্ষ করেন তখন ক্যাস্ত্রুশিও বললেন, 'সেটা যদি পাপ হয় তবে সন্ন্যাসীদের ভোজেও আপনাদের এত খরচ চালিয়ে যাওয়া উচিত নয়।' রাস্তা দিয়ে যেতে যেতে এক যুবককে তার জরাজীর্ণ বাড়ি থেকে বেরিয়ে আসার সময় লজ্জা পেতে দেখে ক্যাস্ত্রুশিও তাকে বলেছিলেন, 'এই রকম একটা বাড়ি থেকে বেরনোর সময় নয়, লজ্জা পাওয়া উচিত এখানে ঢোকার সময়।' এক বন্ধু একটি জটিল পদ্ধতিতে বাঁধা টাই দিয়ে তাঁকে সেটি খুলতে বললে ক্যাস্ত্রুশিও বলেছিলেন, 'দূর বোকা, তুমি কি মনে কর এত কষ্ট করে বাঁধা একটা টাই আমি খুলে ফেলব।' দার্শনিক হিসেবে পরিচয় দেওয়া এক ব্যক্তিকে ক্যাস্ত্রুশিও বলেছিলেন, 'আপনারা সেই কুকুরের মতো যারা শুধু তাদের পিছনেই ছোটে যারা তাদের সবচেয়ে ভালো খেতে দেয়' যার

উত্তরে তিনি শুনেছিলেন, 'বরং বলা ভালো আমরা সেই ডাক্তারদের মতো যারা তাদের বাড়িতেই যায় যাদের কাছে ডাক্তারের প্রয়োজন সর্বাধিক।' জলপথে পিসা থেকে লেগহর্ন যাওয়ার পথে একটা হঠাৎ ওঠা ভয়ংকর ঝড়ে ক্যাস্ত্রুশিও অত্যন্ত বিচলিত হয়ে পড়ায় তাঁর এক সঙ্গী তাঁর ভীরুতার নিন্দা করে বলেছিল যে সে একটুও ভয় পায়নি। ক্যাস্ত্রুশিও উত্তরে বলেছিল যে তাতে তিনি আশ্চর্য হননি কারণ প্রত্যেকেই তার আত্মাকে যোগ্য মূল্য দেয়। শ্রদ্ধালাভের জন্য কী করা উচিত সে বিষয়ে একজন তাঁকে প্রশ্ন করলে ক্যাস্ত্রুশিও বলেন, 'যখন কোনো ভোজসভায় যাবে তখন খেয়াল রেখো যেন একটি কাঠের টুকরোর মতো বসে থেকো না।' এক ব্যক্তি প্রচুর পড়াশোনা করেছেন বলে বড়াই করায় ক্যাস্ত্রুশিও বলেছিলেন, 'অনেক কিছু মনে রাখার বড়াই করার চেয়ে তিনি বেশি জানেন।' একজন বড়াই করছিল যে অনেকটা পান করেও সে নেশাতুর হয়ে পড়ে না। ক্যাস্ত্রুশিও উত্তর দিয়েছিলেন, 'একটা ষাঁড়ও তাই করে।' একটি পরিচিত মেয়ের সঙ্গে ক্যাস্ত্রুশিওর অন্তরঙ্গ সম্পর্ক ছিল বলে তাঁর এক বন্ধু দোষারোপ করে বলেছিল যে একজন মহিলার বশে থাকা তাঁর পক্ষে মর্যাদা হানিকর। ক্যাস্ত্রুশিও উত্তরে বলেছিলেন, 'সে আমাকে বশ করেনি, আমি তাকে বশ করেছি।' সুস্বাদু খাদ্য খেতে অভ্যস্ত হওয়ার কারণে নিন্দিত হয়ে তিনি বলেছিলেন, 'আমি যতটা ব্যয় করি আপনি ততটা করেন না?' সে কথা সত্য জেনে তিনি আরও বলেছিলেন, 'আমি যতটা পেটুক, আপনি তার চেয়ে বেশি লোভী।' লুকার ধনী ও আমুদে ব্যক্তি ট্যাডিও বার্নার্ডি কর্তৃক সান্ধ্যভোজে নিমন্ত্রিত হয়ে তিনি তাঁর বাড়ি গিয়েছিলেন যেখানে ট্যাডিও তাঁকে একটি রেশম শোভিত ও রঙীন পাথরের ফুল, লতাপাতাখচিত একটি ঘরে নিয়ে গিয়েছিলেন। ক্যাস্ত্রুশিও মুখের মধ্যে কিছুটা থুতু জমিয়ে ট্যাডিওর গায়ে ছিটিয়ে দিলেন এবং তাতে তাঁকে বিরক্ত হতে দেখে বললেন, 'আমি বুঝতে পারছিলাম না কোথায় থুতু ফেললে আপনি কম রাগ করবেন।' সিজারের মৃত্যু কীভাবে হয়েছিল তা তাঁর কাছে জানতে চাওয়ায় তিনি বলেছিলেন, 'ঈশ্বরের ইচ্ছায় আমারও তেমন মৃত্যু হবে।' এক রাত্রে এক ভদ্রলোকের বাড়িতে অনেক মহিলা একত্রিত হয়েছিলেন যেখানে ক্যাস্ত্রুশিওর এক বন্ধু তাঁকে মহিলাদের সঙ্গে নাচতে ও আমোদ করতে দেখে তিরস্কার করায় তিনি বলেছিলেন, 'যাকে দিনের বেলা বিজ্ঞ মনে করা হয় সে রাতের বেলা বোকা বনতে চাইবে না।' এক ব্যক্তি ক্যাস্ত্রুশিওর কাছে অনুগ্রহ চাইতে এসে তিনি মন দিয়ে কথা শুনছেন না ভেবে হাঁটু গেড়ে মাটিতে বসে পড়ায় নিন্দিত হয়ে বলেছিলেন,

'আপনার জন্যেই আমার এরূপ আচরণ কারণ আপনার কান মাটির দিকে।' এরপর তিনি আগের দ্বিগুণ অনুগ্রহ চেয়েছিলেন। ক্যাস্ত্রুশিও বলতেন যে নরকের যাত্রাপথ সহজতর কারণ সেটি নিচের দিকে আর আপনি চলেছেন চোখ বাঁধা অবস্থায়। একজন অনেক অতিশয়োক্তি করে অনুগ্রহ চাওয়ায় তিনি তাকে বলেছিলেন, 'আপনার যখন অন্য কোনো অনুরোধ জানানোর থাকবে তখন অন্য কাউকে পাঠাবেন সেটি জানাতে।' সেই ধরনেরই অন্য এক ব্যক্তি দীর্ঘকথনের শেষে বলেছিলেন, 'বোধ হয় আমি আপনাকে এতক্ষণ কথা বলে ক্লান্ত করে দিয়েছি।' ক্যাস্ত্রুশিও বলেছিলেন, 'না, আপনি তা করেননি, কারণ আমি আপনার একটি কথাও শুনিনি।' এক ব্যক্তি ছোটোবেলায় খুব সুন্দর আর পরে অতি সুদর্শন হওয়ায় তিনি বলেছিলেন যে, ওই ব্যক্তি বিপজ্জনক কারণ প্রথমে সে স্ত্রীদের থেকে তাদের স্বামীদের কেড়ে নিয়েছিল আর পরে সে স্বামীদের কাছ থেকে তাদের স্ত্রীদের কেড়ে নিয়েছে। একজন ঈর্ষাপরায়ণ ব্যক্তিকে খুব হাসতে দেখে তিনি বলেছিলেন, 'আপনি সফল হয়েছেন বলে হাসছেন, না অন্য কেউ দুর্ভাগা দেখে?' যখন তিনি মেসার ফ্রান্সেস্কো গুইনিগির অধীনে ছিলেন তখন তাঁর এক সঙ্গী তাঁকে বলেছিল, 'যদি তোমার নাকে একটা ঘুষি মারতে দাও তবে আমার কাছে তুমি কী চাইবে?' ক্যাস্ত্রুশিও উত্তরে বলেছিলেন, 'একটি শিরস্ত্রাণ।' তাঁর উত্থানে সহায়তাকারী এক ব্যক্তিকে তিনি মেরে ফেলায় যখন সবাই বলছিল যে তিনি অন্যায় করেছেন তখন তিনি বলেছিলেন, লোকে ভুল ভাবছে। তিনি শুধু এক নতুন শত্রুকে খতম করেছেন। যারা বিয়ে করতে চেয়েও পরে তা করে না তাদের প্রশংসা করে তিনি বলেছিলেন যে, তারা তেমন লোক যারা সমুদ্রে যেতে চায় কিন্তু সময় এলে তা থেকে বিরত থাকে। তিনি বলেছিলেন, এটা তাকে বিস্মিত করে যে লোকে মাটির বা কাচের পাত্র কিনতে গিয়ে তা বাজিয়ে দেখে ভালো কিনা কিন্তু স্ত্রী নির্বাচনের সময় শুধু চোখে দেখেই সন্তুষ্ট থাকে। তাঁকে যখন জিজ্ঞাসা করা হয়েছিল যে মৃত্যুর পর তিনি কীভাবে সমাহিত হতে ইচ্ছা করেন, তিনি বলেছিলেন, 'মুখ নিচের দিকে করে, কারণ আমি জানি যে আমি চলে গেলে দেশটা উল্টে যাবে।' আত্মাকে বিনষ্ট হওয়া থেকে বাঁচাতে তিনি ভিক্ষু হতে চান কিনা তা জিজ্ঞাসা করায় তিনি বলেছিলেন যে তেমন কিছু তিনি ভাবেননি কারণ তাঁর অবাক লাগে যে ফ্রা ল্যাজেরোন-এর স্বর্গে যাওয়া উচিত আর উগুসিওনে ডেলা ফ্যাগিউওলার নরকে। তাঁকে জিজ্ঞাসা করা হয়েছিল যে সুস্বাস্থ্য বজায় রাখতে মানুষের কখন খাওয়া উচিত আর তিনি উত্তর দিয়েছিলেন, 'যদি

মানুষটি ধনী হয় তবে তার খিদে পেলে খাওয়া উচিত আর যদি সে গরীব হয় তবে যখন সে খেতে পাবে।' তাঁর পারিষদদের একজনকে তার পরিবারের এক ব্যক্তিকে দিয়ে জুতোর ফিতে বাঁধাতে দেখে তিনি তাকে বলেছিলেন, 'ঈশ্বরের কাছে প্রার্থনা করি তুমি তাঁকে সুযোগ দাও তোমাকেও খাদ্য যোগানোর।' এক ব্যক্তি লাতিন ভাষায় তার বাড়ির দেওয়ালে লিখেছিল, 'ঈশ্বর এই ভবনকে দুষ্ট লোকদের থেকে রক্ষা করুন।' তা দেখে তিনি বলেছিলেন, 'গৃহকর্তার কখনোই ভিতরে প্রবেশ করা উচিত হবে না।' রাস্তা দিয়ে যেতে যেতে একটা ছোট্ট বাড়ির বিশাল দরজা দেখে তিনি মন্তব্য করেছিলেন, 'বাড়িটা দরজা দিয়েই উড়ে বেরিয়ে যাবে।' নেপল্‌স-এর রাজার রাষ্ট্রদূতের সঙ্গে নির্বাসিত অভিজাতদের সম্পত্তি বিষয়ক আলোচনার সময় বিতর্ক উপস্থিত হলে সেই রাষ্ট্রদূত তাঁকে প্রশ্ন করেছিলেন, তিনি কি রাজাকে ভয় পান না। ক্যাস্ত্রুশিও জানতে চেয়েছিলেন, 'আপনার এই রাজা খারাপ লোক না ভালো?' তাঁকে যখন বলা হল যে রাজা ভালো লোক তখন তিনি বললেন, 'কেন আপনি বলছেন যে একজন ভালো মানুষকে আমার ভয় করা উচিত?'

তাঁর অনেক রসাত্মক ও গুরুগম্ভীর উক্তির কাহিনী আমি বর্ণনা করতে পারি, কিন্তু মনে হয় উপরের কাহিনীগুলি তাঁর উচ্চ গুণাবলি প্রকাশে যথেষ্ট। তিনি চুয়াল্লিশ বছর বেঁচেছিলেন এবং সর্বার্থে তিনি ছিলেন একজন রাজা। সৌভাগ্যের বহু নিদর্শন যেমন তাঁকে ঘিরে ছিল তেমনই তিনি চেয়েছিলেন তাঁর দুর্ভাগ্যের কিছু নিদর্শন তাঁর চারপাশে থাকুক। তাই যে হাতকড়ি বেঁধে তাঁকে কারাগারে বন্দী করে রাখা হয়েছিল তা আজও তাঁর বাসভবনের স্তম্ভে লাগানো রয়েছে যা তিনিই লাগিয়ে রেখেছিলেন তাঁর প্রতিকূলতাময় দিনের সাক্ষ্য হিসেবে। তাঁর জীবৎকালে তিনি যেমন আলেকজান্ডারের পিতা ম্যাসিডনের ফিলিপের চেয়ে ন্যূন ছিলেন না কিংবা রোমের সিপিও-র চেয়ে, তেমনই তিনি মারা গিয়েছিলেন তাঁদের মৃত্যুবয়সেই এবং তিনি নিঃসন্দেহে উভয়ের চেয়ে শ্রেষ্ঠতর প্রতিপন্ন হতেন যদি ভাগ্যদেবীর আদেশে তাঁর জন্ম লুকাতে না হয়ে ম্যাসিডনিয়া বা রোমে হত।

পার্থ মুখোপাধ্যায় (জন্ম ১৯৬১)। ছাত্রাবস্থা থেকেই লেখালেখির প্রতি আগ্রহ। বিভিন্ন পত্রপত্রিকায় তাঁর রচনা প্রকাশিত হয়েছে। নাটক লিখেছেন, বিদেশি উপন্যাসের নাট্যরূপ দিয়েছেন। বাংলায় অনুবাদ করেছেন ডেল কার্নেগির হাউ টু ডেভেলপ সেল্‌ফ কনফিডেন্স অ্যান্ড ইনফ্লুয়েন্স পিপল বাই পাবলিক স্পিকিং। স্টেট ব্যাংক অফ ইন্ডিয়ার প্রাক্তন কর্মী ও 'থেস্‌পিয়ান্‌স্‌' নাট্যদলের প্রতিষ্ঠাতা নির্দেশনা, অভিনয় এবং অনুবাদের কাজে যুক্ত।